1968, ANNÉE SURRÉALISTE

CUBA, PRAGUE, PARIS

Ouvrage publié sous la direction d'Olivier Corpet
Direction éditoriale : Nathalie Léger
Édition : Muriel Vandeventer
Mise en pages : Émilie Greenberg

Jérôme Duwa

1968, ANNÉE SURRÉALISTE

CUBA, PRAGUE, PARIS

ONLY FOR

DREAMERS !

THANK YOU FOR YOUR

INVITATION.

Jérôme DUWA

New Haven

10/18/2018

NOTE D'INTENTION

Une formule qui a déjà servi, mais qui n'est pas usée, pourrait être considérée comme la phrase de réveil à l'origine de cet ouvrage : « Cours camarade, le vieux monde est derrière toi ! » Aujourd'hui, il n'y a plus vraiment lieu de courir et 1968 est derrière nous. Ce livre s'invite par effraction dans une trame du temps, où des femmes et des hommes ont couru et sont allés même plus vite que l'histoire : ce fut leur grandeur.

En peu de mois, entre 1967 et 1968, le groupe surréaliste parisien s'est en quelque sorte accompli, trouvant sa vérité successivement en trois lieux : à Cuba, à Prague et à Paris. Pour entrer dans cette vérité, il m'est tout de suite apparu nécessaire de donner la parole aux documents, aux pièces d'archives et aux textes d'époque qui seuls permettent de retrouver le ton et la couleur de ce temps en surchauffe révolutionnaire. Puisqu'il serait cependant naïf de croire que des documents historiques font sens par eux-mêmes, s'est aussi imposée à moi la nécessité de les éclairer sous un jour particulier ; les trois chapitres composant l'ouvrage et chacun des textes qu'on y trouve sont ainsi précédés d'introductions donnant des éléments propres à orienter le lecteur. Présenter les protagonistes, les circonstances ou les enjeux était en outre devenu incontournable, tant il est vrai que le groupe surréaliste de cette génération a été oublié. L'ensemble d'archives conservé à l'Imec constitue la source primordiale de cette tentative de reconstitution, et notamment les fonds Jean Schuster, Gérard Legrand, José Pierre, Claude Courtot, ainsi que celui de leur ami commun, Dionys Mascolo. L'iconographie qui agrémente le livre, en pleine page ou jusque dans ses marges, apporte d'indispensables points de fixation pour l'imagination et permet de rétablir, autant qu'il est possible, le décor d'une époque révolue. Enfin, chacun des trois chapitres se conclut sur un entretien qu'un témoin privilégié a eu l'amabilité de m'accorder pour une ultime mise en perspective historique.

SOMMAIRE

ANNEXES

MIROIR 68

Tout s'accélère pour le groupe surréaliste en 1967 et 1968, comme dans une sorte de course faustienne vers l'abîme. Forcément, l'histoire aussi connaît une période où ce qui de longue date a été préparé, soudainement, éclate. Trois expériences consécutives vont ébranler profondément la raison d'être du collectif surréaliste qui existe à Paris depuis 1924 et s'est reconstitué en 1947 après le retour d'André Breton de son exil américain.

Un, deux, trois : Cuba, Prague, Paris. Non pas trois Vietnam, mais trois sujets d'exaltations majuscules qui s'achevèrent en déceptions. En tout cas, la conjoncture à la fin de l'année 1968 n'est plus au surréalisme sur les bases qui ont été les siennes depuis plus de quarante ans : trois ans après la mort d'André Breton, le 28 septembre 1966, le groupe surréaliste de Paris est conduit à s'autodissoudre et à renoncer à la recherche en commun de l'or du temps. Cette dissolution n'est pas tant le fait de différends internes que de la pression formidable des événements politiques de l'année 1968. C'est parce que les surréalistes se sont jetés corps et âme dans le flux de l'histoire qui circule entre Cuba, Prague et Paris en 1968 qu'ils ont finalement été emportés par un courant qu'ils ne pouvaient pas maîtriser. L'année 1968 est surréaliste en ce sens que le mouvement atteint cette année-là sa vérité, autrement dit, son point d'épuisement. Une vérité difficile, puisqu'elle va s'avérer proprement insupportable : Cuba n'est finalement pas l'utopie rêvée ; Prague retrouve finalement un socialisme à visage inhumain ; Paris reprend finalement le travail et fait disparaître ses barricades.

68 est ainsi le chiffre d'un rêve, dont le surréalisme ne pourra pas tout à fait se réveiller. S'y replonger revient à saisir le mouvement surréaliste d'un point de vue qu'on pourrait volontiers désigner avec André Breton comme un « point sublime » : pas plus que pour André Breton lui-même, il n'est question de s'établir en ce point littéralement intenable, mais il nous est loisible d'y retourner pour apprécier un panorama ancien et mieux comprendre pourquoi 1968 est un tournant pour l'histoire du surréalisme.

Penser la rencontre d'un mouvement comme le surréalisme et d'un bref segment historique saturé d'événements considérables n'est pas sans soulever certaines questions de méthode. En somme, la rencontre des surréalistes et de l'année 1968 n'est-elle pas aussi gratuite et improbable que celle, fameuse, orchestrée par Lautréamont sur une table de dissection entre un parapluie et une machine à coudre ? Cette rencontre ne dispose-t-elle que d'une légitimité d'ordre poétique ? Disons d'emblée que, du point de vue surréaliste, cette légitimité serait amplement suffisante, mais dans la perspective historique qui est la nôtre, on ne peut tout à fait s'en satisfaire.

Arlette Farge l'a exprimé avec force : l'événement n'est pas « donné », puisqu'il est dès l'origine partagé en lambeaux de sens dont la dissémination est telle qu'il est inconcevable de reconstituer ce qui serait son infracassable noyau. L'être de l'événement est justement l'éclatement de son être. « L'événement serait déjà de l'ordre du désordre[1] », précise-t-elle. La révolution cubaine, le printemps de Prague, Mai 68, sont ce qu'il est courant d'appeler de grands événements face auxquels le groupe surréaliste « survivant » au cours des années 1960 paraît peu qualifié pour prétendre les porter. Mais l'événement ne cherche pas son Atlas ; de même qu'il n'est pas *porté*, on ne saurait non plus lui faire *face* : il est plutôt construit singulièrement par ceux qui le vivent. Les surréalistes vont donner un sens particulier à ce qui leur arrive à Cuba, à Prague et à Paris entre l'été 1967 et l'été 1968. Ce sens est difficilement réductible au sens commun, parce qu'il est le produit de l'existence d'un mouvement héritier d'une déjà longue histoire où l'anti-colonialisme, l'anti-stalinisme et l'anti-gaullisme ont tenu leur place.

On pourrait s'interroger : mais quel intérêt y a-t-il à évoquer le surréalisme, pièces d'archives à l'appui, tandis que d'évidence le groupe animé alors par Jean Schuster ne bénéficie pas d'un statut prépondérant parmi les avant-gardes françaises des années 1960 ? Il y a cependant ce fait troublant, qui est à l'origine de ce livre : les surréalistes sont là où en 1968 l'événement surgit, comme s'ils étaient aimantés par son surgissement même. Rien d'irrationnel à ces coïncidences, mais plutôt une aptitude, qui est le fruit de leur histoire, à aller au-devant de l'événement et, en l'occurrence, pour s'y consumer.

Pour ce qui concerne le mouvement français de Mai 68, il ne s'agit donc pas, bien entendu, de considérer que le surréalisme en serait une des influences déterminantes. Sur cette question des influences intellectuelles de Mai 68, l'historienne américaine Kristin Ross a trouvé les mots justes : « J'estime, écrit-elle dans un livre paru à Chicago en 2002, qu'il est impossible d'évaluer le rôle joué par les idées radicales et les théories révolutionnaires dans l'éclatement et l'évolution de l'insurrection. Pour y parvenir, il faudrait croire que la conscience précède l'action ou qu'un mouvement est né d'un modèle, d'un projet, d'une idée

1. Arlette Farge, *Des lieux pour l'histoire*, Paris, Seuil, coll. « La librairie du XXe siècle », 1997, p. 82.

ou d'un ensemble d'idées, et non d'une lutte. La relation entre idées et modes d'action politique est toujours conjoncturelle ou situationnelle[2]. »

Si l'on peut dire que l'année 1968 est surréaliste, c'est au sens où le mouvement insurrectionnel qui naît, tout à fait indépendamment du groupe réduit de militants surréalistes, est un mouvement où les surréalistes vont évidemment se reconnaître, comme si l'histoire leur tendait une dernière fois un miroir. Aujourd'hui, le miroir est brisé et les documents qui composent ce livre en sont les fragments préservés. L'image de ce miroir brisé, qui s'est en quelque sorte imposée dans ce préambule, ne vient pas de nulle part.

Dans l'après 68, Jean Schuster a lancé une collection de livres chez son ami et complice de longue date, Éric Losfeld : elle s'est appelée tout naturellement « Le désordre ». Le premier livre de cette collection au format étroit est un recueil de citations surréalistes glanées par Annie Le Brun sous le titre *Les mots font l'amour*. Sur la couverture de cet ouvrage réalisée par Pierre Faucheux et qui sera la maquette de toute la première série de la collection, on découvre un ensemble d'éclats noirs qui sont, apprend-on, empruntés au « *Grand Verre* de Marcel Duchamp, brisé et mis à nu. » Quel obscur désastre a pu briser cette œuvre ô combien énigmatique de Marcel Duchamp, *La Mariée mise à nu par ses célibataires, même*? Exécutée à partir de 1915, longuement méditée et abandonnée par son auteur en 1923, sa surface vitrée est certes parcourue de fissures, mais elle n'a jamais été mise en pièces : on peut la voir au musée de Philadelphie. Pourquoi en simuler la destruction, si ce n'est pour signaler la profonde brisure du temps qui s'est produite ? Fin du rêve cubain, fin de l'assouplissement politique à Prague, fin de Mai 68, fin du surréalisme quelque temps plus tard en 1969 : il ne reste de tout cela que des éclats d'un miroir impossible à reconstituer. Avec cette collection « Le désordre », Jean Schuster semble nous dire : « Prenez toujours, avant qu'il ne soit trop tard, ces quelques éclats encore coupants pour taillader l'ordre dominant. » Et dans le texte de décembre 1968 – intitulé

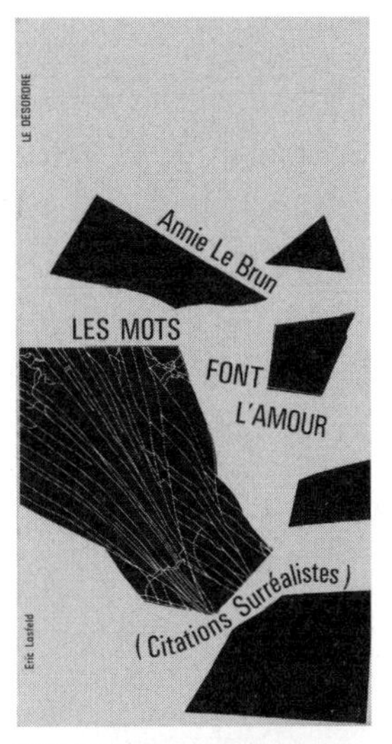

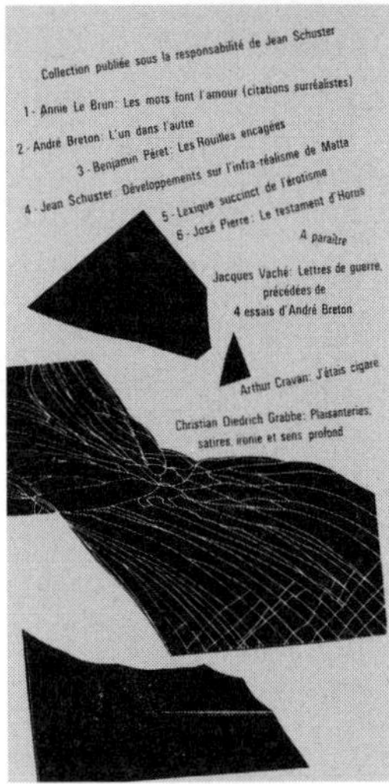

Annie Le Brun, *Les mots font l'amour*, recto-verso de couverture. Pierre Faucheux est l'auteur de la couverture d'inspiration duchampienne de ce livre des éditions Éric Losfeld, le premier de la collection « Le désordre », placée sous la responsabilité de Jean Schuster.

2. Kristin Ross, *Mai 68 et ses vies ultérieures*, Bruxelles, Éditions Complexe, 2005, p. 84.

« Détours » – préface au livre de citations surréalistes d'Annie Le Brun, il écrit vraiment : « Je crois que mon moi réel (substance, déterminations, fonctions) peut me donner une image acceptable de lui-même, si je lui tends un miroir durement élaboré à partir de fragments pris partout ailleurs qu'en moi-même[3]. » Appliquons *pour voir* cette consigne aux surréalistes eux-mêmes. Ils sont toujours en quête de leur identité en 1968, réactivant la question égarante « Qui suis-je ? » qui ouvre *Nadja* en 1928 ; cette recherche est d'autant plus angoissée que le grand magnétiseur de leur vie commune est mort depuis deux ans. Mais cette quête les porte effectivement ailleurs, loin de tout repli. C'est précisément l'histoire fragmentée de cette quête qui se dessine à travers les documents extraits des fonds d'archives surréalistes conservées à l'Imec et à travers les témoignages qu'on va lire.

Mais avant de suivre les tribulations surréalistes de l'année 1968 de Cuba à Paris en passant par Prague, il faut encore s'arrêter un instant sur une photographie prise peu de temps auparavant, manière de reconnaître quelques-uns des protagonistes de l'histoire qui va se déployer. Le 29 mai 1967, sur une double page, le *Figaro littéraire* annonce : « L'équipe de Jean Schuster prend la relève d'André Breton ». Entre ce titre et l'interview de Jean Schuster par Bernard Pivot, une photographie panoramique de René Pari saisit le groupe surréaliste qui vient de publier une nouvelle revue, empruntant son titre à l'utopiste Charles Fourier : *L'Archibras*. Jean Schuster est au premier plan entre Gérard Legrand et Jorge Camacho. Il décoche au photographe un sourire de chat de Chester qui dit aussi : « S'il fallait nous exposer à un jugement qualitatif, nous souhaiterions être jugés sur la qualité de notre colère. La critique, le public n'en sont pas là[4]. »

Il ne reste donc au lecteur qu'à se montrer à la hauteur de cette exhortation.

3. Annie Le Brun, *Les mots font l'amour*, Paris, Éric Losfeld, coll. « Le désordre », p. 13.

4. Jean Schuster, « Interview par Bernard Pivot », *Archives 57 / 68. Batailles pour le surréalisme*, Paris, Éric Losfeld, 1969, p. 132.

Une partie des surréalistes photographiés par René Pari pour *Le Figaro littéraire* (mai 1967) au café *La Promenade de Vénus.* De gauche à droite, au fond : Xavier Domingo, Élisa Breton, Joyce Mansour, Martine Courtot, Claude Courtot, Ragnar von Holten, Annie Le Brun, Radovan Ivsic, Charles Jameux, Toyen. De gauche à droite, au premier plan : Jean-Claude Silbermann, Georges Sebbag, François-René Simon, Gérard Legrand, Jean Schuster, Robert Benayoun, Jorge Camacho, Marguerita Camacho, Michel Zimbacca, Marijo Silbermann. Parmi les protagonistes importants du groupe à cette période, sont absents : Philippe Audoin, Vincent Bounoure et José Pierre.

CUBA

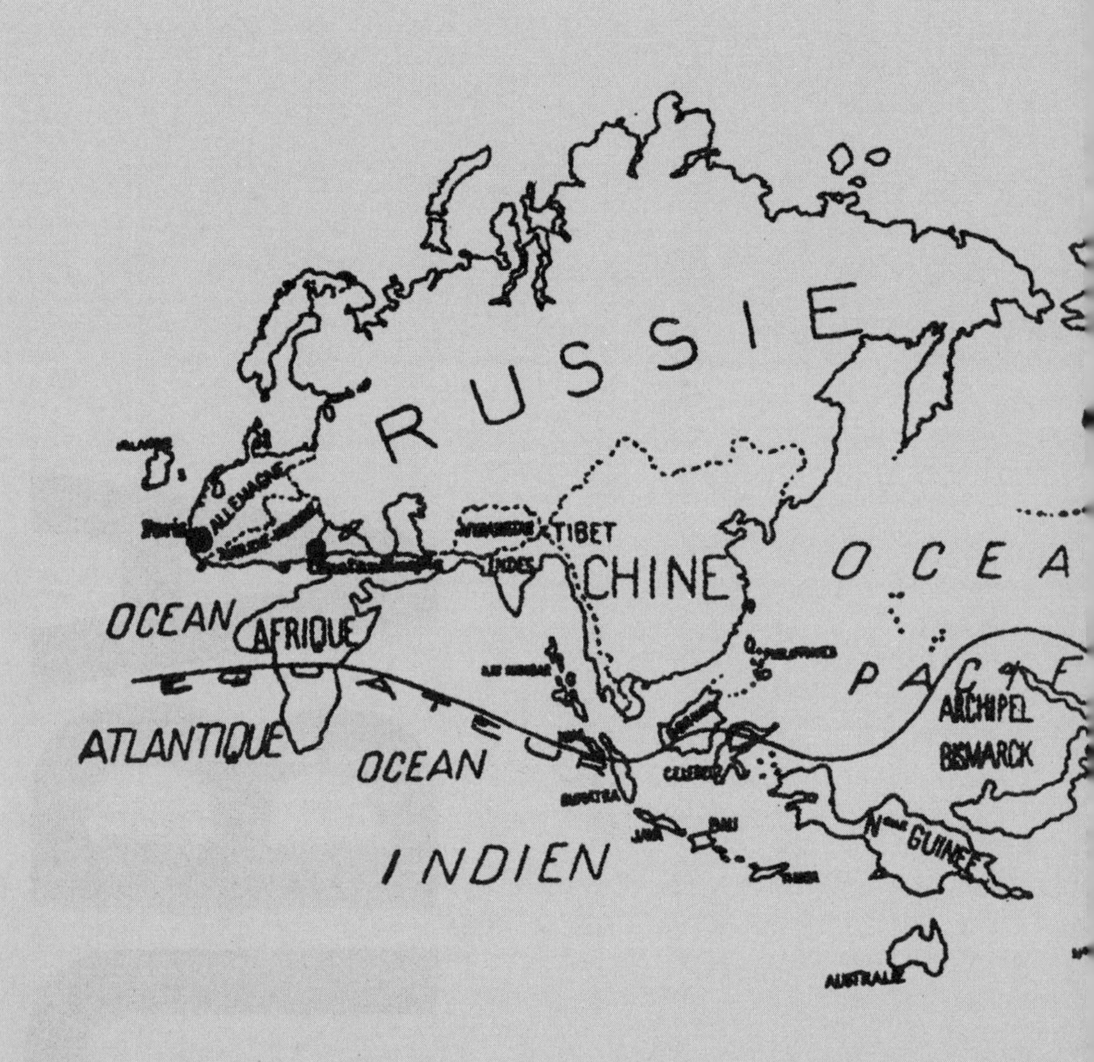

« Le monde au temps des surréalistes
« Le Surréalisme en 1929 », Brux

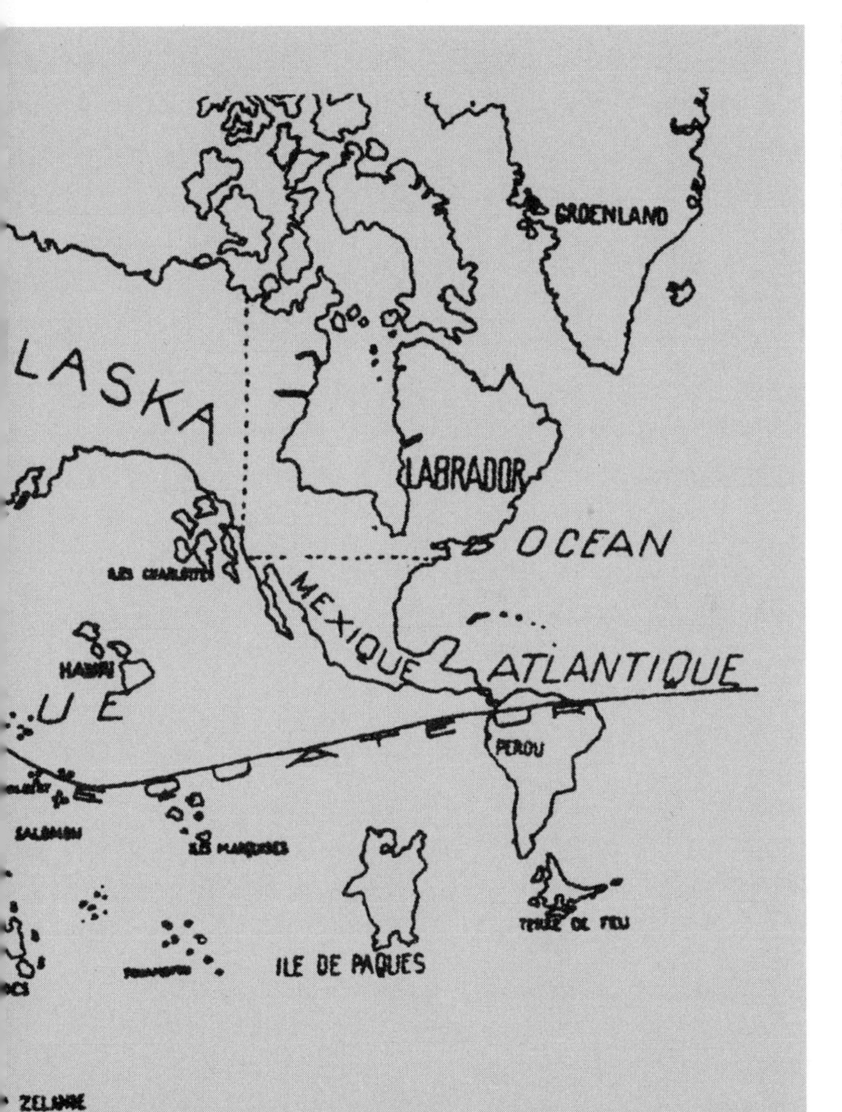

méro spécial de *Variétés*,
juin 1929, pp. 26-27.

Dans le monde tel que les surréalistes le réinventent en 1929, Cuba existe bien. Mais au cours des années 1960, les acteurs du surréalisme auraient sans doute remis à jour leur ancienne carte. En 1967 et 1968, Cuba est au cœur du monde surréaliste.

CUBA

PETITE EXPÉRIENCE DE DÉSENCHANTEMENT

Depuis le milieu des années 1960, la représentation du monde par les surréalistes a changé. Le numéro spécial de la revue bruxelloise *Variétés* livrait au lecteur de 1929 un planisphère surréaliste qui revoyait radicalement la place relative, au plan spirituel, des pays les uns par rapport aux autres. Trente ans plus tard, les surréalistes revendiqueraient plus que jamais la réduction des États-Unis, mais l'importance de l'ex-Russie devenue stalinienne serait largement revue à la baisse, de même que la place de la Chine maoïste. En revanche, l'île de Cuba qui rôde dans la mer des Caraïbes comme « le fils de la femelle du requin », qu'aurait voulu être Maldoror, cette île infime sur la carte de 1929, prend au cours des années 1960 une place prépondérante.

Deux ans après la crise des fusées, l'année même de la destitution de Khrouchtchev de la tête du PCUS, les surréalistes adressent leur premier signe collectif en direction de l'île rebelle. Dans la revue *La Brèche, action surréaliste* (n° 7 de décembre 1964), on peut lire un message des surréalistes aux écrivains et artistes cubains. Ce texte s'intitule : « L'exemple de Cuba et la révolution ». Il s'ouvre sur la déclaration suivante : « En 1964, le surréalisme est moins que jamais enclin à se retourner sur son passé pour apprécier l'importance de ses conquêtes et l'élargissement de son audience. » Pour le groupe réuni autour d'André Breton, l'année 1964 a été marquée à Paris par une rétrospective surréaliste organisée à la prestigieuse galerie Charpentier par Patrick Waldberg.

Dans cet ultime numéro de *La Brèche* de décembre 1964 figure la première déclaration de solidarité des surréalistes à l'égard de la révolution cubaine. C'est naturellement un hasard, qu'il nous est cependant loisible de lire rétrospectivement comme une allégorie, si la couverture reproduit un de ces corps dont Raimondo de Sangro (1710-1771) a préservé tout le système circulatoire enchevêtré autour du squelette. La révolution cubaine va irriguer ce corps sans vie et ranimer l'espoir révolutionnaire des surréalistes.

Petit fascicule d'intervention de tonalité très virulente, *Le Petit écrasons 2*, édité par Le Terrain vague, répond par la voix de José Pierre à l'exposition surréaliste que Patrick Waldberg organise en 1964 à la galerie Charpentier. Cette plaquette reprend également le tract que tout le groupe a adressé à Patrick Waldberg et ses semblables : « Face aux liquidateurs » (13 avril 1964, *Combat-Art*).

Une telle entreprise, échafaudée comme si le mouvement surréaliste avait été historiquement liquidé, relève en quelque sorte de la provocation. Elle est également décryptée comme un symptôme signifiant, aux yeux des militants surréalistes, qu'il est grand temps de se faire entendre et de ne pas laisser croire que le surréalisme se présente comme un simple mouvement d'avant-garde aux préoccupations exclusivement artistiques. Ce qui prime depuis au moins 1924, c'est la défense d'une morale révolutionnaire dont l'œuvre d'art peut, éventuellement, être une forme d'illustration. Si une contre-attaque à l'exposition de Patrick Waldberg est programmée et en effet inaugurée en 1965 sous le titre fouriériste « L'Écart absolu », la révolution cubaine s'offre en outre comme une expérience politique satisfaisant aux critères du dépassement de l'aliénation humaine, en préservant apparemment toute liberté de pensée et de création. Le message aux écrivains et artistes cubains de 1964 insiste sur le fait que la révolution ne saurait se réduire à une transformation de l'infrastructure sociale : « Une vraie révolution doit transformer l'homme dans sa totalité sociale et individuelle. » Refaire de toutes pièces l'entendement humain, tel est sous sa forme ramassée le dernier mot d'ordre surréaliste : est-ce le projet castriste ? Fidel Castro serait-il par hasard surréaliste en politique ? Il est peu probable que les surréalistes auraient sans sourciller cédé à Castro la place que Breton confère à l'auteur d'*Adolphe* dans son *Manifeste* de 1924 où il affirme que Benjamin Constant est surréaliste en politique. Sans doute, les surréalistes ont-ils cru avec beaucoup d'autres et avec un enthousiasme sincère au caractère exceptionnel du régime cubain. Les conditions de leur adhésion politique sont précisément ce qui nous intéresse ici. Le premier pas, décisif, est celui de 1964. Dans la déclaration de *La Brèche*, on peut lire en effet : « Dans la révolution cubaine, dans l'admirable insurrection de la *Sierra Maestra*, dans la lutte du peuple cubain pour sa liberté et dans l'opposition des intellectuels et artistes cubains à tout dogmatisme, le surréalisme salue un mouvement fraternel. » Cet engagement n'est pas proféré du bout des lèvres, même si on le trouve dans les dernières pages de la revue : le surréalisme se reconnaît dans la révolution cubaine avant même que ne se constitue officiellement le Parti communiste cubain (1er octobre 1965), tout comme il a pu se reconnaître dans certaines œuvres du passé. En 1963, l'union entre le Mouvement du

26 juillet des guérilleros, le Parti socialiste populaire et le Mouvement du 13 mars estudiantin se réalise en un Parti unifié de la révolution socialiste. Le coup de chapeau des surréalistes, un peu tardif, il faut bien le dire, cinq ans après la victoire de la guérilla menée par Fidel Castro, n'est cependant pas le fait d'un besoin subit d'engagement laissé inassouvi depuis la fin de la guerre d'Algérie et, particulièrement, depuis l'été et l'automne 1960 où dans un climat de quasi-guerre civile certains surréalistes ont participé de très près à l'élaboration et à la diffusion de *La Déclaration sur le droit à l'insoumission dans la guerre d'Algérie.* Comme d'autres militants venant de multiples formations politiques, toute l'attention des surréalistes a été longtemps focalisée sur la guerre d'Algérie. Après 1962, il y a comme une vacance de l'engagement politique faisant suite à une lutte qui remonte au milieu des années 1950. À nouveau se pose la question : que faire ? Bien sûr, l'engagement pour Cuba n'a d'abord pas la même présence quotidienne, la même urgence que celui pour l'Algérie, d'ailleurs rapidement dévoyé du fait de l'opposition entre les combattants de l'intérieur et le gouvernement provisoire longtemps resté en exil. Il serait cependant faux de croire que de cette île lointaine ne parviennent aux surréalistes que les signes et les informations disponibles pour tous, notamment par la voie de la presse. Des liens de nature plus intimes existent entre les surréalistes et Cuba. Le relais des artistes cubains qui fréquentent le groupe surréaliste depuis les années 1960 ou même depuis beaucoup plus tôt a compté pour favoriser l'émergence d'un discours fraternel à l'égard des vainqueurs de Batista. Il faut bien sûr citer le nom de Wifredo Lam (1902-1982) qui s'installe à Paris en 1952. Il y a aussi, particulièrement pour la période qui nous occupe, Agustín Cárdenas (1927-2001) et Jorge Camacho (né en 1934), en relation directe avec le groupe pour le premier à partir de 1956, et pour le second à partir de 1961.

Il est notable que dans son texte de 1962 consacré à Agustín Cárdenas, l'année même de la crise des fusées, José Pierre ne manque pas de relier l'œuvre du sculpteur à l'enjeu politique cubain, ce qu'André Breton ne soulignait absolument pas trois ans plus tôt dans sa présentation de l'artiste afro-cubain reprise dans *Le Surréalisme et la Peinture.* Tandis qu'André Breton achevait sa méditation sur la main de l'artiste modelant un « grand totem en fleurs », l'article de José Pierre finissait

Wifredo Lam, auquel s'adresse Jean Schuster dans une lettre inédite reproduite p. 64-65, représente totalement aux yeux des surréalistes l'exigence d'un art révolutionnaire qui ne succombe pas aux facilités de l'art engagé. Jean Schuster pose cette question dans sa conférence prononcée en 1967 à La Havane : « Lam a-t-il changé la direction de son œuvre depuis 1959 ? A-t-il renoncé à explorer avec toujours plus de rigueur, avec toujours plus de risques, avec un sens toujours plus aigu de l'aventure, le merveilleux univers intérieur qu'il nous dévoile, au fur et à mesure de son inspiration, pour notre joie et notre enchantement, depuis plus de trente ans ? » (*Archives 57 / 68, batailles pour le surréalisme*, Éric Losfeld, 1969).

Jorge Camacho a illustré le texte que Schuster a consacré au Salon de mai : « Flamboyant de Cuba, arbre de la Liberté », voir p. 66. En 1988, avec l'écrivain cubain en exil Reinaldo Arenas, Jorge Camacho écrit une lettre ouverte à Fidel Castro pour exiger la tenue d'élections libres et la libération des prisonniers politiques. Cette lettre a obtenu le soutien et la signature de plus de 200 personnalités, notamment celle de Maurice Blanchot.

José Pierre, *L'Abécédaire*. Ce livre réunit un ensemble de ses textes de critique d'art.

ainsi : « Cette île de la mer Caraïbe d'où nous viennent Cárdenas et Wifredo Lam – *cette île où, peut-être, se joue aussi notre destin*[1] –, je ne peux m'empêcher d'y voir, comme dans ses voisines, Martinique d'Aimé Césaire, Haïti d'Hyppolite, une sorte de pont prédestiné, non seulement entre l'Ancien et le Nouveau Monde, mais entre la civilisation occidentale et les cultures bafouées et écrasées d'Amérique, d'Afrique et d'Océanie, entre hier et demain. Oui, j'en suis persuadé : avec Cárdenas et quelques autres s'ébauche une civilisation nouvelle, ignorante des exclusives ethniques ou esthétiques – c'est-à-dire fondée sur une nouvelle morale[2]. » Au moment où les États-Unis considèrent Cuba comme une dangereuse place avancée du communisme susceptible de menacer le pays du dollar, les surréalistes prennent conscience, comme beaucoup de leurs contemporains, de l'importance stratégique de l'île de Fidel Castro et du Che. Tout à coup, en 1962, le monde entier se focalise sur cette langue de terre tirée à la face du tout-puissant bloc américain. L'histoire se passe alors à Cuba. Mais pour les surréalistes, l'enjeu ne saurait être strictement politique. Il est également de portée poétique ; ce que José Pierre résume en attachant à Cuba le nom d'un artiste, en l'occurrence Agustín Cárdenas. C'est par la culture que les surréalistes prennent pied à La Havane et leur premier message de 1964 était, comme on l'a noté plus haut, adressé aux artistes et aux écrivains. Par ce biais de la culture, Fidel Castro va d'ailleurs efficacement attirer les intellectuels européens quelques années plus tard.

Pour les jeunes surréalistes, cette région des grandes et petites Antilles est en outre encore toute bruissante du *dialogue créole* qu'André Breton et André Masson composent en 1941 à Fort-de-France. Il n'est pas très difficile, en s'absorbant dans la contemplation d'une carte où se dessine l'arc des Îles du Vent, d'entendre l'appel tout droit sorti des « conques vides de lambis dans lesquelles fut sonnée la révolte noire très sanglante de 1848[3] ». Menacé par Vichy, André Breton a quitté Marseille en 1941 à bord du *Capitaine Paul Lemerle* ; avant d'arriver aux États-Unis, il transite par la Guadeloupe et Saint-Domingue en compagnie du peintre Wifredo Lam, alors inconnu.

1. C'est moi qui souligne.

2. José Pierre, « Cárdenas ou l'exigence et la grâce », dans *L'Abécédaire*, Éric Losfeld, 1971, p. 136.

3. André Breton, *Martinique charmeuse de serpents. Œuvres complètes*, t. III, Paris, Gallimard, coll. « Bibliothèque de la Pléiade », 1999, p. 381.

À la fin de l'année 1945, les conférences qu'André Breton prononce en Haïti suscitent un enthousiasme tel que leur écho dans la revue *La Ruche* met le feu aux poudres : l'insurrection éclate. Commentaire rétrospectif du poète René Depestre : « *mutatis mutandis* un formidable "Mai 68" sous les tropiques[4] ». Tout est donc prêt dans les années 1960 pour conférer à ces îles et, parmi elles, à Cuba, un supplément de magnétisme poétique que les héros de la Sierra Maestra endossent aisément.

L'aura nouvelle dont bénéficie Cuba au début des années 1960 – crise des fusées aidant – est exaltée significativement lorsque l'occasion s'offre de saluer le peintre Jorge Camacho qui présente au cours du printemps 1964 une exposition à la galerie Mathias Fels. Jorge Camacho est en France depuis 1959 ; son ami Agustín Cárdenas l'a présenté au marchand d'art Raymond Cordier et l'a introduit auprès d'André Breton. Dans sa préface datée du 12 avril 1964, c'est-à-dire précédant de quelques mois le message collectif des surréalistes aux artistes et écrivains cubains, André Breton manifeste clairement son adhésion à la révolution cubaine. Il place son analyse de l'œuvre du jeune peintre cubain sous le signe du *Grand Verre* de Duchamp ; il y discerne dans la partie haute le jeu dialectique d'une menace et d'un espoir. Cet espoir est bien mince dans ce qu'il nomme le « scandale du monde actuel ». Cet espoir, en pleine guerre froide, est par surcroît susceptible de générer une nouvelle menace des plus inquiétantes. « Ainsi en va-t-il, ajoute André Breton, au plus près de nous, de la révolution cubaine, poignante comme au premier jour et que nous saluons sans réserve. » Ce salut d'André Breton, jamais désavoué deux ans avant sa mort, a dû compter pour déterminer les jeunes surréalistes à se laisser enchanter par les sirènes castristes. Défaut de vigilance politique ? Un tel jugement serait des plus hâtifs. Les informations dont André Breton et ses amis pouvaient alors disposer ne leur permettaient pas d'entrevoir objectivement la part oppressive du régime mis en place par Fidel Castro. Par ailleurs, Jorge Camacho a parfaitement exprimé dans un entretien de 1998 avec Gérard Durozoi quelle pouvait être la situation d'André Breton vis-à-vis de cet événement politique au sein d'un groupe avide d'accompagner les mouvements de transformation du monde :

Lithographie de l'artiste cubain Agustín Cárdenas (1927-2001) illustrant le livre de José Pierre, *L'Abécédaire*.

4. René Depestre, « André Breton à Port-au-Prince », dans « André Breton et le surréalisme international », *Opus international*, n° 123-124, 1991, p. 17.

« Pour ce qui est de la révolution cubaine, il n'était pas dupe de l'espoir que l'événement pouvait faire naître en nous… En 1965, Matta et moi-même lui avons transmis une invitation officielle pour visiter Cuba… qu'il a très cordialement refusée. Il faisait certes confiance à notre enthousiasme, mais sa longue et décevante expérience des systèmes politiques l'empêchait d'aller plus loin. Dans ces circonstances, sa clairvoyance fut, comme toujours, sans défaut[5]. »

Pour l'historien, il est commode dans sa posture rétrospective de dénoncer un régime dont les abus, en ce qui concerne les libertés individuelles, devinrent ensuite patents. Mais pour comprendre le prétendu aveuglement des surréalistes, il ne faut pas oublier non plus que Cuba apparaissait alors comme une expérience pleine de promesses et que la révolution au pouvoir n'affichait encore nulle vocation répressive ; des prises de position de Jean-Paul Sartre aux publications des éditions Maspero en passant par l'engagement total de Régis Debray, une forme d'unanimité prévalait en faveur de ce régime hors du commun. Aux yeux des intellectuels révolutionnaires, la réussite cubaine avait une raison profonde. La manière dont s'est progressivement conquis le pouvoir à Cuba, sans stratégie reposant sur une bureaucratie de parti, avait de quoi forcer l'admiration d'intellectuels particulièrement allergiques à toute trace de stalinisme. Il faut croire que la révolution castriste avait si peu de points communs avec les révolutions fondées sur l'appareil d'un parti stratège, qu'elles soient l'œuvre de Lénine et Trotski, de Mao Tsé-Toung et Chuh Teh ou de Hô Chi Minh et Giap, qu'elle a bousculé tous les points de repères alors disponibles. Dans son ouvrage publié dans la collection « Cahiers libres » de François Maspero, Régis Debray présente parfaitement le caractère innovant de la guérilla castriste : « Une nouvelle conception de la guerre de guérilla voit le jour », affirme-t-il dès les premières pages de son livre *Révolution dans la révolution ?* Il convient donc d'abord de se libérer des modèles qui habitent notre mémoire pour saisir concrètement la situation cubaine. C'est l'enjeu du livre de Régis Debray, qui ne s'est pas contenté du rôle de l'intellectuel contemplatif soucieux de la seule stratégie, mais qui a décidé de comprendre la tactique de guérilla – parce que c'est en vérité la seule manière de

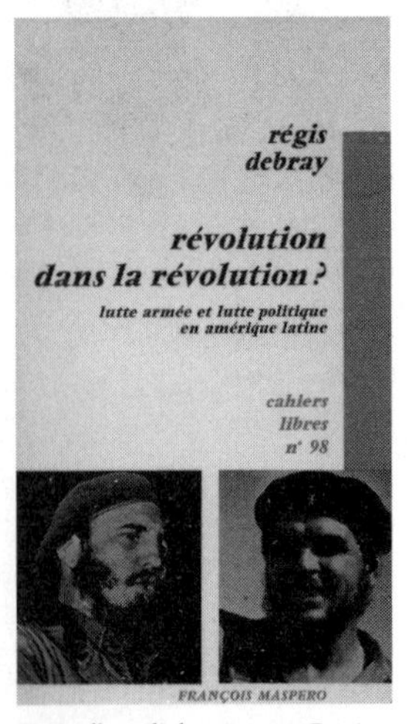

Fruit d'un dialogue entre Régis Debray, qui a alors 26 ans, et Fidel Castro, ce livre est publié en France en 1967. À cette date, Régis Debray est en prison à Camiri en Bolivie, en tant que compagnon de la guerilla menée dans ce pays par Che Guevara. Il y restera jusqu'en 1971.

5. Jorge Camacho, *Le Miroir aux mirages*, Paris, Somogy / Maison de l'Amérique latine, 2003, p. 14.

la comprendre – en la vivant[6]. Changer la vie, disait Rimbaud. Régis Debray a commencé par changer la sienne. On sait aujourd'hui l'issue et quelques détails de l'aventure parallèle, jusqu'à un certain point, de Régis Debray et de Che Guevara en Bolivie. Pour tout intellectuel sincère se prétendant révolutionnaire, l'exemple de Régis Debray devait conduire à un examen critique. Le jeune philosophe français n'avait-il pas, comme a pu le faire aussi Michèle Firk au Guatemala, pris le seul parti qui soit cohérent dès lors qu'on se réclame d'un engagement radical ? Ainsi se rejoue l'éternel conflit entre les actes et les paroles. Benjamin Péret s'en est allé faire la guerre d'Espagne ; René Char est entré dans une résistance, armes à la main, contre l'occupation allemande. Il n'est pas question de faire remonter à la surface du discours convenu, aussi trouble qu'indigeste, les restes du mot honneur. L'honneur du surréalisme n'a pas de souci à se faire. Cependant, la question de savoir jusqu'où il est raisonnable de se payer de mots n'est pas dénuée d'intérêt. Il est en effet parfois très réconfortant de croire en la puissance des mots, des mots qui seraient pareils à des « pistolets chargés », pour reprendre la formule saisissante de Jean-Paul Sartre dans *Qu'est-ce que la littérature ?* Mais les mots ne sont pas des armes et la révolution se fait avec des armes. Régis Debray rappelle que durant deux années de guerre, Fidel Castro – dont le goût pour les discours fleuves est devenu proverbial – n'a pas tenu un seul discours[7]. Si les surréalistes ne s'exprimaient pas publiquement entre 1964 et 1968 au sujet de la révolution cubaine, on peut faire l'hypothèse que ces questions n'étaient pas sans les tarauder secrètement. On en a d'ailleurs une confirmation dans le livre de Claude Courtot, *Les Ménines* (2000). Claude Courtot faisait partie depuis 1964 du groupe surréaliste parisien. Sans oser alors le soumettre à ses amis, il rédige en novembre 1967 un texte réagissant à l'arrestation et au procès de Régis Debray. Ce document s'achève ainsi : « J'avais envie de faire quelque chose pour Régis Debray. Je n'ai rien fait. Je n'ai pas honte de dire que,

La critique de cinéma Michèle Firk (1937-1968) a fait un séjour à Cuba avant de s'engager dans la guérilla au Guatemala, où elle mit fin à ses jours pour ne pas tomber entre les mains du gouvernement de ce pays.

6. Régis Debray note lucidement : « Qu'un intellectuel, surtout s'il est bourgeois, parle de stratégie avant tout, c'est dans l'ordre. Le malheur veut que le bon chemin, le seul praticable, parte de données tactiques pour s'élever peu à peu jusqu'à définir une stratégie. L'abus de stratégie et le défaut de tactique, c'est là le vice délicieux propre aux contemplatifs, auquel nous cédons d'ailleurs nous aussi en écrivant ces lignes. » *Révolution dans la révolution ? Lutte armée et lutte politique en Amérique latine,* François Maspero, coll. « Cahiers libres », n° 98, 1967, p. 60.

7. *Ibid.* p. 53

pour le moment, je suis incapable d'aller combattre en Bolivie et délivrer les camarades emprisonnés (je ne donnerai pas mes raisons, car je n'ai aucun argument d'ordre rationnel).

Je n'ai pas bonne conscience.

Je n'ai pas mauvaise conscience non plus.

J'ai conscience que Régis Debray est un des rares hommes que je doive, au passage, saluer[8]. »

Le désir d'engagement ne va pas conduire les surréalistes dans les forêts boliviennes ou ailleurs en Amérique latine, mais à La Havane, lors du Salon de mai qui se déroule à peu près en même temps que le congrès de l'OLAS durant l'été 1967. Tout naturellement, Wifredo Lam les a invités. Marguerita et Jorge Camacho, Elena et Agustín Cárdenas, Nicole et José Pierre, Huguette et Jean Schuster, ainsi que Michel Zimbacca sont du voyage. Jean Schuster prononce un discours intitulé « Les bases théoriques du surréalisme » le 11 août 1967. Constatant, lors de son séjour, le peu de connaissance des données élémentaires du surréalisme, il brosse un tableau historique et intellectuel du mouvement qu'il anime depuis la mort d'André Breton à l'automne 1966. Il n'est que de lire de quelle manière Jean Schuster décrit le rôle de l'intellectuel pour constater d'emblée qu'il s'éloigne fort de la conception présentée par Régis Debray dans *Révolution dans la révolution ?*, un livre qui a été relu scrupuleusement par Fidel Castro, comme nous en prévient la quatrième de couverture. Pour Jean Schuster, « le rôle des intellectuels dans le travail révolutionnaire est d'incarner les principes et de discerner, dans les actes des politiques, ce qui s'en écarte par tactique, à titre provisoire, de ce qui est leur abandon pur et simple[9] ». Cette conception de l'intellectuel éclaireur fortement teintée de références à Trotski s'éloignait de la ligne idéologique qui était déjà celle de Fidel Castro. Qu'une partie du livre de Régis Debray soit consacrée à la critique virulente du trotskisme donne également à penser que Cuba ne pouvait donner toute licence à ce genre de développement, considéré au fond comme contre-révolutionnaire. On comprend que Jean Schuster n'ait pas été invité au congrès de 1968.

Ce livre de Jean Schuster, cerné de noir comme un faire-part de décès, est publié par Éric Losfeld en 1969. Il comprend notamment tous les textes de Jean Schuster écrits dans les revues du groupe. Ce recueil marque symboliquement la fin de ce qu'il convient désormais d'appeler le « surréalisme historique », puisqu'à cette date l'activité collective des surréalistes à Paris n'a plus cours.

8. Claude Courtot, *Les Ménines*, Paris, Le Cherche Midi éditeur, 2000, p. 148.

9. Jean Schuster, *Archives 57 / 68. Batailles pour le surréalisme*, Paris, Éric Losfeld, 1969, p. 150.

D'ailleurs en 1968, la seule surréaliste invitée à La Havane est Joyce Mansour, qui pour être la grande poétesse que l'on sait, n'était pas pour autant la plus entreprenante au plan de l'agitation politique. Et pourtant, comme on le verra, un fait divers mi-cocasse mi-sérieux permit à l'auteur des *Cris* de faire retentir le nom d'André Breton.

L'histoire aura voulu que pour les surréalistes la fin des illusions cubaines soit en même temps la fin de tout. Ce premier volet de documents consacré à l'année 1968 des surréalistes et à ses prolégomènes à travers l'expérience cubaine dessine déjà le mouvement général qui portera tout le groupe parisien à l'épuisement de sa raison d'être ensemble. Quand Fidel Castro justifie l'invasion des troupes soviétiques en Tchécoslovaquie, le mois de mai français a déjà perdu de son charme insurrectionnel et la récente alliance nouée avec le groupe surréaliste tchécoslovaque est condamnée à rester quasi-lettre morte sous la botte soviétique. Ce ne sont pas les vases qui ne communiquent plus, c'est l'esprit de la révolution qui s'est à nouveau évanoui.

André Breton aurait voulu faire figurer Joyce Mansour (1928-1986) dans son *Anthologie de l'humour noir.* En 1968, l'initiative cubaine de la poétesse d'origine égyptienne justifie plus que jamais cette intention de Breton, puisqu'elle invente à La Havane ce qu'on pourrait appeler le coup pied d'outre-tombe (voir p. 78 à 80).

« CONVENTION SURRÉALISTE »

Sous la présidence de Gérard Legrand une réunion intitulée « Convention surréaliste » s'ouvre le 8 octobre 1967 à Paris à partir de 9 h 45. L'ordre du jour reproduit ici en fac-similé a été communiqué au préalable à la majorité des participants. Le procès-verbal de la convention consigne quinze des interventions des surréalistes présents durant la séance. L'assemblée totale compte une quarantaine de personnes. Ce document intérieur n'a pas fait l'objet jusqu'à présent d'une publication intégrale et objective. Il est particulièrement intéressant de constater que l'enthousiasme des surréalistes pour Cuba s'accompagne de la conscience de la difficulté à faire passer le message surréaliste dans l'île rebelle. Territoire rêvé, Cuba devient vite un territoire perdu pour le surréalisme. Bien que dominée par la brûlante question cubaine, cette convention ne s'y limite cependant pas. La question de l'art engagé se pose à Cuba comme en France où les peintres Eduardo Arroyo et Gilles Aillaud demeurent dans le collimateur des surréalistes qui avaient vertement accueilli par un tract (*Le « Troisième degré » de la peinture*, 6 octobre 1965) leur tableau commun réalisé avec Antonio Recalcati, mettant en scène l'assassinat de Marcel Duchamp. Gilles Aillaud, présent à Cuba comme son complice Eduardo Arroyo, est même à l'origine de l'idée de la spirale donnant sa structure au mural collectif composé en une nuit de liesse par les peintres invités au Salon de mai. C'est assez dire que la révolution cubaine clairement saluée par les surréalistes est en même temps surveillée avec vigilance.

« I. Cuba et le surréalisme

A) L'idée révolutionnaire... à venir.
Le Président invite ceux des participants qui sont allés à Cuba en juillet dernier à rendre compte de leurs impressions et des faits qu'ils y ont observés.
Jean Schuster tient d'abord à souligner l'enthousiasme que lui-même et ses amis ont éprouvé au contact de la réalité cubaine : au-delà des aspects proprement politiques, celle-ci correspond en effet à l'idée qu'on peut se faire d'une révolution vivante, soucieuse de se développer au besoin en rupture avec les dogmes et les routines hérités du passé. La déclaration de F. Castro dont il a donné lecture et qui met l'accent sur la nécessité de triompher également des "vieilles idées" est, à cet égard, significative.
José Pierre et Michel Zimbacca interviennent dans le même sens et, de cet enthousiasme, donnent des exemples concrets. Le premier rappelle à cet égard l'idée, un moment envisagée, d'adhérer au Parti communiste cubain. Le second souligne que cette expérience l'a profondément changé touchant le pessimisme avec lequel il en venait à considérer toute perspective révolutionnaire.
Jorge Camacho insiste pour sa part sur les récents développements de la révolution cubaine concernant l'internationalisme et l'action à mener dans le tiers-monde. Ces thèses rencontrent encore de sérieuses résistances au sein même de l'appareil du Parti communiste cubain. Elles doivent être soutenues par tous moyens. Le discours de F. Castro, lors de la clôture de la conférence de l'OLAS, leur a d'ailleurs donné un élan considérable.
À la suite de ces exposés, Gabriel der Kevorkian demande comment fonctionne la démocratie à Cuba. Ph. Audoin s'associe à cette question et précise qu'à son sens, ceux des surréalistes qui n'ont de Cuba qu'une connaissance livresque et imparfaite ne sauraient partager l'enthousiasme de leurs amis mieux informés, sans être assurés que le développement de la révolution cubaine exclut la mise en place d'un système totalitaire d'oppression bureaucratique.
J. Camacho évoque, en réponse, les relations très particulières de F. Castro et des dirigeants cubains avec l'opinion. Le constant souci de véracité et de critique publique – celle-ci n'épargnant pas le gouvernement lui-même – lui paraît constituer une prévention efficace contre tout bureaucratisme.
J. Pierre rappelle, à l'appui, l'attention avec laquelle Castro sollicite les échanges directs avec la population.
Camacho souligne en outre l'attitude parfaitement libérale du pouvoir à l'égard des Cubains qui désirent s'exiler.
Marguerite Bonnet expose ensuite tout l'intérêt que présenterait une déclaration publique de solidarité avec la révolution cubaine, émanant des surréalistes. Ceux-ci passent en effet pour être particulièrement vigilants à l'égard de toute forme oppressive de gouvernement. Leur adhésion aux thèses cubaines aurait, au sein des autres mouvements révolutionnaires du monde, un retentissement certain.

-o-

I Cuba et le surréalisme

A) L'idée révolutionnaire, pour le surréalisme, est-elle une abstraction, voire une nostalgie, ou, au contraire, sa manifestation historique, avec les imperfections qu'elle suppose, est-elle possible? Les surréalistes qui ont passé un mois à Cuba espèrent faire partager à la majorité de leurs camarades, leur espoir dans la révolution cubaine et, dans ce cas, déterminer l'influence qu'elle peut avoir sur les positions surréalistes à venir.

B) Le pouvoir révolutionnaire cubain et les intellectuels.

C) Le congrès de La Havane en janvier 1968. Forme et nature de la participation surréaliste.

II Condition actuelle de l'esprit

A) La persécution contre les intellectuels dans le monde : U.R.S.S. Tchécoslovaquie, Pologne, Espagne, Bolivie, Grèce.

B) L'engagement

a) La relève du réalisme socialiste (les formes actuelles de l'art engagé)

b) Le fait révolutionnaire considéré comme un thème (en littérature, en peinture, au cinéma)

c) L'efficacité et les rapports avec les partis communistes.

d) Le problème Aragon : peut-on envisager la tactique du silence?

C) La Tchécoslovaquie et le surréalisme

a) Le groupe de Prague

b) Tendance à la dépolitisation, et notamment des surréalistes.

III Activités surréalistes

A) L'exposition de Prague. Situation de la peinture moderne.

B) Sao Paulo et le surréalisme à l'étranger.

C) Les expériences

a) Premières conclusions sur les expériences "Marine" et "Fusée-Signal".

b) Comment doivent s'articuler aujourd'hui les recherches personnelles et les expériences collectives.

c) Suggestions

IV Conclusions générales

Ordre du jour de la « Convention surréaliste », 1967.

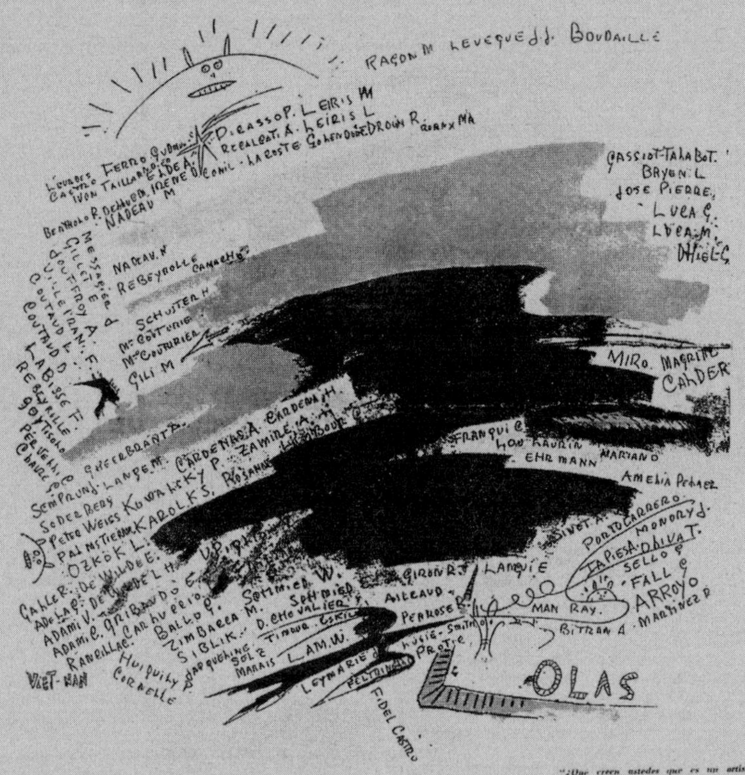

Annonce du Salón de mayo, organisé à La Havane par Wifredo Lam en juillet 1967 et présenté par Fidel Castro et Picasso. Document extrait du *Grand Tableau antifasciste collectif*, Paris, Dagorno, 2000, p. 108.

Il faut garder à l'esprit, ajoute-t-elle, que la révolution cubaine explicite des espoirs que la révolution d'octobre 1917 n'avait pas formulés si clairement : la volonté délibérée d'aboutir à la suppression de l'argent en est un exemple. Elle atteste le caractère non figé de ce mouvement, comme en témoignent aussi bien les analyses proposées de la situation dans le monde et particulièrement en Amérique latine. Le caractère hétérodoxe de ces analyses isole la révolution cubaine. Il faut contribuer à rompre cet isolement. En outre, il faut se souvenir que Cuba vit sous la menace permanente d'une agression militaire et que des actions menées en Europe peuvent contribuer à écarter ce danger comme ils contribuent à freiner la répression en Amérique latine.
Marguerite Bonnet conclut en formant le vœu que les surréalistes, fût-ce au prix de quelques réserves, se prononcent clairement en faveur de Cuba et entreprennent parallèlement un travail d'analyse et d'information.
Xavier Domingo propose alors que soit créé, au sein du surréalisme, un groupe plus particulièrement chargé des questions sud-américaines. Cette proposition est retenue à l'unanimité.

B) Le pouvoir révolutionnaire cubain et les intellectuels.
Au début de l'échange de vues qui s'engage sur ce point de l'ordre du jour, José Pierre cite une déclaration du ministre des Affaires étrangères cubain ; selon lui, la libération de l'homme est l'équivalent de la libération de la peinture et de l'écriture. Cette déclaration donne une indication sur l'état d'esprit des éléments les plus avancés du gouvernement à l'égard des intellectuels.
Jean Schuster est alors amené à rappeler que le surréalisme, en tout pays, est en opposition radicale avec les milieux intellectuels. Ceux de Cuba ne font pas exception à cette règle, d'autant qu'on y rencontre nombre d'esprits serviles plus soucieux d'assurer leur carrière que d'user des libertés qui leur seraient offertes : non seulement ils veulent bien marcher au pas, mais de surcroît ils s'inventent eux-mêmes une cadence.
J. Camacho précise alors que cette intelligentsia nantie, ou en voie de l'être, est sans réelle audience dans la jeunesse : c'est à cette dernière qu'il faut faire confiance pour soutenir les hommes et les idées les plus avancés.

C) Le Congrès de La Havane en janvier 1968. Forme et nature de la participation surréaliste.
Sur le thème de la culture révolutionnaire dans le tiers-monde, le Congrès de La Havane s'annonce comme une manifestation de type “convulsif”. Il est prévu de la tenir dans un stade de 100 000 places et de multiplier les invitations à l'étranger.
Jean Schuster rappelle qu'en raison des circonstances évoquées lors de l'examen du point précédent, les surréalistes comptent de nombreux adversaires à Cuba. Il rappelle à cet égard les réactions hostiles suscitées par une conférence qu'il a lui-même prononcée à La Havane. Si l'on peut compter sur l'appui total de Wifredo Lam et sur la sympathie de Carlos Franqui, il convient d'observer une certaine prudence si l'on veut éviter que la participation surréaliste ne soit sabotée ou éliminée. Ces considérations ont conduit à limiter les participants surréalistes à deux : Vincent Bounoure et Effenberger. Le caractère de

l'intervention devra également tenir compte des influences qui s'exercent actuellement à Cuba notamment en matière de peinture. Si personne ne se réclame du réalisme socialiste, il n'en va pas de même pour l'art engagé. Les tendances dont se réclame ici Arroyo, par exemple, reçoivent à Cuba un accueil empressé. Reste que des peintres comme Lam et Matta y sont admirés sans réserve et que l'exposition du Salon de mai a eu un grand retentissement parmi les jeunes artistes.
C'est parmi eux qu'il importe de faire connaître le surréalisme qui est pratiquement ignoré à Cuba. Marguerite Bonnet estime que la diffusion des articles de Breton recueillis dans *Position politique du surréalisme* contribuerait de façon efficace à cette action d'information.

II. Condition actuelle de l'esprit

A) La persécution contre les intellectuels dans le monde : URSS, Tchécoslovaquie, Pologne, Espagne, Grèce.
Vincent Bounoure estime qu'il convient de distinguer selon que la répression est le fait d'un pouvoir menacé, comme c'est le cas de la Bolivie ou en Grèce, ou d'un pouvoir solidement établi comme en URSS et dans les pays de l'Est. Dans ce dernier cas la répression s'opère dans des formes beaucoup plus complexes. L'attitude du gouvernement tchèque à l'égard des intellectuels au moment du conflit israélo-arabe en fournit un exemple.
X. Domingo pour sa part tient à souligner les dangers d'une libéralisation de type espagnol qui allie la répression intérieure à une relative ouverture extérieure. Il se demande si le refus de profiter de cette ouverture, le boycott absolu, ne serait pas la seule réponse que les intellectuels puissent faire à ce genre d'entreprise.
Jean Schuster n'est pas partisan du boycott. La situation en France, précise-t-il, n'est pas fondamentalement différente de celle de l'Espagne, à ceci près que les soupapes fonctionnent davantage ici. Ces facilités, il serait grave de ne pas les utiliser. Il faut se souvenir que dans les pays où la liberté d'expression est la plus contrainte, les jeunes générations sont les plus avides de toutes les idées qui peuvent leur parvenir d'ailleurs. À les en priver, on risque de contribuer à leur alignement – en sous-estimant leur capacité de révolte. Schuster estime en outre que ce problème se pose dans les mêmes termes dans les pays de l'Est, où ne fonctionne qu'une caricature de socialisme, et pour les pays fascistes.
À l'appui de cette intervention, Marguerite Bonnet fait observer que la libéralisation, en Espagne ou ailleurs, ne résulte pas d'une décision concertée du pouvoir, mais est la conséquence d'une pression intérieure et extérieure qu'il ne convient pas de relâcher.
Domingo et Adrien Dax objectent que cette prétendue libéralisation affadit en fait l'esprit de révolte et sert d'alibi à la répression. Domingo ajoute qu'une œuvre perd de son caractère subversif dès lors que sa diffusion est autorisée.
Pour Gérard Legrand c'est là faire preuve de peu de confiance dans la force des idées. Leur circulation, si limitée qu'elle soit en raison des circonstances, lui paraît préférable au boycott.

En haut : José Pierre encadré par deux fumeurs de havane : Jorge Camacho et Jean Schuster (Archives Philippe Audoin).

Ci-dessus : Cette photographie réalisée à Cuba en juillet 1967 réunit, au premier plan, Huguette Schuster, Marguerite Duras, Michel Leiris, Wifredo Lam, Jean Schuster, Solange Leprince, Carlos Franqui et, au second plan, José Pierre, Michel Zimbacca et Dionys Mascolo (Archives Jean Mascolo).

C'est aussi l'avis de Jean-Claude Silbermann qui estime qu'il faut tenter d'ouvrir plus grand toute porte entrebâillée.
Jean Schuster rappelle en outre qu'il ne convient pas à ceux qui ne sont pas directement concernés de donner des leçons de pureté morale aux victimes de l'oppression exercée dans un pays particulier. C'est aux organisations révolutionnaires de ce pays qu'il appartient de décider si l'isolement idéologique et culturel sert mieux leurs intérêts que l'introduction plus ou moins licite d'idées extérieures. Les intellectuels étrangers doivent, selon le cas, se conformer à leurs désirs.
Ces vues recueillent l'approbation de tous, toutes réserves faites sur les comportements qui pourraient relever de la "collaboration inconsciente" (voyages officiels, par exemple).
Avant de passer au point suivant de l'ordre du jour, Jean Schuster tient à souligner le retentissement très différent qu'eut la condamnation de Siniavski et Daniel d'une part, celle de Brodski, d'autre part. Dans le premier cas, il s'agissait d'une opposition de forme à laquelle la sympathie des intellectuels bourgeois était tout acquise. Brodski au contraire s'en prend à une organisation sociale commune à l'Est et à l'Ouest – et il est remarquable que seul ou à peu près le surréalisme ait réagi à son incarcération.
Le combat surréaliste doit donc, au premier chef, viser une forme de répression qui, au-delà de la condition faite aux intellectuels, s'en prend à la liberté elle-même.

B) La relève du réalisme socialiste (les formes actuelles de l'art engagé).
Jean-Claude Silbermann et Camacho s'emploient à définir les formes nouvelles de l'art engagé. En rupture avec les dogmes dépassés du réalisme socialiste, une certaine liberté formelle est aujourd'hui laissée aux artistes. L'exercice de cette liberté ne les dégage pas pour autant d'une servilité foncière à l'égard des forces répressives. Des peintres comme Aillaud et Arroyo en sont l'exemple.
Jean Schuster se rallie à ces vues : il ne s'agit pas d'apprécier qualitativement les œuvres, mais l'indépendance d'esprit qu'elles manifestent et communiquent. L'ennemi demeure l'art engagé, quelles que soient les formes qu'il revêt.
Vincent Bounoure estime lui aussi que le réalisme socialiste n'a été qu'un cas particulier, historiquement circonscrit, d'une attitude servile de la part des artistes. Il tient pour sa part à souligner un autre péril. Dans les pays de l'Est en effet, le dégoût de tout engagement conduit maint artiste à des recherches purement formelles dont l'esprit est tout aussi étranger au surréalisme que celui de l'engagement.
Gérard Legrand fait observer que de nos jours l'art engagé constitue un danger autrement grave que le formalisme.
Adrien Dax remarque à ce propos que le problème se pose en termes différents dans les pays de l'Est où le formalisme est l'équivalent d'une profonde dépolitisation des écrivains et des artistes.
Jean Schuster estime que le surréalisme a dépassé depuis longtemps ce problème et n'a

pas à polémiquer avec ceux qui seraient tentés de l'accuser de formalisme.
Vincent Bounoure convient qu'en effet le surréalisme ne saurait être partie à ce procès et qu'il peut revendiquer des recherches d'apparence aussi formelle que celles de Guy Cabanel. Mais reprenant le propos de Dax, il souligne que la situation est très différente dans les pays de l'Est : il s'agit donc d'un problème de tactique.
Jean Schuster s'associe à cette réserve.
François Maurin fait alors remarquer que la poésie de Cabanel, quelque point de départ qu'elle prenne, n'a en fait rien de formaliste.
Gérard Legrand précise que ce qualificatif ne s'applique en effet qu'à l'aspect superficiel de cette poésie et que le surréalisme le reçoit de tout autre façon.
Jean Schuster, revenant au propos initial, tient à rappeler certains faits significatifs.
En 1956, l'écrasement de la révolution hongroise avait complètement isolé le Parti communiste. Depuis, Aragon, par tous les moyens, a tenté de séduire à nouveau les intellectuels. Aujourd'hui il y est parvenu. L'exemple de Philippe Sollers est à cet égard caractéristique : la revue *Tel Quel* dont il assume la responsabilité s'est, des années durant, adonnée à des recherches purement formelles et se gardait de toute tentation politique. Récemment, Sollers s'est découvert une vocation de "compagnon de route". Quelle que soit sa sympathie de principe à Pékin, il n'en estime pas moins indispensable d'engager le dialogue avec le PC au nom de l'efficacité. Ce propos s'accommode parfaitement avec le souci d'une carrière. De projet, la révolution devient un "thème" littéraire ou artistique à la mode. Telle est la nouvelle forme de l'engagement. On en dirait autant d'un cinéaste comme Jean-Luc Godard.
Sur une remarque de X. Domingo, Schuster convient qu'une œuvre artistique peut, occasionnellement, exprimer une position politique. Le fait reste exceptionnel pour les grandes œuvres. *Guernica* est l'une de ces rares exceptions, dont le caractère est confirmé par les tristes *Massacres de Corée*. De toute façon, il convient de distinguer l'œuvre allusive et l'œuvre de propagande, et la nature des risques pris par l'artiste. Si les titres des tableaux de Matta impliquent une intention politique avérée, l'œuvre demeure exempte de tout asservissement à la cause épousée. De plus, ces titres ont suffi à fermer à Matta le marché américain.
Alain Joubert, tout en s'associant à ces remarques, souligne le danger qu'il y a à ce que de telles œuvres soient utilisées par des individus moins scrupuleux.

C) Le problème Aragon : peut-on envisager la tactique du silence ?
Jean Schuster constate que les récentes accusations que les surréalistes ont portées contre Aragon, ou bien n'ont eu aucun écho, ou bien l'ont servi. Opposer l'Aragon de "Moscou la gâteuse" au "militant" qu'il est devenu est mal compris du public qui ne voit dans ce revirement que l'effet d'une "prise de conscience" qui fait honneur au personnage. Actuellement Aragon passe pour le Hugo du XXe siècle. Nul n'ose plus se dispenser de faire son éloge. Plutôt que de s'épuiser en vaines attaques,

Ce *Petit Écrasons 4*, orné d'un collage de Nicole José Pierre comprend principalement l'allocution de Jean Schuster du 11 mars 1966 au Cercle Karl Marx, au sujet du procès et de la réaction d'Aragon à la condamnation des écrivains soviétiques Siniavski et Daniel. Comme ils l'annoncent dans leur convention, les surréalistes vont changer de style à l'égard d'Aragon sans changer pour autant leur point de vue : pour marquer ce tournant, ils publient un tract intitulé *Le Paysan du Tout-Paris* (15 décembre 1967).

ne conviendrait-il pas plutôt de montrer qu'il est devenu l'écrivain type de la bourgeoisie française et de faire silence sur lui ?
Marguerite Bonnet pense que quelle que soit la tactique adoptée, elle ne portera guère atteinte au succès d'Aragon. Depuis la mort de Breton, lui-même et d'autres se sentent les coudées franches.
Vincent Bounoure persiste à penser que la présente publication d'*Aragon au défi* n'a pas été un coup nul, en dépit des apparences. Mais il demeure possible d'en user désormais avec lui sur le mode de l'humour.
Après échange de vues, il est convenu qu'il sera fait désormais silence sur Aragon, comme autrefois sur Cocteau, et qu'une déclaration collective à paraître, soit sous forme de tract, soit dans *L'Archibras n° 3*, rendra compte des raisons de cette attitude.

D) La Tchécoslovaquie et le surréalisme.
Des informations sont données touchant :
– l'activité du groupe surréaliste de Prague qui, animé par Effenberger, poursuit une réelle activité collective. Claude Courtot rend compte à cette occasion de l'impression favorable qu'il a retirée de son voyage en Tchécoslovaquie.
– l'organisation de l'exposition surréaliste qui doit se tenir prochainement à Prague, Bratislava et Brno. Il est convenu à cet égard que toute confiance sera faite à Effenberger quant aux limites qu'il convient d'observer pour ne pas faire échouer le projet.

III. Activités surréalistes

A) L'exposition de Prague. Situation de la peinture moderne.
Ce point de l'ordre du jour a été amplement traité précédemment.

B) São Paulo et le surréalisme à l'étranger.
Aucune nouvelle précise n'a été donnée, de la part de ses organisateurs, sur l'exposition surréaliste qui s'est tenue en septembre dernier à São Paulo. Cette négligence est inadmissible. Un télégramme "de rappel" sera adressé aux responsables.
Vincent Bounoure estime qu'il convient de tirer la leçon de cette déconvenue : rien n'est possible avec l'étranger sans qu'existe ici même et dans le pays concerné un minimum d'organisation. Des relations suivies doivent être instituées. Ceci peut conduire à une réorganisation, voire à un élargissement du secrétariat.

C) Les expériences.
a) Premières conclusions sur les expériences "Marine" et "Fusée signal".
Cette expérience conçue en relation avec une suggestion de Guy Cabanel consistait, après avoir fait choix de deux poèmes valables, mais de type "neutre", à tenter de les récrire en en proposant un équivalent, puis à confronter les résultats.
Gérard Legrand a communiqué ces derniers à Cabanel dont il a reçu la lettre suivante :
"... lettre de Cabanel..."
Lecture faite, Gérard Legrand observe que pour juger du résultat, Cabanel se place sur

le plan poétique alors qu'il s'agissait d'une expérience. Il estime qu'il ne convient pas d'y renoncer.
Vincent Bounoure, tout en se prononçant pour la publication, remarque qu'en fin de compte, l'expérience tentée en commun ne correspondait pas aux vues de Cabanel. De plus, elle lui paraît relever davantage de la confrontation d'œuvres individuelles que de l'activité collective.
Jean Schuster tient que la tentative demeurait et demeure valable dans la mesure où elle contraint chacun à quitter le plan de l'activité collective.
Joyce Mansour réaffirme ses réticences quant à la conception même de cette expérience : pour elle, il s'agissait de s'imposer un devoir type scolaire, ce qui lui paraît en contradiction avec toute activité poétique.
Au cours de l'échange de vues qui suit ces interventions chacun s'accorde pour estimer que des expériences semblables, ou autrement conçues, devraient être tentées et poursuivies sans égard à la qualité "esthétique" du résultat. L'activité collective n'a de sens que si les participants se dégagent de tout amour-propre et ne se comportent pas en "écrivains".
Il est proposé de faire choix de points de départ différents : coupures de presse, définitions tirées d'un dictionnaire, thème populaire – et également de tenter de faire récrire le texte initial à partir du premier équivalent obtenu et ainsi de suite, selon la règle du jeu du "téléphone".
Il est enfin rappelé que les problèmes que posent au surréalisme l'actualité politique et l'activité collective ne doivent pas faire perdre de vue la nécessité de communications personnelles en relation avec la "quête" entreprise par chacun.

Avant de se séparer, la convention adopte à l'unanimité la motion suivante :

L'assemblée unanime :
1) Exprime son espoir dans les développements de la révolution cubaine et, plus généralement, de la lutte armée en Amérique latine, selon les thèses de l'OLAS.
Décide la création d'un bureau chargé de l'information concernant l'Amérique latine et les relations avec les camarades de ce continent.
2) Adopte le principe d'un enterrement définitif et prématuré d'Aragon, sous forme d'un texte.
3) Fait confiance aux surréalistes tchèques et à ceux de nos amis, qui sont plus en rapport avec eux, pour régler tous les problèmes concernant l'exposition qui doit avoir lieu en Tchécoslovaquie au début de 1968.
4) Adresse un télégramme à nos amis brésiliens pour qu'ils nous donnent rapidement des informations détaillées sur l'exposition surréaliste qui s'est ouverte fin août, à São Paulo.
5) Adopte la résolution concernant les expériences collectives :
a) Les résultats des expériences "Marine" et "Fusée-Signal" seront publiés dans *L'Archibras.*
b) Ce genre d'expériences doit être poursuivi.
c) Chaque surréaliste, selon la nature de l'expérience, restera libre d'y participer ou non.

La séance est levée à 19 h 30. »

Au premier plan à gauche, Marguerite Duras et derrière elle, le peintre Rebeyrolle, lors d'une séance de l'OLAS. Dans la salle, on reconnaît également Erró et Maurice Nadeau (photographie reproduite dans *Opus international*, n° 3, octobre 1967).

Couverture de Roman Cieslewicz pour *Opus international* n°3 (1967) édité par Georges Fall. Le comité de direction réunissait Gérard Gassiot-Talabot, Alain Jouffroy, Jean-Jacques Lévêque, Raoul-Jean Moulin et Jean-Clarence Lambert également rédacteur en chef.

« "CHE" SI »

Alain Jouffroy est un des principaux moteurs de la revue *Opus international* fondée en avril 1967. Il signe l'article phare du numéro 3 d'octobre 1967, dont le titre apparaît en couverture au milieu du visage désormais mythique du Che, traité à la manière du pop'art : sur son béret noir brille une étoile violette et la face orange vif du révolutionnaire argentin semble lui garantir de traverser la nuit dans laquelle il est entré depuis le 9 octobre 1967. Proche du surréalisme, dont il a été membre entre 1947 et 1948, Alain Jouffroy s'est voulu par la suite résolument indépendant de toute activité collective, ce qui l'a conduit à plusieurs reprises à adopter une posture critique à l'égard du groupe surréaliste et même de Breton. Si les polémiques n'ont pas manqué entre Alain Jouffroy et les surréalistes – la plus retentissante étant celle relative à Aragon –, il n'en reste pas moins vrai qu'ils appartiennent à la même histoire. Ce n'est pas un hasard si Alain Jouffroy se retrouve à Cuba en 1967 en compagnie, entre autres, de Jean Schuster et José Pierre. Son « reportage » cubain témoigne par sa forme autant que son contenu du souci de ne pas faire oublier que l'événement historique exaltant ou « ascendant » (Breton) ne se traverse pas abstraitement, mais se vit sur un plan de la réalité qu'on peut légitimement qualifier, en l'occurrence, de surréaliste.

« **Pour parler de Cuba**, de Fidel, de Che, de Régis Debray, de la lutte armée en Amérique latine, des tentatives de sabotage et d'assassinat organisées contre la révolution cubaine par la CIA, pour apprendre quelque chose à des lecteurs qui ont lu, cet été, les articles de Marcel Niedergang sur l'OLAS dans *Le Monde*, la "Lettre de La Havane" de Maurice Nadeau dans *La Quinzaine littéraire*, le reportage sur Fidel de K. S. Karol dans *Le Nouvel Observateur* et les articles de Françoise Giroud dans *L'Express*, pour éveiller beaucoup plus et beaucoup mieux que de la sympathie (toujours un peu paternaliste) et de l'intérêt (toujours un peu sceptique) pour l'idéologie révolutionnaire telle que Fidel et Che Guevara la définissent et la mettent en pratique aujourd'hui, pour bousculer les clichés, les conventions et en finir avec ce fétichisme abominable des "interviews" et des documents fournis par les "spécialistes" qui paralyse toute prise de conscience et retarde, même s'il ne l'empêche pas, toute prise de position véritable, il faut inventer, je crois, une nouvelle sorte de "reportage" qui serait, si l'on veut, un *portage* direct, où tout serait donné simultanément : la contradiction et la liaison entre celui qui écrit, seul en face de sa page, et l'aventure collective des peuples, un *portage* où il faudrait se montrer aussi inventif sur le plan de l'écriture que les révolutionnaires cubains le sont dans leur propre révolution. Ce n'est pas facile, mais c'est la seule chance qu'on ait de coïncider un peu avec le sujet traité. Ce qui me gêne en effet chez les journalistes, c'est qu'ils ne parlent pas d'eux, qu'ils font comme si leur vie, leurs opinions personnelles n'avaient aucune importance, alors que tout ce qu'ils écrivent n'a de sens que dans la mesure où l'on sait qui ils sont, quels sont leurs sentiments et leurs idées. D'où la grisaille. Pour l'éviter, je préfère, revenant de Cuba, avancer démasqué.

Admettez d'abord, je vous en prie, qu'au moment même où j'écris ces lignes dans un immeuble de Montparnasse, trois semaines après mon retour de Cuba où j'ai séjourné un mois (j'y ai passé un autre mois en mai 1963), admettez qu'au moment précis où je regarde ma pointe bic avancer sur le papier de mon cahier d'écolier à couverture photographique couleur représentant un charmeur de serpent hindou, je sois purement et simplement *déchiré en deux*. Non, ne vous méprenez pas, ce n'est pas pour me substituer, moi, Alain Jouffroy, au sujet apparent de mon article, et pour m'imposer, en tant qu'auteur, à la nuageuse distraction des lecteurs de revues, mais pour vous faire entendre que, parlant de Cuba, un écrivain français qui respecte les mots, les phrases, la littérature autant qu'il respecte la grandeur, la misère et l'histoire des hommes, ne peut pas ne pas éprouver, dans son corps comme dans sa pensée, cette espèce de déchirure verticale qui fait que soudain, *l'on ne s'appartient plus*. Ce que j'écris ici n'est donc pas de "moi", mais de la pensée qui naît, de la pensée qui tente de se formuler, une autre pensée que la mienne, que la vôtre, une pensée qui est la résultante d'une exceptionnelle convergence de forces, d'une convergence de couleurs, de formes et d'idées qui a lieu en ce moment à Cuba. Mais, en même temps, sachez-le, je n'oublie pas que je suis né à Paris le 11 septembre 1928, que j'ai donc 39 ans, que ma tante était la maîtresse du fils de Trotski, que j'ai joué avec le petit-fils de Trotski au jardin du Luxembourg, que j'ai rencontré André Breton à 18 ans après avoir passé toute la guerre à lire Proust, Rilke et Rousseau à Salins-les-Bains (Jura), que mon arrière-arrière-grand-oncle était probablement le philosophe Théodore Jouffroy, qui n'a écrit qu'une seule chose géniale dans sa vie, mais vraiment géniale, un essai qui s'intitule : *Comment les dogmes finissent*, que je me suis marié deux fois et que j'ai dû me séparer de mes deux femmes successives, que j'ai toute ma vie navigué dans les eaux qui séparent la poésie de la peinture et la révolution de la révolte, que j'ai défendu la *Beat Generation* américaine et le *Pop Art* au moment où ils n'avaient pas encore pris la forme mondiale que l'on sait, que j'ai terminé en juin un "récit récitatif" qui sera publié en janvier sous le titre *Trajectoire.* Je vous le dis parce que c'est utile à la compréhension réelle de ce qui va suivre et qu'on ne s'insère pas dans les problèmes collectifs si l'on n'y expose pas, ouvertement et précisément, son "je".

Croyez-moi sur parole si ça vous chante, je n'ai rien d'un militant, rien d'un homme de parti, rien d'un homme de propagande : j'aurais plutôt tendance à confondre chaque acte d'écrivain conscient des risques de son métier avec une déclaration d'indépendance. J'ai visité New York et le Mexique, un peu l'Afrique du Nord, mais je n'ai jamais mis les pieds ni en Chine, ni en URSS. La seule incursion que j'ai faite dans les démocraties populaires, c'est en Tchécoslovaquie, où j'ai reçu un madrier de mélancolie sur la nuque. Dans la mesure où l'on continue de me croire sur parole, ce qui ne me paraît pas impossible, j'ajouterais enfin que je suis heureux, que je ris et que je m'amuse facilement, que je vis dans un appartement assez cacophonique par l'accumulation d'objets, de livres et de tableaux contradictoires qui s'y trouvent, et que si je n'ai pas un sou en banque, si je n'ai pas payé mes impôts depuis deux ans, ce qui va me coûter probablement très cher, si je me demande à qui je vais emprunter de l'argent ce mois-ci pour payer quelques-unes de mes dettes les plus cuisantes, je n'ai pas l'outrecuidance de penser que je suis défavorisé, maudit et persécuté par la société qui est celle où je vis et où je peux encore écrire ces lignes[1].

Donc, pardonnez-moi le détour, je suis le parfait représentant de ces "Blancs qui affirment qu'ils sont du côté des Noirs" et dont Rap Brown a dit à Oriana Fallaci, cet été : "Est-ce que c'est vrai ? Et si c'est vrai, à quoi est-ce que ça me sert ? Il reste un homme blanc, c'est-à-dire quelqu'un qui appartient à une société qui a toujours été mon ennemie", un Blanc auquel Rap Brown dirait : "Tout ce que vous pouvez faire pour nous aider, c'est de nous donner des fusils ou de l'argent pour acheter des fusils", ce à quoi je répondrai, moi : "Je n'ai aucun fusil dans mon placard et pas assez d'argent pour acheter les mitrailleuses dont vous avez besoin. Mais j'ai quelque chose qui peut vous servir, croyez-moi, quelque chose dont vous vous servez

1. Mais pour combien de temps ce droit me sera-t-il consenti ? C'est la question que je ne suis pas seul à me poser.

vous-même, Rap Brown – je veux dire des mots. Mettons-nous d'accord, Rap Brown, sur le sens des mots, et nous pourrons agir de concert, parce que les mots, contrairement à ce que disent les réactionnaires, qui n'y voient que du vent, peuvent devenir des armes implacables. C'est avec des mots que Marx et Engels ont écrit leur *Manifeste* de 1848, avec des mots que Lénine a écrit *L'État et la Révolution*, avec des mots que Breton a fait le surréalisme, avec des mots que tous les révolutionnaires : Saint-Just, Fourier, Marx, Engels, Blanqui, Lénine, Fidel, Che Guevara et Malcolm X, ont entraîné des actes."

Certes, la révolution cubaine a commencé le 26 juillet 1953 par l'attaque à l'aube de la caserne de Moncada. Mais c'est par son plaidoyer lors du procès, le célèbre plaidoyer "L'Histoire m'acquittera", que Fidel a défini les objectifs de sa révolution, et c'est par ce texte que la révolution a pris corps et qu'elle s'est enracinée dans toute l'Amérique latine. L'attaque de Moncada, qui a d'ailleurs échoué, et dont Fidel a dit qu'elle était probablement une erreur, n'y aurait certainement pas suffi. Il faut savoir avec quel acharnement il a su déjouer, pendant les mois qui ont précédé son procès, toutes les manœuvres qui tendaient à l'empêcher de *parler* et de lire son plaidoyer. C'est, aujourd'hui encore, ce danger de la parole que l'on veut conjurer en empêchant certains de parler, comme ils le veulent, de ce qu'ils veulent. C'est, aujourd'hui, encore, ce danger de la parole que l'on veut conjurer en ne publiant pas, dans un "hebdomadaire français de gauche" bien connu, un article jugé trop "louangeur" pour la révolution cubaine et en recommandant à son auteur de "marquer un peu plus de distance" par rapport à elle. C'est ce même danger que Fidel et Che affrontent directement par tous leurs discours et tous leurs écrits : ils connaissent le pouvoir des mots, et ils en usent librement, c'est-à-dire consciemment, et en assument le risque de *toutes* leurs conséquences. Comme me le disait un délégué du FLN vietnamien du Sud rencontré cet été à Cuba : "Chaque *mot* que vous prononcez, en France et ailleurs, contre cette guerre, est une *arme* que vous nous donnez."

Quand je me suis trouvé pour la première fois en face de Fidel, au Palais de la Presidencia, à La Havane, le 11 août dernier, c'est à un révolutionnaire de parole autant qu'à un révolutionnaire d'action que j'avais conscience de m'adresser. C'est à l'homme que j'ai entendu trois fois parler au peuple cubain et qui va, la nuit, discuter avec les étudiants de l'université de La Havane, comme il va discuter dans les villages avec les paysans de tous les problèmes concrets que pose la transformation radicale de l'économie cubaine : ce n'est pas l'un de ces chefs d'État et de gouvernement que nous connaissons bien, et qui parlent strictement pour ne rien dire, qui méprisent à tel point la parole que leurs propos contredisent leurs actes, et dont les discours ne font que détourner le sens de la politique véritable. Je dirai plus loin ce que je lui ai demandé et ce qu'il m'a répondu, mais je voudrais d'abord faire comprendre tout ce que je n'ai pas eu le temps de lui demander et tout ce que mon séjour à Cuba m'a apporté comme réponse à ces questions terriblement muettes que je lui posais là, à côté de cette journaliste américaine de *Look* qui monopolisait toute l'attention par le culot et l'incroyable autosatisfaction dont elle a fait preuve à Cuba, et qui ne cherchait, bien entendu, qu'à donner la plus grande importance possible à cette triste chose qu'est la revue *Look*, c'est-à-dire à la cécité mentale de ses lecteurs qui ont avalé récemment un article sur le Vietnam qui portait ce titre : "The Far-East is our Far-West".

Ce que je pensais, c'est que j'étais un écrivain français et qu'invité à Cuba en même temps que Leiris, Nadeau, Duras, Mascolo, Schuster, Guyotat, Gassiot-Talabot, Lévêque, Ragon et quelques autres, je représentais aux yeux de Fidel une certaine "culture", à l'intérieur de laquelle je mène un certain combat. Le Salon de mai, présenté à La Havane comme il ne l'a jamais été à Paris et comme il ne le sera probablement jamais nulle part, venait de recevoir son 100 000e visiteur (il en a eu 20 000 cette année à Paris), et il en a reçu 100 000 autres depuis. Des cinéastes cubains m'avaient interviewé et filmé comme tous les autres, avec les étudiants de La Havane j'avais parlé de la linguistique, de Jean-Luc Godard avec les Jeunesses communistes et vice versa, rencontré le jeune poète de Camaguey, Desiderio Navarro, qui rêve de happenings, et admiré les courts métrages de l'ICAIC, les tableaux du jeune Valdés à l'école des Beaux-Arts, conçue par ce génial architecte qu'est Ricardo Porro, et l'efficacité des affiches ultra-poétiques de Che et de Bolivar placardées partout dans

Alain Jouffroy arrivant à La Havane en compagnie, à sa droite, du peintre Erró (photographie reproduite dans *Opus international*, n° 3, octobre 1967).

les rues, premiers gestes d'une culture révolutionnaire qui bouleverse l'idée assez sombre qu'on a pu se faire jusqu'à présent de l'art et de la liberté des intellectuels dans les "pays socialistes". En somme, oui, j'étais sous ce coup, et j'avais d'autant plus conscience du grand choc ressenti à la brève lueur des orages depuis un mois que je pouvais le comparer à la différente impression que Cuba m'avait faite en 1963. Tout ce que l'on sait en effet de la culture bourgeoise, tout ce qui nous oblige, nous Européens, à nous situer et à combattre par rapport à elle, et non par rapport à une culture révolutionnaire qui n'a encore remporté nulle part de victoire définitive sur la morale et sur l'idéologie bourgeoise, tout ce qui, en France, fait de la culture révolutionnaire un *avenir*, et non un présent, voilà ce qui me déchirait devant Fidel. Mais cette déchirure, en soi, n'avait aucun intérêt, sans doute aucune importance. Quand on avait demandé à Fidel, quelques minutes plus tôt, ce qu'on pouvait faire de plus utile à la révolution cubaine en Europe, il avait répondu, comme il l'avait déjà dit à Michel Leiris à Gran Tierra : "Préparez le Congrès culturel de La Havane" ; cela nous engageait collectivement, et il avait raison de ne pas en faire une question de "personnes". Les discussions, les disputes, les divisions, par groupes, par revues, par petites équipes d'amis, les parlotes de café, telles qu'on les pratique couramment en Europe, *empêchent* la résolution en commun de certaines contradictions, *empêchent* la vie de se définir des voies à travers la sensibilité et l'intelligence, *empêchent* l'élan et le sentiment révolutionnaire de s'articuler avec une action révolutionnaire cohérente.

À La Havane, toute cette politique littéraire perd son sens, toute cette politique artistique, la plus mesquine, la plus stérile de toutes les politiques, n'a plus aucune espèce de semblant ou même d'ombre de nécessité. Le Congrès de La Havane en fera probablement la démonstration parce qu'il transgressera, c'est à prévoir, les tabous et les interdits particuliers aux mœurs intellectuelles. Car je vous assure qu'à Cuba, les divergences entre le groupe Tel Quel, les pro-Chinois, les trotskistes, les communistes, le groupe surréaliste, les sartriens, les structuralistes, les psychédéliques et les happeningueurs beatniks n'ont absolument pas le même poids qu'à Paris : un Roger Garaudy n'y fait pas le printemps, un Ilya Ehrenbourg le dégel, et s'il n'y a pas d'Aragon cubain, s'il n'y a pas à Cuba un homme assez fou, assez contradictoire, assez rapide, assez généreux, assez génial, assez capricieux, assez courageux, assez critique, assez poète et assez marxiste pour devenir un Breton + Sartre + Aragon + Foucault + Althusser, s'il manque à Cuba un leader intellectuel comparable en importance à la multiplication des hommes précités, il y en a par contre deux autres, un absent et un présent, un homme dont on voit le visage à tous les coins de rues et un autre qui parle au peuple et veut toujours réduire la distance qui sépare sa tribune du peuple : Che Guevara et Fidel Castro. Je vous assure qu'en tout état de cause l'existence de ces deux hommes complémentaires, leur courage, leur imagination, leur mobilité, leur ouverture mentale comble et déborde même largement les éventuelles lacunes de l'intelligentsia cubaine, puisqu'elle rend caduques un grand nombre de positions politico-culturelles de l'intelligentsia européenne. Si nous ne sommes pas d'accord avec Louis Aragon (dont nous approuvons cependant avec Philippe Sollers *Blanche ou l'oubli* et le très beau texte qu'il a consacré récemment à Lautréamont et à Breton) quand il déclare, comme il vient de le faire dans *Le Monde* en condamnant l'action des Chinois en Indonésie : "L'apologie de la guérilla risque ailleurs aussi d'amener des désastres", c'est parce qu'une telle phrase, à première vue si juste, si calculée, si *politique*, est en contradiction violente avec la *réalité* et avec la *signification* du combat révolutionnaire en Amérique latine, où les dictatures militaires du type Barrientos, financées, armées et contrôlées par les États-Unis, ne peuvent et ne pourront jamais être renversées que par la force des peuples entiers, telle que la lutte armée peut l'amener à se manifester. Car ce n'est pas l'*apologie* de la guérilla qui est faite par "Che", ce n'est pas l'*apologie* de la guérilla qu'a prononcée Fidel, c'est la guérilla qu'ils ont faite et c'est la révolution qu'ils mènent sur tous les plans (et pas seulement sur le plan de la lutte armée) qui donnent une *vigueur*, une *virulence* et une *ouverture nouvelles* à la lutte révolutionnaire internationale[2]. Quant à la condamnation de la guérilla, telle qu'elle a été prononcée par le PC vénézuélien, on sait maintenant à quoi elle aboutit : à servir la propagande des contre-révolutionnaires de Miami et l'action de la CIA. Enfin, quant aux "désastres", c'est depuis des dizaines et des centaines d'années qu'ils ont lieu en Amérique latine, et c'est pour en finir avec la *désastreuse* résignation des peuples devant les *désastres* qui les accablent depuis des siècles, que la guérilla est précisément en train de s'organiser, et qu'elle gagne depuis deux ans beaucoup plus de terrain que ne le permettent de croire les agences de presse occidentales et le formidable rideau de mystification politique américain.

Je ne sais si les peintres du Salon de mai l'ont compris : je crois qu'en tout cas Arroyo, Recalcati, Aillaud, Rebeyrolle, Peverelli et le sculpteur Kowalski l'ont compris assez clairement, et que des artistes sans grande conscience politique comme Hiquily, César, Monory, Rancillac l'ont même découvert avec leur seule sensibilité, leur intuition (parfois à leur grande surprise), mais c'est à Cuba que, pour la première fois depuis longtemps, la lutte des hommes de langage, la lutte des intellectuels, des écrivains, des cinéastes et des peintres se découvre des points communs *matériels* avec la lutte des révolutionnaires politiques. On en est comme pantois, quand on découvre ça, parce qu'en Europe, la bourgeoisie s'y est prise de telle manière que ces points communs se sont comme *effacés*, et que la solidarité des intellectuels avec les peuples en lutte n'y semble plus qu'une pieuse réminiscence "romantique", une sorte de dérisoire parade destinée à calmer la conscience et à surmonter un malheur beaucoup plus

2. C'est par les mots suivants que Fidel, dans une lettre à Célia Sanchez qui fut exposée cet été au Salon de mai, annonça dès 1958 la guerre qui l'oppose depuis son arrivée au pouvoir à l'impérialisme américain : "Célia, en voyant les roquettes qu'ils ont lancées sur la maison de Mario, je me suis juré que les Américains allaient payer bien cher ce qu'ils sont en train de faire. Lorsque cette guerre sera terminée, une guerre beaucoup plus longue et grande commencera pour moi : la guerre que je vais engager contre eux. Je me rends compte que cela va être mon véritable destin. Fidel. Sierra Maestra, 5 juin 1958."

profond qui serait, selon la bourgeoisie, le malheur "métaphysique" inéliminable de toute existence. À Cuba, où *il n'y a plus de bourgeoisie*, puisqu'elle a émigré aux États-Unis en laissant derrière elle ses villas, ses piscines et quelques vieilles bagnoles américaines, les seuls membres de la "classe" bourgeoise qui sont restés, je veux dire les intellectuels révolutionnaires proprement dits, les écrivains et les chefs politiques, tous issus, comme on sait, de la classe bourgeoise, sont donc directement confrontés au peuple et aux réalités de l'économie révolutionnaire : le public "bourgeois" a disparu, le snobisme bourgeois a disparu, l'arrogance, la futilité et l'individualisme bourgeois ont disparu. Et c'est un miracle, qui se produit alors, parce que tout ça, on s'en aperçoit vite, n'était qu'une superstructure, l'une de ces fameuses superstructures dont on parle tant sans savoir dans les nerfs de quoi on parle, et qui correspond à une réalité objective, celle d'un *couvercle* (pour étouffer ce qui bout par-dessous) et d'une *couverture* (pour cacher ce qui dort par-dessous). Et s'il y a une bureaucratie à Cuba, et même si cette bureaucratie peut, comme toutes les bureaucraties, y commettre des erreurs, en s'interposant entre la pensée et l'action révolutionnaire, elle ne paraît pas pouvoir prendre de grandes initiatives. Fidel a congédié, après notre départ, une vingtaine de mille de bureaucrates : sa lutte contre le bureaucratisme, de même que toutes les luttes qu'il engage, n'a donc rien d'exclusivement "verbal". Quant à la police, qui devrait se montrer très vigilante, les bateaux américains espionnant sans cesse les côtes cubaines à la limite des eaux territoriales (on les voit à l'œil nu du bord de la mer), et les canots des groupes de contre-révolutionnaires débarquant clandestinement *chaque semaine* sur les côtes, on ne *la* voit pas, on ne *la* sent pas, on ne *la* distingue pas du peuple et de l'armée : tout se passe comme si elle faisait corps avec le pouvoir révolutionnaire et populaire lui-même.

En fait, toute la révolution tient, à Cuba, en équilibre dans la pensée de Fidel et de ses amis de la Sierra Maestra, qui sont au pouvoir avec lui. C'est donc en comprenant cette pensée et celle de "Che" Guevara, en l'analysant et en la critiquant, qu'on peut saisir l'originalité de l'idéologie la plus révolutionnaire d'Occident, parce qu'un peuple entier y est associé directement, par le dialogue incessant que Fidel entretient avec lui, sans négliger aucun problème concret, par ses prodigieux discours inspirés et explicites et par ses continuelles rencontres avec les paysans, les ouvriers et les étudiants, où il s'informe de tout et répond à tout.

Le séjour des intellectuels et des artistes européens à Cuba, à cette double occasion du Congrès de l'OLAS et du Salon de mai, revêt donc une signification toute particulière, quand on sait que c'est en accord total avec Fidel que Carlos Franqui et Wifredo Lam ont pu procéder à plus de cent invitations, présenter le Salon de mai, les portes toutes grandes ouvertes sur la rue et sur la vie, avec un canon anti-aérien, six vaches et deux taureaux placés sur le même plan que les œuvres d'art, au bord de la Rampa, l'artère la plus populaire de La Havane, et non au Musée (ce qui aurait été une manière de le séquestrer dans le ghetto traditionnel de la vie culturelle), faire exécuter un tableau collectif par 80 artistes et intellectuels devant 5 000 personnes et les caméras de télévision, après le discours du ministre des Affaires étrangères de Cuba, Raúl Roa, qui déclara entre autres choses : "*La révolution garantit et exalte le droit des artistes et des écrivains à exprimer librement la réalité présente et future*" et "*que chacun écrive ce qu'il veut, et si ce qu'il écrit ne vaut rien, c'est son affaire. Nous n'interdisons à personne d'écrire sur le sujet qu'il préfère. Au contraire, que chacun s'exprime sous la forme qu'il estime pertinente et qu'il exprime librement l'idée qu'il désire exprimer. Nous jugerons toujours sa création au travers d'un prisme fait de verre révolutionnaire*", enfin, inviter tous les artistes et les intellectuels présents à toutes les manifestations politiques qui ont eu lieu pendant un mois à Cuba : le discours de Fidel à Santiago le 26 juillet, le discours de Fidel le 27 juillet à Gran Tierra, les séances publiques et le discours de clôture de l'OLAS au Teatro Chaplin, les deux interrogatoires publics de huit prisonniers de la CIA au *Habana Libre*. Mais quand je dis "manifestations politiques" j'ai tort, parce qu'il s'agit à Cuba de tout autre chose : ce ne sont pas des meetings au sens américain ou européen du terme, où la tension *entre individus* et entre groupes rivaux est toujours seule en cause, mais des meetings où une rencontre d'un *ensemble* d'individus avec un *ensemble* d'idées et de faits est *effectivement* opérée sur le plan politique, et où la tension individuelle s'annule au bénéfice de *l'aventure collective*. Ce fut par exemple un

La tribune des prisonniers anti-castristes (photographie reproduite dans *Opus international* n° 3, octobre 1967).

événement assez stupéfiant que de se trouver assis là, en face du Président de la République de Cuba, Osvaldo Dorticos, qui venait d'entrer parmi nous et de s'approcher de la tribune des prisonniers de la CIA, dans la grande salle de réunion du *Habana Libre*, et de l'entendre dire :

"*Avant tout, je voudrais expliquer un peu, expliquer brièvement, non seulement pour vous mais pour moi-même, les raisons de mon intervention à cet interrogatoire, et surtout les questions que Messieurs les journalistes posaient au détenu et, en particulier, celles de la correspondante de la revue* Look. *Il m'a semblé entrevoir, lire entre les lignes de ses questions, certains doutes, des soupçons ou des insinuations de la part de Messieurs les journalistes à propos de la véracité de la version que le détenu lui-même a donnée, avec une grande profusion de détails, à ceux qui l'ont interrogé, dans le sens qu'il avait réalisé cette infiltration sur l'ordre, les indications et en qualité d'agent de la CIA... Je suis venu pour poser une question non pas au détenu, mais aux journalistes étrangers et plus spécialement aux journalistes nord-américains qui sont présents ici, en les priant de me répondre catégoriquement : ont-ils, oui ou non, un doute sur le fait que cet homme se soit infiltré dans notre pays sur l'ordre et les indications de la CIA ? Je prierai Messieurs les journalistes nord-américains ici présents de bien vouloir répondre à ma question, chacun séparément."*

Ce fut un bel étonnement et une joie assez profonde que d'entendre répondre d'abord :

1) André S. Frank (*Monthly Review*, des États-Unis) : Je n'ai aucun doute.

2) Joseph Hansen (*Ramparts*) : Je crois que l'évidence atteint ici un degré extraordinaire. Et je crois que non pas du point de vue des confessions, mais du point de vue de la forte évidence que l'on peut constater de ses propres yeux, je crois qu'il est impensable que n'importe quelle personne honnête puisse nier ce que l'on peut voir que la CIA a fait en ce moment.

3) Jane Mc Manus (*National Guardian*, de New York) : Je n'ai aucun doute sur le fait que le détenu raconte une triste histoire de plus de la CIA.

4) Beatrice Johnson (*The Worker*, de New York) : Nous n'avons pas le moindre doute en ce qui concerne ce qui a été dit aujourd'hui ici, et ce n'est pas nouveau non plus qu'il existe depuis 1959 des plans et des conspirations pour détruire la révolution cubaine. Notre journal publiera ces faits tels qu'ils ont été mentionnés ici.

Mais ensuite, après ces quatre chevaliers du journalisme américains, on vit apparaître les grands profiteurs du système, ceux de *Look*, de l'*A.P.* et de *Life*, qui bafouillèrent des choses comme "je ne sais pas, je suis journaliste, je ne suis pas juge, je ne suis pas un expert en espionnage", et se défilèrent avec une précipitation de bêtes prises au piège mais aussi avec cette espèce de rouerie méprisante propre à tous les gens qui ont gagné beaucoup d'argent avec des mensonges et qui confondent le travail et la pensée avec une affaire commerciale, c'est-à-dire avec une manière de vendre n'importe quoi, y compris des poisons. La journaliste de *Life*, notamment, mit le comble à toutes les audaces de l'élégance la plus nonchalante en disparaissant d'abord au moment de l'arrivée de Dorticos dans la salle. Mais cette disparition fut remarquée par un autre journaliste américain, qui se leva, pâle et droit, pour la signaler à tout le monde. Et quand la fille de *Life* revint, blonde et vaporeuse, quelques minutes plus tard, elle s'approcha avec grâce de Dorticos et lui déclara ceci que je cite textuellement parce que cela n'a jamais été cité en France par personne (pas plus que ce qui précède) :

"Je voudrais faire usage de cette tribune internationale pour dire quelques mots. Premièrement, je suis venue ici pour la première fois depuis douze ans. J'ai été divinement reçue et j'ai été contente de ma visite à Cuba. Je n'ai ressenti aucun climat d'hostilité à mon égard et je tiens à exprimer ma reconnaissance au Gouvernement révolutionnaire de Cuba pour son invitation. Deuxièmement, je ne crois pas que je pourrais entrer dans une polémique avec le Président Osvaldo Dorticos, et je ne le ferai pas. Je ne suis pas sortie de l'enceinte de la conférence, mais j'étais en train de prendre quelques notes là-bas (geste vers la salle voisine, où il y a un bar). En ce qui concerne l'arsenal exposé ici, je dois dire

ceci : je ne connais pas suffisamment les armes nord-américaines ou des autres pays pour être à même de formuler une opinion en cette matière. Quant au détenu Daniel García Casanas, j'ai entendu une partie de ses déclarations et je crois que… je ne suis pas juge d'un tribunal militaire et c'est pourquoi je ne pourrais prononcer un 'judgment'. Merci beaucoup, Président Dorticos."
Dorticos : "*C'est nous qui devons vous remercier. Je comprends parfaitement vos scrupules. Ils vous empêchent de formuler des opinions personnelles, car vous pouvez même craindre que votre témoignage n'influence le destin judiciaire du détenu. Nous comprenons cela… Nous sommes toujours interrogés par les journalistes et, à cette occasion, nous voulions un peu inverser les rôles et connaître l'opinion de la presse ; si dans certains cas, il restait des doutes, nous ne voulons pas qualifier moralement ces doutes… C'est pourquoi nous insistons sur notre suggestion : le Président Johnson pourrait vous répondre et vous donner des éclaircissements en votre qualité de journalistes sans que vous ayez à vous prononcer comme juges.*"
Si je cite longuement cette discussion, c'est qu'elle résume à mes yeux le dialogue ouvert permanent de la révolution cubaine avec le peuple, comme avec les intellectuels et les techniciens de tous les pays. Tout ce qui se passe à Cuba est de cet ordre, et si, en janvier, au Congrès de La Havane, les intellectuels européens, américains, africains et asiatiques vont se trouver face à face avec la révolution cubaine, ce sera d'abord pour approfondir et multiplier ce dialogue, lui donner le maximum de force, de clarté et d'efficacité : rien ne sera laissé dans l'ombre, j'en suis certain, et nous pouvons compter sur cette liberté, sur cette franchise, parce qu'elles sont les moteurs de la révolution et de la rébellion, quoi qu'on dise et quoi qu'on fasse contre elles.
Certains peintres comme Arroyo, à qui les jeunes Cubains demandaient des conseils sur la direction à prendre en peinture, parce qu'ils hésitent là-bas, bien entendu, entre l'abstraction, le surréalisme, le Pop et la Nouvelle Figuration et même un certain expressionnisme à la mexicaine, leur répondaient que c'est à eux de trouver quelque chose de nouveau au sein de leur propre révolution, et que nous n'avons, nous, Européens, rien à leur apporter ; que tout ce que nous faisons de défendable ou d'honorable à Paris, par exemple, ne se justifiait que par une position de combat contre la culture bourgeoise, et n'avait de sens qu'à l'intérieur de ce combat ; que les Cubains n'avaient pas à adopter les mêmes formes tactiques de lutte idéologique que nous, puisqu'ils n'avaient plus, chez eux… d'idéologie bourgeoise à détruire. Et il ajoutait, Arroyo, que s'il vivait à Cuba, il ne peindrait probablement plus, qu'il ferait autre chose, ce qui les étonnait beaucoup, les jeunes Cubains, et les effarait un peu. Je ne suis pas complètement d'accord avec un tel discours, parce qu'en vérité, les formes tactiques de lutte contre l'idéologie bourgeoise ne sont sans doute pas universelles, bien que cette idéologie survive souvent à la prise du pouvoir par des révolutionnaires, mais le travail du langage, par le langage et dans le langage constitue, en soi, s'il est mené jusqu'au bout, consciemment, et avec une intrépidité assez grande, l'une des formes révolutionnaires les plus nécessaires et

Timbre signé Calder édité à l'occasion du Salon de mai (publié dans *Opus international* n° 3, octobre 1967).

les plus fondamentales. Encore faut-il, pour le comprendre, concevoir une stratégie culturelle assez précise et assez large pour que toutes les mesures tactiques, locales et particulières que l'on adopte à l'égard de la société où l'on vit, ne deviennent pour elles-mêmes leurs propres fins. Que le ministre cubain des Communications ait fait éditer, à l'occasion du Salon de mai, une série de timbres reproduisant les tableaux de Picasso, de Lam, de Miró, et une sculpture de Calder, mais aussi des tableaux de Hundertwasser, de Gudmundur Erró, de Corneille, de Messagier, de Jorn, d'Alechinsky, de Vasarely, de Magritte, de Matta, et de Max Ernst, voilà un geste qui, redoublant et perpétuant la présentation de ces œuvres à Cuba, s'inscrit dans une perspective d'ouverture sur l'avenir et sanctionne, pour la première fois depuis les débuts de la révolution russe, un accord réel entre l'aventure intellectuelle moderne et l'idéologie révolutionnaire contemporaine. S'il n'y a, bien entendu, aucun conseil particulier à donner aux Cubains, qui disposent d'une liberté de création totale et sauront sans doute en jouir avec de plus en plus d'invention, encore faut-il qu'ils soient suffisamment informés de tout ce qui peut se passer dans tous les domaines, à Moscou comme à New York, à Tokyo comme à Prague, à Milan comme à Barcelone. La révolution cubaine, en effet, est en train de se définir comme le point de convergence de toutes les idées, de toutes les techniques et de toutes les formes d'expression les plus avancées. Le rôle mondial que Cuba peut jouer demain sur le plan culturel – équivalent au rôle mondial que Cuba joue depuis huit ans sur le plan politique – dépend dans une très grande mesure de la qualité et de l'étendue des liens que les révolutionnaires cubains créeront avec les intellectuels, les artistes et les savants du monde entier.

Enfin, si les concepts d'"art" et de "poésie" ne sont plus, je crois, indispensables à la compréhension et au développement de l'intelligence créatrice de formes et d'idées, dans la littérature, la peinture, le cinéma et dans tous les secteurs de la culture, si, même, il convient aujourd'hui de devancer et de mettre en évidence *l'abolition pré-révolutionnaire de l'art*, et si, d'autre part, les Cubains mettent moins de temps qu'on ne le croit à s'inventer un langage plus utile à leur révolution que celui qu'ils seraient tentés d'adopter pour le moment, et qui ne ferait que refléter ou transposer les images d'une lutte poursuivie ailleurs dans d'autres conditions sociales, le jour est peut-être proche où les intellectuels révolutionnaires européens, dont certains ont en commun avec les Cubains une latinité, pour ne pas dire une *hispanité* traditionnelle, pourront se définir par rapport à Cuba et à l'Amérique latine, en même temps que les Latino-Américains se définiront par rapport à l'Europe et, ce jour-là, les conditions seront réunies pour faire éclater et renverser le mythe de la suprématie de la culture bourgeoise occidentale et pour lancer dans de nouvelles directions, par contrecoup, une littérature, une peinture et un cinéma qui ne seront plus réductibles à "l'art" proprement dit, et qui frapperont donc d'inanité toute spéculation, toutes les "esthétiques", toutes les "psychologies" et toutes les "philosophies" qui ont servi de justifications et de système de récupération bourgeoise pour toutes les œuvres *révolutionnaires* qui ont été produites à l'intérieur des sociétés capitalistes depuis Baudelaire et Delacroix.

Devant Fidel, au Palais de la Presidencia, je pensais que j'appartenais, malgré tout, à la génération de la chance, puisque, succédant à celles qui ont vécu la guerre d'Espagne, la conquête hitlérienne, le fascisme européen d'occupation et l'incapacité de la Résistance nationale de se transformer en révolution, nous sommes de la génération de Fidel qui, à 41 ans, est *le premier révolutionnaire d'Occident à avoir vaincu, dans son pays, l'impérialisme américain en même temps que le capitalisme.* On insiste beaucoup, quand on critique Fidel, sur le caractère "exceptionnel" de son entreprise, parce qu'on se refuse à comprendre et à accepter que la révolution latino-américaine a entamé avec Cuba un processus irréversible, ouvrant et déblayant l'avenir, et parce qu'on s'obstine à croire, aujourd'hui encore et malgré l'exemple du Vietnam, à l'invincibilité des États-Unis. Le pessimisme de l'individualisme européen est tel que, devant Fidel, on a le sentiment d'en être responsable à soi tout seul, et comment faire pour se délivrer d'une maladie que nul ne peut guérir isolément ? Alors, on rit. Et devant Fidel, pensant à Che Guevara et aux risques incalculables qu'il prend quelque part en Bolivie, pensant à Régis Debray et à sa formidable dignité à Camiri, pensant à la solitude fraternelle des guérilleros du Venezuela, de Colombie et du Guatemala, et songeant au même moment aux amis de Paris, mais aussi à l'Amérique hystérique et à ses beatniks sympathiques, à ses hippies, à ses débiles mentaux pacifiques, à la "confiture religieuse" dans laquelle est encore plongée la protestation des intellectuels américains et aussi à la gueule toxique et texane de Johnson et de ses généraux, aux enfants vietnamiens qui se rendent à l'école par des galeries souterraines, aux bombes à billes et aux balles au cyanure de potassium des contre-révolutionnaires cubains qui nous avaient expliqué, trois jours plus tôt, qu'elles étaient destinées à Fidel, je lui ai dit, comme ça, parce que c'était ce qui venait d'abord à l'esprit :

"Ne pensez-vous pas, Fidel, que le gouvernement des États-Unis, dans la mesure où il a abandonné l'espoir d'écraser par la force la révolution cubaine, a changé de tactique ? Ne croyez-vous pas qu'en plus du blocus destiné à retarder tant qu'ils peuvent la réussite de vos plans économiques, le gouvernement des États-Unis ait décidé de vous supprimer, vous, Fidel, et de faire en sorte que ceux qui vous succéderaient abandonnent l'espoir de la guérilla en Amérique latine ? Ne croyez-vous pas qu'ils feront tout ce qu'ils peuvent pour obliger Cuba à trahir l'internationalisme révolutionnaire et à se plier plus docilement à la politique de *coexistence pacifique* telle qu'elle est poursuivie par l'URSS ?"

Et Fidel, regardant à droite, à gauche, répondant de côté à Lasse Söderberg qui venait de lui chuchoter à l'oreille : "Vous perdez votre temps, Fidel, en parlant avec cette bonne femme de *Look*" (Réponse : "Non, je ne crois pas que je perde mon temps. Si je peux la convaincre, elle, ce n'est pas du temps perdu, et même si elle n'écrit rien dans *Look*, elle comprendra que nous avons tout fait pour lui donner les moyens de se convaincre elle-même", car Fidel venait de pousser la gentillesse jusqu'à offrir à cette dame la possibilité de discuter en tête à tête avec les prisonniers de la CIA), pointant son index sur son étui à revolver, faisant un saut de côté comme un *caballo*, écoutant le commandant Vallejo, qui lui traduisait au fur et à mesure tout ce qui se disait autour de lui, puis, après avoir souri à Stockely Carmichaël, dont il venait de dire qu'il n'était pas fait de "bois" (*madera*) révolutionnaire, mais de "forêt" (*bosque*) révolutionnaire[3], Fidel leva les yeux au plafond, puis me regarda avec attention, et de sa voix feutrée, douce, cadencée par cette pulsation de profonde et d'irréductible conviction qui dessine la ligne de mire de chaque mot, me répondit sans hésiter :

"Ce n'est pas le changement de politique du gouvernement des États-Unis à l'égard de Cuba… Ce n'est pas l'espoir qu'ils peuvent ou non nourrir de nous imposer un changement de direction dans notre révolution… Ce n'est pas moi, ni leur attitude vis-à-vis de moi qui importe vraiment… (entre parenthèses, la politique de Cuba ne se définit pas par rapport à elle-même, mais par rapport à la situation internationale tout entière), c'est le changement de la politique du gouvernement des États-Unis à l'égard du monde entier qui est nécessaire et important. Le reste est secondaire."

C'était généreux, lucide et sans réplique. Quoi qu'il arrive demain, cette phrase qui, à elle seule, définit la hauteur de la révolution cubaine, *hauteur mobile*, et même extraordinairement mobile, doit nous servir de repère dans cette nouvelle nuit où nous avançons maintenant, celle de la contre-révolution mondiale. Mais, sachez-le, Cuba est là, et vous pouvez y vivre, y travailler demain, si vous voulez. Quant à nous, qui revenons de Cuba, et qui nous préparons à y retourner en janvier, nous le résumons ainsi : *Johnson no, Mao si-no, mais Ho Chi Minh si, Kim Il Song si, Fidel si*, et, une fois pour toutes, "*Che si*". »

3. À la question : "Êtes-vous un sympathisant communiste ?", Carmichaël a répondu à Cuba : "Il existe plusieurs formes de communisme. La conception cubaine est celle qui se rapproche le plus de celle que j'en ai."

« POUR LE CONGRÈS CULTUREL DE LA HAVANE »

Cet appel a été diffusé dans *Opus international* n° 3 d'octobre 1967. Il a été composé par les artistes et intellectuels invités au Salon de mai. Les surréalistes s'y sont naturellement ralliés. Il répond exactement à la requête exprimée par Castro dans le reportage d'Alain Jouffroy sur Cuba (« "Che" si »).

« **Les artistes et les intellectuels** soussignés ont perçu, à Cuba, combien est étroite la liaison entre Culture et Révolution. Le combat révolutionnaire du peuple cubain vise non seulement à obtenir, pour l'ensemble du tiers-monde, de meilleures conditions matérielles de vie, mais de créer des conditions telles que chaque culture puisse atteindre son complet épanouissement et que chaque groupe humain affirme son existence. De plus, il suffit de circuler à La Havane ou dans le reste de l'île pour constater que la Révolution cubaine, serait-ce par les seules affiches qui en sont l'expression verbale et imagée, fait littéralement descendre la poésie dans la rue.

Du 4 au 11 janvier 1968, doit se tenir le Congrès culturel de La Havane, réunion d'intellectuels du monde entier pour discuter des problèmes qui se posent quant à la culture dans les pays sous-développés.

En cette époque où en Asie, en Amérique latine et en Afrique une lutte armée oppose des hommes à des gouvernements avides de maintenir la domination anachronique d'une classe privilégiée, artistes et intellectuels ne peuvent que prendre parti pour ces hommes lucides et courageux. Un peuple opprimé est, en effet, empêché de développer sa culture et, tant que l'oppression existe, le monde se trouve privé de la richesse inestimable qu'est le libre exercice de la pensée. Si l'on veut que la culture vivante, au-delà du savoir accumulé, se manifeste comme une exigence aussi générale et aussi fondamentale que celle de vivre libre, il faut que les intellectuels des pays développés se solidarisent, comme ceux des pays sous-développés, avec tous les révolutionnaires qui ont pris les armes pour *faire* la révolution.

Qu'un Régis Debray, philosophe et écrivain, se soit solidarisé avec les guérilleros d'Amérique latine et qu'il soit emprisonné par un Barrientos montre à quel point la Culture est liée à la Révolution et à quel point elle est aujourd'hui en danger.

Face aux problèmes du monde sous-développé, l'intellectuel occidental porte une responsabilité qui dépasse la sienne propre : elle est celle de tous les hommes dotés de ces moyens de s'affirmer que les puissances impérialistes refusent aux peuples qu'elles dominent.

Rôle de la culture dans la lutte révolutionnaire, culture et moyens d'information, rapport entre la création artistique et la science qu'aucun fossé ne devrait séparer, passage de l'homme actuellement divisé et mutilé à l'homme total, comptent parmi les thèmes dont traitera le Congrès culturel de La Havane. Et c'est pourquoi nous apporterons tout notre appui à cette initiative d'un pays dont nous avons pu mesurer l'immense volonté qu'il a de porter le travail de l'intelligence à son degré le plus brûlant.

La Havane, 30 juillet 1967. »

Michel Leiris, Maurice Nadeau, Wifredo Lam, Alain Jouffroy, Eduardo Arroyo, Auguste Thésée, Alain Gheerbrant, Pierre Guyotat, Philippe Hiquily, Piotr Kowalski, R.E. Gillet, Messagier, Rebeyrolle, Monory, Roland Penrose, Luigi Carluccio, Catty, Jorge Semprun, Colette Semprun, Ezio Gribaudo, Georges Fall, Gilles Ehrmann, Marc de Rosny, Ansgar Elde, K. S. Karol, Harold Szeemann, E. Alleyn, Denys Chevalier, Feltrinelli, Edward Lucie-Smith, Antonio Recalcati, Irène Dominguez, Marguerite Duras, Gérard Gassiot-Talabot, Gilles Aillaud, Dionys Mascolo, Jean Schuster, Peter Weiss, Harry Mulisch, Lucio Muñoz, Ewan Phillips, Jean-Jacques Lévêque, Pierre Descargues, Georges Boudaille, Louise Leiris, José Pierre, Gherasim Luca, Jorge Camacho, Couturier, Gilly, César Balaccini, Monique Lange, Cárdenas, Van der Elsken, Rossana Rossanda, Juan Goytisolo, Georges Limbour, Lasse Soderberg, L. Oskok, de Wilde, Giorgio Upiglio, Jean Leymarie, Valerio Riva, N. Lilenstein, Gundmundur Erró, Anik Siné, A. Bitran, César Peverelli, Rancillac, Golendorf, Corneille, Jacqueline Selz, Yvon Taillandier, Gunilla Palmstierna-Weiss, Anne Zemire, Nicole Pierre.

S'associent à cet appel :
Raoul-Jean Moulin, Jean-Clarence Lambert, Jean-Luc Godard, Jérôme Peignot, Daniel Pommereulle, François Di Dio, Jean-Pierre Faye.

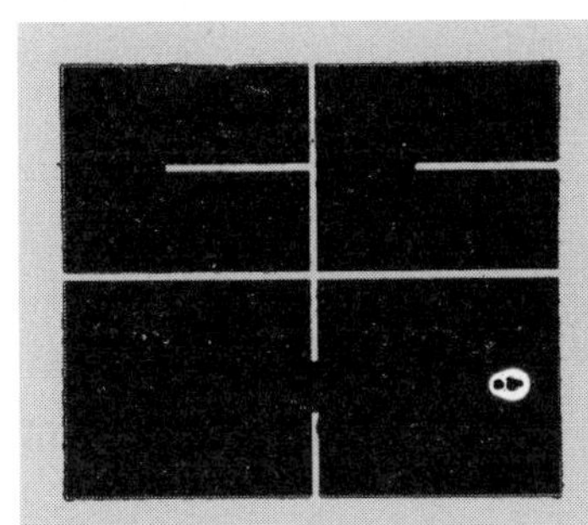

Logo du Congrès culturel de La Havane, figurant sur tous les documents officiels, et reproduit également en façade de l'hôtel *Habana Libre* (voir p. 93). Le texte attaché à l'emblème du Congrès manifeste la volonté du pouvoir cubain de mobiliser les intellectuels du monde entier sur les problèmes de l'impérialisme. Archives André Gorz / IMEC.

Avant que ne paraisse la déclaration « Pour Cuba » dans *L'Archibras* n° 3 (mars 1968), suite logique de la Convention surréaliste, *L'Archibras* n° 2 (octobre 1967) soulignait déjà vigoureusement « Ce qui est important » à Cuba : « La conférence de l'OLAS (La Havane – août 1967). Définition d'une stratégie révolutionnaire, sur la base de la lutte armée, en rupture non seulement avec la ligne légaliste imposée par Moscou aux partis communistes latino-américains, mais aussi avec la tactique commune à la plupart des tendances marxistes ou pseudo-marxistes qui subordonne le déclenchement de la guerilla à la maturité révolutionnaire des masses. Remarquable intervention de Stockely Carmichaël plaçant le combat des noirs aux USA dans la perspective de l'internationalisme prolétarien. Violente attaque de Fidel Castro, au nom des principes révolutionnaires, contre les pays de l'Est qui accordent une aide technique et financière à des gouvernements sud-américains, assassins de guérilleros et complices des États-Unis dans l'agression permanente contre Cuba. »

Pour Cuba

Le mouvement surréaliste :

— souscrit sans réserve aux conclusions du congrès de l'Organisation Latino-Américaine de Solidarité (O.L.A.S.) ;

— salue la mémoire du Commandant Guevara, dont l'exemple continuera d'animer la lutte armée en Amérique latine ; rend hommage à l'admirable combat du peuple vietnamien et à la lutte menée contre l'impérialisme par les Noirs des U.S.A. et d'Afrique sous domination portugaise ;

— dénonce les manœuvres des partis qui, cherchant à faire partout prévaloir les méthodes de la démocratie parlementaire, utilisent la mort de Guevara comme un argument contre la guerilla ;

— considérant la diversité des conditions objectives, estime que l'imagination créatrice est un ressort révolutionnaire essentiel et qu'il lui revient en chaque circonstance de définir les voies originales conduisant à la conquête du pouvoir ; après la prise du pouvoir, reconnaît l'action du même ressort dans la révolution cubaine et accueille avec les plus grands espoirs son refus de toute pétrification dans les domaines politique, économique et culturel ;

— retrouve les principes constants de son activité dans les propositions de Guevara et de Castro quant au rôle des intellectuels dans le processus révolutionnaire et entend, pour ce qui le concerne, contribuer dans tous les domaines de sa compétence à la lutte idéologique du peuple cubain.

Paris, le 14 *novembre* 1967

Philippe Audoin, Jean-Louis Bédouin, Jean Benoit, Vincent Bounoure, Bernard Caburet, Margarita et Jorge Camacho, Agustin Cardenas, Claude Courtot, Adrien Dax, Gabriel der Kevorkian, Aube et Yves Elléouët, Guy Flandre, Henri Ginet, Giovanna, Louis Gleize, Jean-Michel Goutier, Robert Guyon, Radovan Ivsic, Charles Jameux, Alain Joubert, Wifredo Lam, Annie Le Brun, Jean-Pierre Le Goff, Gérard Legrand, Joyce Mansour, Roberto Matta, François Nebout, Mimi Parent, Nicole et José Pierre, Bernard Roger, Huguette et Jean Schuster, Georges Sebbag, Marijo et Jean-Claude Silbermann, François-René Simon, Hervé Télémaque, Jean Terrossian, Maryse et Michel Zimbacca.

3

LETTRE DE JEAN SCHUSTER À WIFREDO LAM

Cette lettre est un brouillon conservé dans les archives de Jean Schuster. Elle date probablement de la fin de l'année 1967, en tout cas d'après le retour du Salon de mai, au moment où se prépare à Paris le Congrès de La Havane auquel les surréalistes ne seront finalement pas invités. Il est important de souligner que le fort intérêt des surréalistes à l'égard de Cuba n'est en aucun cas un pur et simple aveuglement, comme il serait trop commode de le faire croire : cette lettre révèle clairement que l'espoir qui est incontestablement le leur n'est cependant pas dénué de vigilance, voire d'une certaine inquiétude.

« **Cette lettre** est pour préciser certains points qu'une conversation risquerait d'obscurcir.
Depuis plus d'un an, depuis la mort de Breton, nous essayons de poursuivre l'activité surréaliste, à partir de principes qui déterminaient le surréalisme auparavant. Certes le surréalisme ne peut être le même, aujourd'hui, sans Breton, mais les idées qui étaient les siennes, nous sommes quelques-uns à les avoir partagées et à les avoir appliquées avec lui durant les vingt dernières années de sa vie. À ceux-là, comme à tous, est interdit l'usage du nom de Breton comme caution de ce qu'ils entreprennent maintenant. Mais à ceux-là et à ceux-là seuls revient le droit d'agir et de parler au nom du surréalisme, maintenant.
Le surréalisme reste le seul mouvement dont les interventions, en ce qui regarde les problèmes des rapports de l'art et de la révolution, relèvent d'une cohérence de pensée et d'une recherche de solutions qui ne soient pas celle de la facilité.
Durant cet été, les surréalistes présents à Cuba ont retrouvé un espoir qu'ils croyaient perdu, l'espoir d'une révolution qui s'accomplit. Le choc intellectuel et affectif qu'ils ont ressenti est tel qu'ils tentent d'en prendre la mesure et d'en intégrer les effets, de la façon la plus générale possible, dans le développement actuel de l'aventure surréaliste.
Le gouvernement révolutionnaire cubain représente à nos yeux, dans la situation qui est faite au monde en 1967, l'expression la plus juste de l'idéologie révolutionnaire. Mais nous n'ignorons pas les dangers intérieurs que court ce gouvernement et, dans le rôle modeste que nous entendons jouer, il nous importe de nous différencier des flatteurs qui, à Paris comme à La Havane, inventent une cadence de robots pour marcher au pas et tentent d'endormir la révolution au lieu de la tenir en éveil. Nous n'entendons pas, enfin, nous poser en critiques qui mettraient au compte d'une exigence abstraite le relevé au jour le jour des erreurs mineures par lesquelles tout pouvoir responsable est obligé d'en passer.
Notre souhait est de souligner les difficultés qu'il y a à concevoir, puis à édifier, une culture révolutionnaire. Nous nous méfions tout autant de la volonté d'efficacité immédiate et de la présomption intellectuelle qui [persiste[1]] à emboîter sans réflexion le concept de culture dans celui de révolution que de l'attitude inverse, qui pose la culture comme à tout jamais séparée de la révolution.
Du libre épanouissement de leur imagination peut se dégager, doit se dégager le vrai service que les intellectuels rendront à la révolution.
Les intellectuels ont la possibilité de prendre des risques que le pouvoir révolutionnaire, pour des raisons stratégiques, ne peut pas prendre. La dialectique du pouvoir et de l'esprit est là, dans cette conscience que l'un et l'autre ont de leurs possibilités respectives et de la nécessité de les exploiter au maximum pour les intérêts supérieurs de la révolution qui ne peut se limiter à ses aspects sociaux, économiques et politiques.

1. Ce mot difficile à lire sur le manuscrit est une interprétation de notre fait qui ne porte pas préjudice au sens général de la phrase de Schuster.

Il y a lieu de croire que les surréalistes ne seront pas invités au prochain Congrès de La Havane. Je sais que vous[2] agissez au mieux pour qu'il n'en soit pas ainsi. Toutefois, si les idées que je viens de dire ici ne pouvaient l'être là-bas – idées heureusement partagées par de rares amis qui ont la chance de ne pas être surréalistes et qui, je l'espère, seront plus aisément agréés à Cuba –, si prioritairement seules s'élèvent les voix des staliniens mal repentis et des néophytes de l'engagement révolutionnaire, notre confiance dans la révolution cubaine nous conduira à intervenir avec plus d'ampleur ici sans jamais abandonner l'espoir qu'un jour, les vérités difficiles que nous défendons seront entendues. »

2. Ce "vous" renvoie sans doute à Carlos Franqui comme à Wifredo Lam.

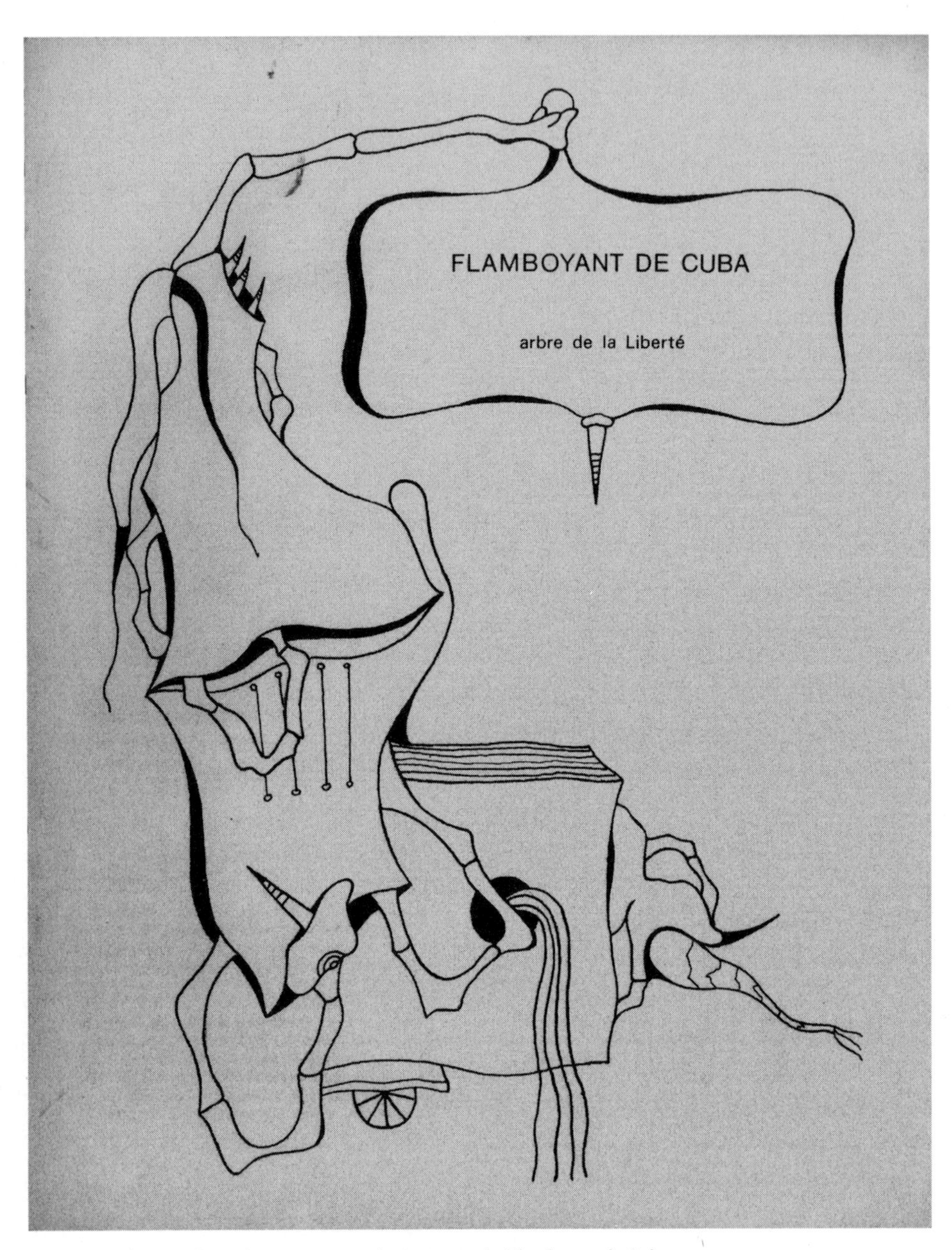

Frontispice de Jorge Camacho préparé pour le tiré à part de *Flamboyant de Cuba.*

« FLAMBOYANT DE CUBA, ARBRE DE LA LIBERTÉ »

Ce texte de Jean Schuster, dédié à son ami d'alors, le surréaliste Michel Zimbacca qui a participé au voyage de l'été 1967, a paru dans *L'Archibras* n° 3 de mars 1968. Il constitue l'approche à la fois théorique et poétique la plus développée que les surréalistes aient donnée de leur expérience cubaine. Jean Schuster a publié en outre, dans sa collection « Le désordre » aux éditions Éric Losfeld, *Développements sur l'infra-réalisme de Matta* (1970), rédigés à partir des aphorismes de Matta qui ont guidé l'intervention du peintre au Congrès culturel de janvier 1968. C'était pour Jean Schuster une manière d'être en quelque sorte poétiquement présent lors de ce Congrès auprès de l'artiste qui lui semblait le meilleur rempart contre tous les risques de glissement vers l'art engagé comme forme mutante du réalisme socialiste. « Flamboyant de Cuba » dit à quel point l'aventure castriste engage à repenser la réalité de la révolution, tout autant que son rêve.

« **J'admire** – non sans un certain malaise – l'inconnu(e) qui, sur un mannequin de couturière à transformation, conçu par son auteur pour que ses surfaces reçoivent les *graffiti* des visiteurs de la 5e Biennale de Paris[1], inscrivit cette phrase : "À bas la liberté de mettre des mots sur les choses !" Faut-il croire à la nécessité d'endiguer le flot des mots pour laisser s'accomplir la force des choses ? La prétention initiale de l'écrivain à dégager, pour d'autres, par l'usage des mots arrangés en désignation ou en commentaire, le sens des choses permet cette révolte. L'humour de la situation n'échappera pas puisque, pour jeter l'interdit, on a commencé par mettre des mots sur une chose. Mais l'important est que soit flétri, avec toute la force que devait donner à cet esprit juste le sentiment que son propos passerait inaperçu, un bavardage sur lequel la pensée n'exerce plus sa contrainte salubre. J'ajoute que l'anonymat[2] – imposé par la loi du genre et accepté sans doute avec quelque malice – est pour beaucoup dans ma conviction que ce mot d'ordre contient le taux de vérité le plus élevé dans les circonstances où la pensée se développe aujourd'hui, en Europe occidentale. "À bas la liberté..." La provocation n'est pas pour me déplaire, mais ne nous y arrêtons pas. Si cette liberté est théoriquement donnée à tous, n'en profitent réellement que ceux qui ont pris la parole non pour dire les choses, mais dans le but de la garder, accumulant, pour ce faire, les mots jusqu'à leur dévaluation. Cette impudence est favorisée par la confusion entre les tâches éducatives et la volonté paternaliste de faire accéder les masses à la culture : à mesure qu'on leur ingurgite, à haute dose, l'art et la philosophie d'avant-garde, la poésie se dégrade en littérature et la littérature en journalisme. Si bien que cette liberté, simple manque de rigueur, est le bien des poètes devenus littérateurs et des littérateurs devenus journalistes. Si bien qu'à ce compte, le rapport entre les mots et les choses est trompeur, incertain et à tout le moins sans profondeur. Si bien que les mots sont numéraires sans référence par là même qu'ils eurent trop de références, prises dans d'innombrables systèmes, mais toujours dans le sens du haut vers le bas, du grave au frivole, du difficile au facile. Si bien que les mots, au lieu qu'ils devraient, mis sur les choses, agir comme révélateurs d'idées, à commencer par les idées qui peuvent être dans les choses, sont moyens de masquer l'absence d'idées. Et dès lors, la liberté de mettre les mots sur les choses n'est que la liberté de laisser les choses telles qu'elles sont. Cuba est cette chose sur laquelle nous n'avons peut-être pas la liberté de mettre des mots[3]. À moins que le langage soit assez impersonnel pour que s'efface entre la pensée et son objet le terme qui rend équivoque la prise en charge

1. Cette biennale a eu lieu au musée d'Art moderne du 29 septembre au 5 novembre 1967. *Note de l'éditeur.*

2. Réel ou simulé, puisque, paraît-il, l'auteur de l'objet est aussi celui des inscriptions.

3. La proximité de vues entre ce texte de Jean Schuster et celui que Dionys Mascolo publie à la même période, suite à leur voyage à Cuba, mérite d'être soulignée comme le signe le plus tangible de leur amitié, fondée sur une mise en commun de la pensée. (Voir Dionys Mascolo, « Cuba premier territoire libre du socialisme », *Les Lettres nouvelles*, numéro spécial de décembre 1967 – janvier 1968.) Ce texte, où Dionys Mascolo parle des mots nouveaux de « révolution » et de « liberté » qu'il a rapportés de Cuba, a été repris dans *À la recherche d'un communisme de pensée* (Fourbis, 1993). *Note de l'éditeur.*

de l'un par l'autre. Là pourtant n'est pas l'essentiel. Le projet de "penser" la réalité cubaine, si dégagé serait-il de l'hypothèque du langage, ne pourrait s'entreprendre qu'à partir d'un abandon de la pensée, comme on dit un abandon de la chair – car, pareillement, il s'agirait de mettre en sommeil les réflexes de contraction, conditionnés, pour ce qui est de la pensée, par les certitudes de l'Europe. Le bien commun des intellectuels d'Occident – comme un patrimoine matériel qui inviterait à faire fi des idéologies – n'est-il pas ce savoir, orgueilleux de son essence immuable, qui accepte de s'enrichir, de s'élargir, mais avec une condescendance telle que les limites de l'accueil sont fixées avant que la porte soit ouverte ? L'Europe a mis au point cette forme supérieure de l'avarice qui consiste à refuser, sans autre examen, le meilleur de ce qui lui est donné.

Cuba révolutionnaire nous échappera si nous sommes sujets interrogeants selon nos coutumes, forts non seulement de ce que nous connaissons ou croyons connaître, mais de notre intuition, de nos enthousiasmes déçus, de nos passions renversées en regrets, de cette inaltérable méfiance que la génération qui s'en va gardait légitimement au cœur, mais que nous devons rejeter de l'héritage. Et même si, pris comme quelques-uns nous le fûmes par un vertige (déplacement de centre de gravité intellectuel), nous retrouvions, au moment de la réflexion, l'équilibre compensateur en dressant le cadre de nos références et en impliquant nos grandes ombres du passé. C'est un trait accablant, le plus grand obstacle à l'imagination créatrice, que de lui

Photographie illustrant l'article de Jean Schuster dans *L'Archibras*. Le flamboyant est un arbre des Antilles à fleurs rouge vif ; sur son équivalent artificiel, qui s'élevait en 1967 dans le hall du *Habana Libre*, poussaient des fusils.

imposer toujours la caution d'une orthodoxie ou d'une prétendue science. Nos certitudes léguées, apprises, cachent ainsi, en chacun de nous, une incertitude dont nous sommes les pauvres inventeurs. D'où l'effarante timidité d'une pensée qui n'avance qu'après avoir localisé des points d'appui et obtenu un sauf-conduit doctrinal. Qu'on entende bien que je n'essaie pas, ici, d'apporter de l'eau à certain moulin qui se montre tournant sur lui-même comme pour liquider la dialectique de l'histoire. Rien n'est récusé de la vue objective selon laquelle pensée et société se développent en interdépendance absolue et selon des lois rigoureuses qui incluent les accidents de parcours. Aucune révolution, aucune idée nouvelle ne jaillit spontanément de l'âme d'un peuple ou de l'esprit d'un homme même si la spontanéité est une voie, parmi d'autres, entre le latent et le manifeste. Mais il y a peut-être un mauvais et un bon usage du fonds historique. Le mauvais serait dans la manière de faire entrer de force toute analyse et conjoncture dans un schéma théorique, escamotant les variables ou en les déguisant en constantes, et en négligeant les facteurs nouveaux apparus depuis l'élaboration du schéma (dont ceux qui tiennent à l'existence même du schéma). Les conséquences immédiates sont la dogmatisation du schéma, réduit au rôle d'argument d'autorité dans la polémique et, hors le plan verbal, réducteur de toute idée nouvelle. L'analyse de la conjoncture est insuffisante ou erronée ; il en résulte une stratégie en porte-à-faux, orientée par la conquête d'objectifs illusoires (hors d'atteinte par l'action pratique) ou sans consistance (édulcorée sous prétexte de rallier le plus grand nombre). Du point de vue humain, c'est le règne grisâtre des épigones cramponnés à la lettre, tandis que l'esprit s'en détache naturellement et suit son cours à la recherche d'une nouvelle formulation.

Ce mauvais usage du fonds historique ne peut qu'immobiliser la conscience en lui livrant comme immuables et sacrés – non pas les principes, qui le sont en vérité – mais les idées, les faits, les schémas et les hommes. Les moyens ainsi pris pour des fins, la conscience doit renoncer à l'espoir de transformer le monde. Le bon usage serait l'actualisation du schéma théorique considéré comme médiateur entre les principes et la conjoncture. L'analyse plierait le schéma à la prépondérance des facteurs nouveaux, dégagerait les variables (lèverait notamment le tabou qui interdit, sous peine de cesser d'être marxiste, d'admettre que la prophétie a été démentie) et ferait ainsi du schéma théorique une arme efficace au service de la stratégie : les objectifs à conquérir seraient définis comme des *possibles* réalisables par l'action pratique, mais situés à une hauteur correspondant à l'exigence révolutionnaire. Le fonds historique serait assimilé par la conscience, celle-ci entrant dans un processus d'accroissement d'elle-même qui caractérise la conscience révolutionnaire.

C'est ce bon usage que j'ai cru déceler à Cuba et c'est lui qu'il faudrait pratiquer – mais de notre part encore plus sévèrement, plus abstraitement même – si nous voulons que Cuba révolutionnaire ne nous échappe pas.

À Cuba, la vie des principes, leur insertion dans la réalité politique importent plus que leur affirmation. De quel poids, par exemple, est le mot de *patrie* – compte tenu, d'une part de la vertu révolutionnaire qu'il pouvait avoir puisque l'oppression était le fait d'une nation étrangère, d'autre part de l'éclairage qui lui est donné par les dirigeants[4] –, de quel poids est ce mot qui, en Europe, recouvre à la fois la mesquinerie idéologique de la bourgeoisie et le poison qui paralyse la conscience de classe du prolétariat – face à l'internationalisme prolétarien en action à Cuba, réplique

4. « Avant la patrie il y a l'humanité [...] la patrie ou la mort, c'est-à-dire la Révolution ou la mort » etc.

morale et politique permanente à la provocation américaine et à l'égoïsme national des États socialistes ?

Cuba, à tout moment, peut-être envahie par les USA, rien ne permet d'écarter cette éventualité puisque, aussi bien, dans son cynisme, l'équipe Johnson-Pentagone-CIA pourrait appliquer la tactique de l'escalade sur le plan mondial. Cuba, à tout moment, peut être l'objet d'un marché conclu dans le cadre de la coexistence pacifique et sacrifiée, par exemple, à la reconnaissance de l'Allemagne de l'Est ; l'indignation, toute verbale, de Pékin ne changerait rien au fait que Cuba, alors, combattrait et mourrait seule, comme Fidel le disait à son peuple le 26 juillet dernier.

Dès lors comment ne pas admettre qu'une certaine sagesse – ce réalisme politique tant apprécié – devrait incliner les dirigeants cubains à la prudence qui rassurerait à la fois l'adversaire et les amis formels ; et devrait notamment conseiller la construction du socialisme dans un seul pays d'Amérique. Mais Cuba se nomme elle-même premier territoire libre d'Amérique, fonde l'Organisation latino-américaine de solidarité (OLAS) et l'Argentin Guevara, commandant de l'armée révolutionnaire et ministre cubain, meurt en Bolivie pour incarner, aux yeux de tous les peuples, la cause de l'internationalisme prolétarien et pour préparer ainsi, sur le continent sud-américain, les conditions de l'incendie révolutionnaire.

La révolution cubaine est exemplaire et se veut telle. J'ai parlé du bon et du mauvais usage du fonds historique, il faut aussi parler du bon usage du pouvoir. Le pouvoir pris – c'était le plus facile, dira Fidel –, l'orientation socialiste décidée, n'était-il pas raisonnable d'envisager une répartition de la rémunération des travailleurs selon une hiérarchie semblable à celle des États de l'Est européen, c'est-à-dire de 1 à 35 ?

La hiérarchie des salaires, à Cuba, est de 1 à 4 ; ce qui n'est sans doute pas la cause la moins déterminante de la fuite massive des cadres supérieurs, ingénieurs, médecins, etc. Mais la "folie" cubaine – le "romantisme", dit Mme Elena de la Souchère qui se réjouit que la "plupart des jeunes officiers et des jeunes dirigeants de l'économie, formés en Union soviétique… [puisse] estimer que le moment est venu de faire entendre enfin la voix des techniciens[5]" –, la "folie" cubaine est irrémédiable. Fidel Castro, ces jours-ci[6], dans une interview accordée à Herbert Matthews du *War-Peace Report*, condamne de nouveau le recours aux stimulants matériels. Il s'agit là de bien plus qu'une critique nécessaire et profonde des institutions "communistes". C'est le défi lancé à la société de profit qui est la marque commune à tous les régimes et dont le modèle, dans l'ordre de l'exploitation du travail humain et de l'oppression des peuples, reste les USA. C'est aussi l'idéologie communiste réinventée et, eu égard à la conjoncture, radicalisée. En effet, de même que les États socialistes font des emprunts de plus en plus nombreux aux méthodes de gestion de l'économie libérale, les États

5. *Le Monde diplomatique*, septembre 1967.

6. Décembre 1967.

capitalistes, en choisissant une voie réformiste, s'accordent un large répit grâce à la coexistence pacifique des classes. Dans tous les régimes, le prolétariat est démobilisé par les stimulants matériels.

N'est-il pas capital que cet exemple de rigueur idéologique soit donné maintenant aux forces qui, dans le combat, doivent se former idéologiquement pour ne pas être frustrées de leur victoire : le FLN vietnamien et le Black Power[7] ?

Cuba, c'est le bon usage du pouvoir comme si le peuple et le gouvernement révolutionnaire avaient atteint ensemble la région qui est au-delà de l'espoir et du désespoir et que, de là, il était juste de risquer la destruction de Cuba pour montrer à tous les peuples du monde comment l'homme nouveau se cherche et peut se trouver dans la construction du communisme. Comme s'il valait mieux, aussi, pour la révolution, sa destruction par l'ennemi de classe que sa trahison par la corruption des hommes et la falsification des idées.

Le gouvernement révolutionnaire cubain use du pouvoir non comme d'un objet de jouissance – serait-ce d'une jouissance partagée avec le peuple – mais comme d'un instrument merveilleux qui peut se désintégrer d'un moment à l'autre et dont il faut tirer parti, le temps qu'on le tient, pour créer sans relâche la matière première de la liberté.

Cuba révolutionnaire est révolutionnaire en totalité parce qu'elle se construit comme antithèse de la technocratie, parce qu'elle se dresse contre la véritable oppression de demain ; si les puissances d'argent et les appareils politiques détiennent encore le pouvoir, la race des technocrates s'apprête à les en déposséder en douceur et les enferme déjà dans un réseau de réalités agonisantes. Derrière la coexistence pacifique Washington-Moscou et le conflit idéologique Moscou-Pékin, l'oppression bouleverse ses structures et tend à l'unification mondiale, par le biais d'un développement historique à la finalité indifférente (plus ou moins d'esclavage, plus ou moins de liberté...), ou plus exactement reportée sur la rationalité absolue des moyens. Le monde ainsi déshumanisé, le vieux problème de la domination de l'homme par la machine ou de la machine par l'homme est résolu puisque aussi bien les nouveaux maîtres ressemblent à ces hybrides que Matta commençait de figurer peu après la publication du livre capital de James Burnham, *L'Ère des organisateurs.* Déjà nous savons qu'il faudrait très peu pour que les technocrates de l'Ouest et de l'Est soient interchangeables. La substitution du principe de rendement au principe de réalité élimine les impondérables irrationnels qui, tant qu'ils existent, contestent aux ordinateurs le contrôle total de la réalité. L'aliénation classique laissait à l'opprimé une capacité individuelle de refus qui, alimentée par la théorie, se transformait en prise de conscience. On peut craindre qu'aujourd'hui, dans les pays développés et surdéveloppés, une complicité pratique entre les oppresseurs et les guides traditionnels des opprimés ait abouti à une sur-aliénation qui procéderait en deux temps, au terme desquels la soumission de l'ensemble du corps social serait obtenue :

7. Voir la couverture de L'*Archibras* n° 3 reproduite en page 60. *Note de l'éditeur.*

1. Le refus individuel est réduit au départ. Les stimulants matériels, l'émulation par le profit, la multiplicité attractive des objets de consommation réussissent à séduire le plus grand nombre, à lui faire "jouer le jeu".
2. Ceux qui sortent intacts de ce premier criblage (vraiment intacts ?) rencontrent une théorie qui n'est plus que l'ombre d'elle-même, dogmatisée et virtualisée par une stratégie et une tactique qui obéissent strictement aux règles politiques de la diplomatie internationale et aux règles économiques du marché. La prise de conscience devient mise en ordre de stéréotypes et exercice de leur bon fonctionnement comme réflexes mentaux. Le refus individuel est, lui aussi, virtualisé.

Une telle opération ne peut s'accomplir qu'à partir d'un travail en profondeur sur le jeu politique et sur le jeu culturel. En multipliant les numéraires de l'un et de l'autre, leur contrepartie réelle est repoussée dans une sorte de préhistoire où il serait déplacé d'aller les interroger. Politique et culture ouvrent les masses à la boulimie des mots et des choses, dans un cycle de stimulation réciproque de la consommation par la production et de la production par la consommation. Les mots et les choses sont livrés massivement sans autre destination que d'augmenter *l'avoir* et de réduire, proportionnellement, *l'être*. Ainsi, les mots et les choses ne sont-ils plus que des signes d'eux-mêmes et l'homme, tendu vers leur possession et leur accumulation, cesse de les vouloir signifiants, ne serait-ce que comme agent dialectique entre le monde extérieur et son être intérieur.

Relevons cette phrase de Jean Schuster développant le 7e des aphorismes de Matta : « Le rôle du surréalisme est peut-être d'introduire, à haute dose, le rêve dans la pensée marxiste et dans la pratique du marxisme. »

Arrivée à l'aéroport « José Martí » de La Havane du groupe accompagnant le Salon de mai, en juillet 1967. De gauche à droite : M. et Mme Vieland Schmied, Georges Fall, Cesar, René Drouin, M. et Mme Rebeyrolle, Jean Schuster, Erró, Denys Chevalier (Archives SDO Wifredo Lam).

L'hypocrisie du partage équitable des signes (d'autant plus équitable que les *signes* n'ont plus aucune *valeur*) devrait aboutir à une organisation abstraite de la consommation dans laquelle des besoins seront planifiés et rendus publics par notes de service. Pour séparer le prolétariat occidental d'une conscience durement acquise, il n'en aura pas fallu plus que la mise en circulation d'une série d'illusions culturelles et politiques dont il bénéficie au même titre que son adversaire de classe. Ainsi, les récepteurs de télévisions, les livres de poche et les bulletins de vote sont-ils distribués "justement" et polarisent-ils les énergies autrefois rebelles. Dès à présent, nous pouvons imaginer une société rigoureusement "communiste" où tous seraient égaux dans la jouissance du vide.

Cuba, romantique et furieuse, est île de la résistance révolutionnaire à la destruction méthodique de l'homme intérieur. La précarité de Cuba est la précarité de l'homme intérieur que les doctrines les plus généreuses, falsifiées ou simplement vieillies, ne peuvent plus défendre contre un mythe de l'efficacité absolue, incarné par la technocratie.

Cuba est l'homme intérieur de l'humanité, sa réserve de rêve partout ailleurs vidée et murée. Si la fonction onirique est indispensable à la vie humaine, comme le montre la physiologie moderne, – la sociologie ne pourrait-elle s'aviser de procéder par induction afin de trouver dans la réalité du rêve cubain – du rêve communiste cubain – la réalisation du désir le plus profond de l'humanité d'aujourd'hui ? Pourquoi serions-nous, à notre place, intimidés par la formidable menace au point de mutiler notre pensée de son feu affectif ? Cuba en armes est aussi ce tangible lieu de l'esprit où, comme dans un poème de Pierre Reverdy, "la chambre s'étendait bien plus loin que les murs".

Janvier 1968. »

Le 26 juillet 1967, avant le discours de Fidel Castro, à Santiago de Cuba (Archives André Gorz / IMEC).

Intervention du Président Oswaldo Dorticos, durant l'une des conférences du Congrès culturel de La Havane. José Llanusa, ministre cubain de l'Éducation et responsable du Congrès, se trouve à la tribune (Archives André Gorz / IMEC).

« DE LA PART D'ANDRÉ BRETON »

Ce récit d'un épisode du Congrès de La Havane a été envoyé par Dionys Mascolo à Jean Schuster le 30 janvier 1968. Il est publié dans *L'Archibras* n° 3 (mars 1968) à la rubrique « Le fond de l'air », sans indication du nom de l'auteur. Le journal trotskiste *La Quatrième Internationale* a également rendu compte de cet incident sous le titre : « Un coup de pied au cul de la part d'André Breton » (n° 26, février 1968). Cette brève, non signée, s'achevait sur ces mots : « Il y a tant de coups de pied au cul qui se perdent dans le monde. Mais, pour une fois, en voici un qui ne l'était pas. Bravo ! » Les surréalistes n'en étaient pas à leur première intervention contre le peintre David Alfaro Siqueiros, organisateur d'une tentative d'assassinat contre Trotski : en 1952, ils diffusent un tract intitulé « À l'assassin ! » et en 1962, ils interpellent Picasso pour le dissuader de participer à un comité de soutien à David Alfaro Siqueiros alors enfermé dans un pénitencier de Mexico. Il faut pour finir ajouter un détail au récit de Dionys Mascolo. Joyce Mansour, dont la vue n'était pas très sûre, a commis en vérité une erreur, qu'on peut à juste titre qualifier de fondamentale. En fait, son coup de pied n'a pas atteint le fondement qu'elle visait, bien que son intention fût tout à fait pure. C'est le peintre Édouard Pignon qui en fit les frais, mais la vindicte générale désigna ensuite sans erreur David Alfaro Siqueiros.

1968
RADIO HABANA CUBA
TRANSMITE DESDE CUBA
TERRITORIO LIBRE EN AMERICA

Petits calendriers, à l'effigie du Che et de Fidel Castro, distribués aux participants du Congrès culturel de La Havane en janvier 1968 (Archives André Gorz / IMEC).

« **C'est avec consternation** que certains délégués du Congrès culturel de La Havane s'avisèrent que Siqueiros était parmi eux. Comment l'admettre ? Mais aussi, comment y remédier sans manquer au respect des difficultés propres aux révolutionnaires cubains ? Personnage deux fois officiel, représentant à la fois de Moscou (qui vient de lui attribuer un prix Lénine) et de Mexico (il dîne à la présidence), capitales que les Cubains doivent toutes deux ménager, lui-même – on le sut bientôt – avait choisi ce moment de venir en visite à Cuba. Cela peut être dit sans trahir de secret : les Cubains le recevaient à contrecœur, ne fût-ce qu'en raison d'une récente émission de télévision (Lartéguy pour auteur !) au cours de laquelle il avait humainement et politiquement trouvé bon de parler avec une condescendance méprisante d'Ernesto Che Guevara.

La provocation était évidente. L'homme venait chercher le blanc-seing des "cinq cents intellectuels de soixante-dix pays" dont on avait annoncé la présence au Congrès. Tout son comportement d'ailleurs indiquait que ce qu'il recherchait n'était rien de moins qu'une reconnaissance *éclatante*. Momie fardée, il se montrait, s'exposait, s'attardant aux embrasures, conférant dans les hauts d'escaliers, suivi le plus souvent de photographes attachés à sa personne ; il réussit ainsi à se faire photographier par surprise en compagnie d'un peintre européen, et même à la table présidentielle d'une commission de travail…
Première mesure : une lettre discrète, signée de Michel Leiris et Dionys Mascolo, fut remise à José Llanusa, ministre cubain de l'Éducation et responsable du Congrès :
"Nous sommes plusieurs à déplorer que soit présent ici l'homme qui tenta d'assassiner

Trotski et qui osa s'en faire honneur. L'impossibilité de parler devant lui de culture ou de révolution nous obligerait à quitter la salle où se produirait la rencontre. Croyez bien que nous serions navrés, participant de tout cœur à ce Congrès et ayant pour votre pays l'amitié et le respect le plus grand."

Intervention qui fut suivie d'effet : le personnage désormais ne tenta plus de pénétrer dans aucune commission de travail (de même, il devait s'abstenir de paraître à l'assemblée plénière finale).

Les choses ne devaient pourtant pas en rester là. Le 9 janvier, on sut qu'ainsi tenu à l'écart des travaux du Congrès, il avait décidé d'assister au moins à l'inauguration d'une exposition d'art moderne, organisée en l'honneur des délégués du Congrès. La contre-manifestation qui s'imposait fut décidée. C'est ici qu'interviennent d'une part l'inspiration poétique, d'autre part la divine mise en scène du hasard, pour faire de ce qui eût pu n'être qu'une juste protestation un acte surréaliste proche de la perfection[1].

Décor : à cinquante mètres de l'hôtel *Habana Libre*, siège du Congrès, sur la Rampa, barrières interrompant la circulation, sous les projecteurs, le musée, s'ouvrant par un perron d'une vingtaine de marches, de forte pente, presque aztèque.

Acteurs : entouré de quelques courtisans dont la femme qui accepte de porter son nom, Siqueiros qui, arrivé le premier, a déjà gravi l'escalier, et qui, au faîte, dans la lumière,

TRANSPORTS

Déménag. Paris, province. — Prix, Qualité. — 805-95-29.

Déménag. combin. aller-retour tte la France, Nice et rég. Rondeau, 5,r.Friant.Vau.80-41

RECHERCHES

On recherche : Mme KOZLOWSKI Joséphine née ZAMARA, 34 ans, qui a quitté le domicile conjugal le 25 août dernier. Taille : 1 m. 65, blonde, yeux verts, accompagné d'un chien berger malinois. — Prévenir M. EDDIE à ARC. 60-69.

DIVERS

Cherche REVES pr collections. Ecrire Joyce Mansour, 1, avenue Maréchal-Maunoury PARIS (16e).

Vds Banquette Angl. et Faut. Crapaud velours. TRO. 52-25

Cette coupure de presse trouvée dans *France Soir* donne toute la mesure de la révolution qu'incarnait Joyce Mansour : être du parti du rêve, ce qui est sans doute une objection radicale à toute survivance stalinienne.

1. Cette phrase, qui ne figure pas dans la version publiée de *L'Archibras* n° 3, a été restituée à partir du manuscrit.

comme d'habitude, se pavane ; sur le trottoir, au bas de l'escalier, groupes de délégués qui arrivent, dont celui qui a décidé de manifester, précédant de peu les officiels qui descendent du *Habana Libre* (et qui pénétreront dans le musée par une porte latérale).
C'est alors que Joyce Mansour se détache, monte, prend du recul, et décoche, au cul de ce qui affirmait la survivance physique de Vichinsky et de Staline au sein du Congrès, de la révolution cubaine et de l'Internationale qui s'y réanime, le coup de pied le plus assouvissant qui fut jamais donné. Accompagné de ces mots : "de la part d'André Breton".
Ce qui suivit : le premier mot qui vint, du fond des âges, à la policière diva fut celui de "traîtres", tandis que montait les marches, Michel Leiris en tête, qui manqua en venir aux mains, le chœur des "Cuba si, Siqueiros no", parfois interrompu d'insultes diverses. Avant qu'il ne se laisse entraîner, fuyant la rue, le public, à l'intérieur on put l'entendre crier : "Vive le Parti communiste français", à quoi les membres inscrits du PCF répliquèrent : "Sans toi" ; puis, les moyens lui étant visiblement retirés de trouver où donner de la tête, juste avant de passer à la trappe, ceci, d'une vérité horrible, qui fut un bonheur pour beaucoup : "Vive la France véritable !"
"Querelles anciennes" auxquelles les Cubains seraient étrangers, dit à ce propos *Le Nouvel Observateur*. Mais on sait bien, à Cuba, que faire du nouveau, c'est d'abord refuser un passé qu'il faut connaître. »

« LE MARXISME ET LES CRABES DE COCOTIERS »

Ce texte de José Pierre a été publié dans *L'Archibras* n° 5 (hors série) daté du 30 septembre 1968. Plus que jamais, l'humour s'y affirme comme la forme rentrée du désenchantement. Après les déceptions politiques de l'année, le dernier rempart semble, aux yeux de José Pierre, celui de l'anarchisme. Mais le drapeau noir auquel il aspire, comme antidote à toutes les tendances à la confiscation de la liberté, n'est pas celui d'hier, celui qui est prêt par exemple aux pires compromis durant la guerre d'Espagne. Voilà une dernière « chance » de transformer le monde, qui paraît terriblement fragile.

Dionys Mascolo et José Pierre à Cuba durant l'été 1967 (Archives SDO Wifredo Lam).

« Analyse politique en 8 diapositives et 7 réflexions

1) Cuba, août 1967. La mer des Caraïbes est chaude, chaude, et Fidel Castro parle. À sa voix, le cocotier du marxisme officiel s'agite violemment. Ahuris, apeurés, les crabes de cocotier traversent la route. Lorsque les roues de notre car passent sur leur carapace, ça se casse comme une noix creuse. Ils sont creux ! C'est le discours de clôture de l'OLAS. Quatre grandes heures d'horloge. Fidel Castro secoue le cocotier.

2) Prague, avril 1968. Le vent d'est encore. Il pince les mollets mais la lumière est belle. Sur l'autre rive de la Vlatva, on aperçoit en pointillé dans les nuages l'emplacement de la statue de Staline déboulonnée en 1956. Les Pragois hochent la tête avec scepticisme : il n'y a pas de cocotiers. Alors, où sont passés les crabes ? Mais la lumière est belle.

3) Prague, août 1968. La ville est remplie de crabes. On ne voit plus que leurs carapaces grises. Parfois l'un d'entre eux se gratte du bout des pinces, obscène. Comme si on ne le voyait pas. Quand on cogne sur la carapace, ça sonne creux, et d'autres crabes, plus petits, mais également creux, sortent de la carapace du gros crabe. Grises ou vertes, les carapaces. Elles deviennent rouges, dit-on, quand le crabe grille.

4) Cuba, août 1968. Deux grandes heures d'horloge avant qu'éclate le premier applaudissement. Fidel Castro parle, mais quel cocotier secoue-t-il ? Tranquilles et velus, les crabes vont à leurs petites affaires. Creux et satisfaits. Si vous ne respectez pas les crabes, dit Castro, les crabes arrivent et vous mangent. Les crabes ne sont que des crabes, mais le cocotier leur appartient. Il ne faut pas y toucher. Fidel, quel cocotier es-tu donc en train de secouer ? Le premier applaudissement.

5) Moscou, août 1968. Brejnev. Le propriétaire du cocotier. Et par voie de conséquence, le maître de tous les crabes. Unissez-vous. Il a l'air vaguement satisfait, si l'on peut se permettre. Crabe aussi ? On ne distingue pas, sur les photographies, la carapace. Mais elle existe, elle existe sûrement. Ça doit même être la plus belle de toutes les carapaces ! S'il y a une justice. Vous pensez : le crabe des crabes.

6) Même lieu, même date. Des hôtes de passage. Leurs empreintes digitales, leurs photographies. Ulbricht. Gomulka. Kadar.

L'autre, le Bulgare, ne doit pas être photogénique. Une verrue sur le nez ? Les femmes, elles, préfèrent Castro. En général. Fidel ! Comme elles se trompent. Il s'y met un peu, en ce moment, mais ce n'est pas un vrai. Un vrai crabe. Les vrais, regardez-les. Ils sont nés comme ça, avec la même tête. Crabes tout de suite. Brejnev dans l'œuf. Pas d'enfance, pas d'adolescence, non, rien de tout cela : crabes. Ou alors…

7) Paris, août 1968. Alain Krivine sort de prison. À sa main droite une valise, à sa main gauche une serviette. Il a l'air sérieux, le sourcil légèrement froncé en direction du photographe. Mais une belle lumière sur le front. Il ne ressemble pas à un crabe. Dites, vous n'en ferez pas un crabe ? Il n'accepterait pas : lui a eu une enfance, une adolescence. Lui existe. Alain Krivine sort de prison, le sourcil légèrement froncé.

8) D'autres photographies ? Vous l'aurez voulu : voici Waldeck-Rochet. C'est un crabe, ça n'existe pas. Voici Georges Séguy. C'est un crabe, ça n'existe pas. Voici… Assez ! Mais enfin, voyons, ça existe tout de même, non ? Ce qui existe, c'est le cocotier. Le cocotier existe. Le cocotier du marxisme officiel à l'ombre molle duquel prospèrent tous les crabes de grades divers dans un moutonnement de carapaces grises. Il y en avait plein les rues de Prague, je vous dis. Devant la maison natale de Kafka. Leur odeur est encore dans l'air. Grasse, feutrée un peu. Cela prend à la gorge. Les crabes !

9) La mer des Caraïbes était chaude, si chaude et si belle la lumière à l'angle de la maison natale de Kafka. La lumière au croisement du boulevard Saint-Michel et du boulevard Saint-Germain. La vraie lumière, la vraie chaleur. Si maintenant cela nous était refusé, nous désapprendrions de respirer. À quoi bon ? Nous en crèverions. Et d'autres après nous. Il faut en finir avec les crabes.

10) Insidieusement. Sournoisement. Tantôt agressivement : leur stupidité militante. Une internationale aussi obtuse qu'efficace. D'un seul coup, là-bas, cinq cent mille crabes. Pour imposer le rétablissement de la censure. Un bâillon de cinq cent mille crabes ! Au bout de cinquante ans de marxisme. De prétendu marxisme, sans doute. D'un marxisme dont finalement on n'aperçoit jamais que la face hideuse. La face de Méduse. Voleurs de marxisme ! Aussi obtus qu'efficaces.

11) Car l'État ne veut pas dépérir. Les crabes non plus. L'avenir est leur pire ennemi. L'avenir, c'est-à-dire les idées. Y compris celles de Marx dans la mesure où elles menaceraient ce qui est acquis. Compromettant l'équilibre obtenu. Quel frisson dans leur dos. Dans leur nuit. Tuer les idées ou les étouffer, c'est défendre l'État socialiste. Tous le pensent. Et Tito, et Mao. Les Cent Fleurs ! Même Fidel Castro jusqu'à un certain point, lui qui cependant, dans le discours de clôture de l'OLAS, secouait le cocotier. Car les artistes et les écrivains cubains peignent ce qu'ils veulent, écrivent ce qu'ils veulent. Mais il n'y a pas

d'autre source d'informations, à Cuba, que la propagande officielle. Comme à Pékin. Comme à Moscou. Tuer les idées ou les étouffer ?

12) La liberté d'information, c'est la liberté d'expression politique. Le grand sacrilège ! Sans elle, la liberté d'expression a une jambe de bois. Il n'y pas de liberté pour… ? Nous savons aujourd'hui que là où disparaît la liberté d'expression, la révolution, immanquablement, se meurt. L'URSS entre 1921 et 1929 : lentement mais sûrement, l'air qui se raréfie. Et le suicide de Maïakovski au bout. Un tunnel de quarante années de long ! Le grand sacrilège de l'équipe Dubcek, c'est d'avoir restauré la libre parole. Preuve d'une pensée adulte, qui traite en adultes les autres hommes. Preuve de marxisme adulte.

13) Sortant des gros crabes où ils sont enfermés, les petits crabes. S'ils se mettent à parler avec des hommes, ils sont perdus. Ils n'étaient pas préparés. On avait seulement voulu en faire des crabes. Des crabes involontaires, complices néanmoins des autres crabes qui les ont maintenus au niveau mental du crabe. Quelques-uns, brusquement, s'en aperçoivent. Suicides pathétiques de quelques petits crabes. Il faudra que cela se paie aussi, la vie de ces petits crabes qui ont dû mourir pour accéder à l'âge d'homme. Mourir pour naître enfin. Et cela se paiera. Cher. Le plus chèrement possible.

14) Et les nôtres ? Nos petits crabes. Volontaires, ceux-là. Brassant entre leurs mandibules leurs misérables petits bruits. Leur catéchisme, leurs formules conardes, les schémas passe-partout. Tout ce qui dispense de penser. Les séminaires de l'UEC. Les appariteurs de la CGT. Les barbouzes du PCF. Et au petit bonheur des clichés péremptoires ! *Tel Quel*, si vous y tenez. Pire : le numéro 1 de *Rouge*. Ça si on s'y attendait ! Page deux, à dix lignes d'intervalle, revient à deux reprises l'accusation infamante : "C'est un mot d'ordre gauchiste et aventureux." Alors quoi, camarade, on se croit encore à *L'Huma* ? Nos petits crabes !

15) Notre chance, aujourd'hui, ce n'est pas seulement que Castro, le premier, ait commencé à secouer le cocotier. Ni que l'équipe Dubček ait entrepris d'aller, en ce sens, bien plus loin encore. Ni que le peuple tchécoslovaque ne fasse qu'un contre l'infect grouillement des crabes. À tout cela s'ajoute une floraison inattendue. La merveilleuse et sombre floraison de drapeaux noirs qui a de nouveau gagné Paris. Je dis bien : gagné. Que l'anarchisme s'arrache à la poussière d'hier. Mieux : qu'il appuie sur une analyse marxiste son exigence indéracinable de liberté. Grâce à lui un peu, le marxisme sort enfin des camps de concentration du stalinisme de toutes nuances. Encore un rien chancelant, mais le regard déjà assuré. Et à ses côtés, s'il y prend garde, le drapeau noir. Comme un garde-fou. C'est notre chance.

1er septembre 1968. »

Appel

Huit intellectuels français écrivent à Fidel Castro

Fidel Castro, par Levine
La première erreur grave

● *Quelques membres de l'Association des amis de la révolution cubaine ont pris l'initiative de la présente lettre ouverte. Le temps ne leur a pas permis de rechercher l'accord, qui leur paraît souhaitable, de tous ceux qui, admirant l'œuvre des révolutionnaires cubains, désapprouvent les déclarations de Fidel Castro sur la Tchécoslovaquie.*

Admirateurs, amis et, dans la mesure de nos moyens, soutiens du communisme cubain, nous regrettons profondément et contestons à tous points de vue la position exprimée dans l'allocution prononcée le 23 août par Fidel Castro sur la question de l'intervention soviétique en Tchécoslovaquie. Cette position ne peut qu'affaiblir la Révolution partout dans le monde, y compris, à plus ou moins longue échéance, à Cuba même.

1 IL EST INJUSTE ET FAUX de dire que la démocratisation entreprise par le Parti communiste tchécoslovaque conduisait au capitalisme. Toutes nos informations, et la connaissance directe que certains d'entre nous ont de l'actuelle Tchécoslovaquie, indiquent au contraire que, pour l'essentiel, le mouvement tendait à corriger vingt ans de sclérose bureaucratique, d'abus, d'exactions de tous ordres, accomplis à tous les niveaux de la société et à tous les moments de la vie quotidienne (et allant, comme on sait, jusqu'à la condamnation à mort et l'exécution de militants irréprochables). Vingt ans de ce régime avaient abouti à un état de **dépolitisation** totale de tout le peuple, classe ouvrière comprise, Le mouvement commencé en janvier, et criminellement interrompu (ou seulement entravé, comme semblerait l'établir l'admirable résistance de tout le peuple reconstitué) avait pour sens premier la politisation nouvelle des masses, sans laquelle aucun progrès révolutionnaire n'est évidemment possible. Il fallait d'abord sortir de la mort politique. Le mouvement tendait ainsi à redonner au nom de communiste un sens qu'il avait depuis longtemps perdu en Tchécoslovaquie, tout comme dans les autres pays de l'Europe de l'Est « protégés » par l'U.R.S.S., et en U.R.S.S. même. Cela comportait des risques, bien entendu. Tout projet réellement révolutionnaire comporte de tels risques. C'est le recul devant de tels risques qui rend compte de l'apparition de **conservateurs** dans le mouvement qui se réclame du communisme.

2 IL EST INJUSTE ET FAUX d'exagérer le nombre et l'importance de voix qui seraient « discordantes » dans le mouvement de libération entrepris. Dans un peuple politiquement majeur et aussi averti que le peuple tchécoslovaque, le fait d'admettre une certaine contestation du rôle dirigeant du Parti, loin de représenter un danger, était une source d'enrichissement théorique et pratique infiniment précieuse. Il y a là une sous-estimation évidente du degré de conscience politique atteint par les masses en Tchécoslovaquie (ce n'est pas un paradoxe de dire que la dépolitisation, le refus de s'occuper de la chose politique, sous la tyrannie de Novotny, était le signe de cette conscience politique : refus du mensonge politique, refus d'être complice de la falsification régnante).

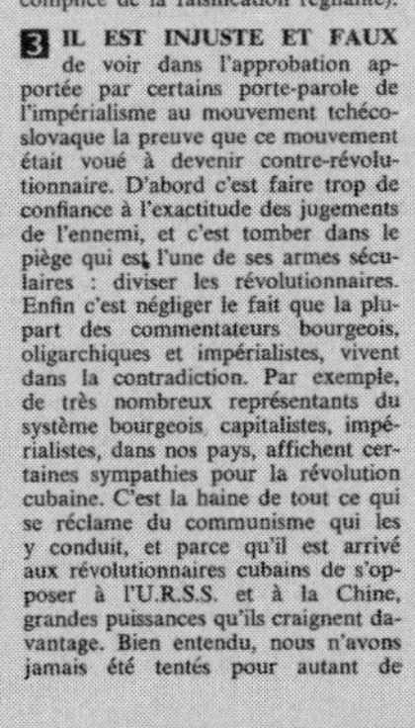

3 IL EST INJUSTE ET FAUX de voir dans l'approbation apportée par certains porte-parole de l'impérialisme au mouvement tchécoslovaque la preuve que ce mouvement était voué à devenir contre-révolutionnaire. D'abord c'est faire trop de confiance à l'exactitude des jugements de l'ennemi, et c'est tomber dans le piège qui est l'une de ses armes séculaires : diviser les révolutionnaires. Enfin c'est négliger le fait que la plupart des commentateurs bourgeois, oligarchiques et impérialistes, vivent dans la contradiction. Par exemple, de très nombreux représentants du système bourgeois capitalistes, impérialistes, dans nos pays, affichent certaines sympathies pour la révolution cubaine. C'est la haine de tout ce qui se réclame du communisme qui les y conduit, et parce qu'il est arrivé aux révolutionnaires cubains de s'opposer à l'U.R.S.S. et à la Chine, grandes puissances qu'ils craignent davantage. Bien entendu, nous n'avons jamais été tentés pour autant de mettre en doute l'authenticité du communisme cubain. Mais une telle argumentation se rencontre dans le discours du camarade Castro.

4 IL EST INJUSTE ET FAUX, d'autre part, de voir dans les efforts des communistes tchécoslovaques pour établir des relations économiques avec certains pays capitalistes, la preuve de leur abandon des principes. Nul n'ignore à quels abus les « accords » imposés par Moscou ont conduit, abus absolument paralysants pour l'économie tchécoslovaque. Un parti communiste digne de ce nom, résolu à édifier une société socialiste qui ne soit pas seulement l'œuvre d'une mafia technocratique internationale, ne peut accepter que son projet soit dénaturé par de tels obstacles, que rien ne justifie plus, si jamais ils ont été justifiés (ce fut la « dette » de la libération de 1945). C'est tromper le peuple, et le détourner du socialisme. Si Cuba n'avait pas de nombreux accords avec des pays capitalistes, et n'en avait qu'avec les pays du camp dit « socialiste », nous savons, et nos amis cubains le savent, mieux que nous, qu'elle cesserait **ipso facto** de pouvoir déterminer librement **sa** politique.

5 IL NOUS PARAIT INJUSTE et faux de soutenir à la fois : a) que le Parti communiste tchécoslovaque était conduit à sa prétendue trahison par la faute du système qui lui fut imposé par les Soviétiques, et b) que les mêmes Soviétiques doivent être approuvés d'envahir le pays pour le sauver d'un mal dont on convient qu'eux-mêmes, Soviétiques, sont les porteurs.

6 IL NOUS PARAIT INJUSTE et faux enfin d'accabler les communistes tchécoslovaques en leur opposant le modèle cubain. Il est bien vrai de dire, comme le fait Fidel Castro dans son discours, que rien de ce qui s'est passé en Tchécoslovaquie n'est imaginable à Cuba. Mais c'est manquer gravement à la fraternité internationale que d'en tirer gloire pour soi et honte pour un peuple géographiquement défavorisé. La déviation stalinienne, imposée de l'extérieur au peuple tchécoslovaque, a épargné Cuba. Lorsqu'on a subi ce mal effroyable, il faut d'abord en guérir, et cela demande des efforts infinis, où la prudence et l'audace sont également nécessaires. Ensuite, les révolutionnaires cubains ne doivent pas l'oublier : si les côtes de l'ennemi yankee sont proches de Cuba, l'U.R.S.S. est très lointaine. Qu'ils se demandent si, à choisir, ils ne préfèrent pas cette proximité des Etats-Unis, cet éloignement de l'U.R.S.S. Qu'ils se demandent laquelle de leurs réalisations le plus dignes d'éloges aurait été possible, dans le cas où les Soviétiques, dont ils approuvent aujourd'hui le crime, auraient été à leurs frontières. Rien de ce qu'ils ont tenté n'aurait été **autorisé.**

Nous devons pour terminer vous dire notre espoir qu'un examen nouveau de la situation, fondé sur une information plus complète, permettra à la direction de la révolution cubaine de rectifier ce qui est à nos yeux une erreur grave, sa première erreur grave à notre connaissance. Notre préoccupation est extrême. Nous ne souffrons pas seulement de la perte de prestige qui peut en résulter dans les mouvements révolutionnaires, dans la jeunesse révolutionnaire, pour la révolution cubaine. Nous souffrons aussi de l'atteinte ainsi portée à la vérité révolutionnaire, dans le monde et dans notre propre pays : à la Révolution tout court. Nous vous prions de voir, dans les reproches que nous nous sentons tenus de vous adresser aujourd'hui, la preuve de l'extraordinaire importance que nous reconnaissons à votre révolution, que nous avons tenue jusqu'ici pour exemplaire. Cette erreur intervient en un moment qui pourrait être celui d'un renouveau général de l'exigence communiste. Il serait infiniment triste que le communisme cubain, qui a joué un rôle essentiel dans ce renouveau, s'entête dans cette erreur, contribuant ainsi, pour sa part, à neutraliser la Révolution.

ROBERT ANTELME
MAURICE BLANCHOT
CLAUDE COURTOT
MARGUERITE DURAS
GEORGES GOLDFAYN
GERARD LEGRAND
DIONYS MASCOLO
JEAN SCHUSTER

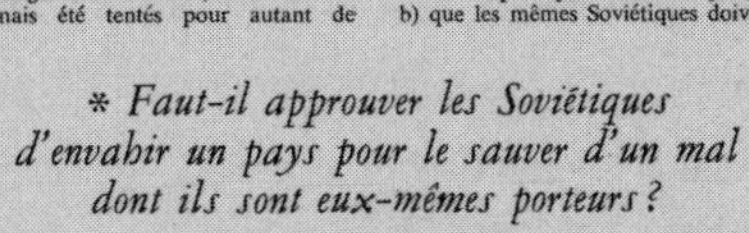

＊ Faut-il approuver les Soviétiques d'envahir un pays pour le sauver d'un mal dont ils sont eux-mêmes porteurs ?

Le Nouvel Observateur Page 37

Cet appel, qui porte la marque de Dionys Mascolo, a paru dans *Le Nouvel Observateur* du 30 septembre 1968. Il a été également repris sous le titre « Lettre ouverte au Parti communiste de Cuba » dans *L'Archibras* n° 5 (hors série, 30 septembre 1968) consacré à la Tchécoslovaquie.

PARIS, OCTOBRE 2007

entretien avec Alain Jouffroy

« Jérôme Duwa – Vous vous rendez à Cuba dès 1963, mais le voyage décisif est celui que vous faites avec d'autres intellectuels pour le Salon de mai et le Congrès de l'OLAS qui ont lieu durant l'été 1967. Voir une révolution et même, pour reprendre un titre de Régis Debray une "révolution dans la révolution", cela requiert une nécessaire coupure avec ses habitudes d'intellectuel vivant dans une démocratie occidentale : ne faut-il pas alors se méfier de soi-même, de ses propres réflexes de classe ? Comment abordez-vous Cuba en 1967 ?

Alain Jouffroy – En homme libre. Libre par rapport à la France, comme par rapport au reste du monde. Je n'ai appartenu à aucune organisation politique, pas même une journée. J'ai toujours défendu l'indépendance individuelle par rapport au pouvoir quel qu'il soit. J'ai toujours été habité en quelque sorte par l'idée d'une révolution idéale, c'est-à-dire une révolution sans dictature, qui ne se transforme pas contre une dictature en une nouvelle dictature. Mais j'étais habité par cette idée depuis 1963, depuis mon premier voyage ; en effet, j'étais seul à peu près à ce moment-là. J'avais rencontré Régis Debray dans l'avion, par hasard. Lui était très proche de la révolution cubaine et, en particulier, il admirait beaucoup le Che. Je partageais cette admiration et j'ai constaté qu'il y avait en effet à l'époque toute liberté intellectuelle, artistique, qu'on y exposait volontiers tous les artistes de tous les pays, quelle que soit la formule esthétique choisie. Le diktat stalinien du réalisme socialiste n'y régnait absolument pas, même s'il y avait quelques communistes orthodoxes qui suivaient le modèle soviétique, mais ils étaient très peu nombreux. D'autres étaient des artistes qui étaient traditionalistes sans être réalistes socialistes : Porto Carrero qui peignait des fleurs, des choses absolument banales. Mais je connaissais Lam. Du fait que je me suis lié d'amitié avec Lam dès notre première rencontre, j'étais sympathisant d'avance à travers la personnalité de Lam qui était un homme libre, un surréaliste. J'avais eu la chance d'être exclu du groupe surréaliste, qui est le seul groupe auquel j'ai adhéré dans ma vie. Pas pour longtemps, puisque j'en ai été exclu à 20 ans. Ça ne me donnait guère envie de faire partie d'un autre groupe d'avoir été exclu du premier, auquel d'ailleurs j'ai adhéré un peu sous la pression de Breton et pas d'une manière volontaire, parce qu'il insistait beaucoup pour aller au "café", comme il disait, à 18 h, chaque jour, chose que je n'ai pas faite. Je préférais prendre des distances avec le groupe. J'en ai été exclu pour travail fractionnel avec Victor Brauner et quelques autres, pour cette raison, parce que je n'étais pas assez fidèle aux réunions du café. Je préférais aller voir Victor Brauner. Au même moment, Matta a été exclu, j'ai été scandalisé par le fait qu'on l'ait exclu pour "disqualification intellectuelle" et "ignominie morale" du groupe surréaliste alors qu'on n'avait même pas pris soin de l'entendre lui-même, puisqu'il se trouvait à New York. Il a été l'objet d'un procès moral et moraliste sous prétexte qu'il avait couché avec la femme de Gorky alors que le pauvre Gorky était devenu fou furieux à cause de tous ses malheurs et qu'il battait sa femme. La femme de Gorky s'est réfugiée chez Matta par crainte d'être battue par A. Gorky – grand peintre, mais violent. Quand je suis arrivé en 1967 au Congrès de l'OLAS, j'étais toujours très favorable *a priori* à la révolution cubaine qui déjà avait pris une certaine tournure. Il y a beaucoup de raisons politiques à cela, notamment le blocus. À mes yeux, à l'époque, le durcissement de la révolution cubaine était dû en partie, mais en grande partie, à ce blocus instauré par les Américains qui ont en quelque sorte poussé Fidel dans les bras de l'URSS. Non seulement j'ai rencontré personnellement Fidel, mais j'ai assisté à une conférence de presse du Che en 1963 où il rigolait, fumant le cigare. Il était patron de la banque de Cuba. Il signait les chèques, les *pesos*, ce qui est quand même un paradoxe incroyable de signer les chèques de la part d'un révolutionnaire. Mais il n'était pas à un paradoxe près. Il était plus que sympathique, malgré un certain autoritarisme, mais comment ne pas être autoritaire quand on dirige une révolution, je ne vois pas. Il faut quand même distinguer entre autorité, autoritarisme et dictature. C'est dans les intervalles entre ces trois idées que peuvent se jouer des différences minimes, mais qu'il ne faut pas négliger sous prétexte qu'elles sont minimes. Je me suis lié à beaucoup d'intellectuels cubains. J'ai connu Alejo Carpentier, qui était un homme extraordinaire. J'admirais beaucoup son livre *Le Siècle des lumières.* J'étais très ami avec lui. Il était d'ailleurs très ami avec Lam. C'était un homme assez traditionnel dans son écriture, très doué, mais très large d'esprit. Il avait vécu à Paris. Il avait rencontré les surréalistes à Paris avant la guerre. Tout cela était conciliable avec le surréalisme. Cette révolution cubaine n'était pas antinomique avec l'esprit de ce mouvement ; d'ailleurs, la plupart des surréalistes, ce qui restait du groupe après la mort de Breton en 1966, étaient venus en 1967. Ils ont tous participé à ce congrès, dont Matta, qui était un autre ami, celui qui avait été exclu par Breton (puis réintégré en 1959) et qui sympathisait beaucoup avec la révolution cubaine. Il a fait don de tableaux importants au musée de La Havane, il a fait des fresques entières à La Havane ; il était plein d'humour et plein de liberté d'esprit sur tous les plans. Le côté surréaliste de cette révolution cubaine, on n'en parle jamais, mais pour les intellectuels, c'était capital le fait que les surréalistes puissent se concilier cette révolution. Est-ce qu'on a commis une faute politique dès ce moment-là ? C'est facile à dire après coup. Manque de prescience. Sans doute. On est tous plus ou moins capables de deviner l'avenir. Mais je n'aime pas qu'on raisonne moralement et politiquement après coup pour juger des choses qu'on n'a pas vu venir d'abord, qu'on pressentait, mais qu'on n'a pas vraiment prévu, pour après coup juger de ce que c'est devenu ensuite. Il y a un chevauchement des jugements indépendants de l'histoire, qui me semble absolument injustifiable du point de vue de la continuité des idées. La continuité des idées, c'était de poursuivre l'idée et l'utopie, non de soutenir *a priori* les évolutions possibles de ce gouvernement révolutionnaire.

J. D. – Comme artiste, comment pensiez-vous pouvoir contribuer à cette révolution ?

A. J. – Je suis un artiste, qui écrit, qui dessine, qui peint, qui s'intéresse aux artistes. En fait, mes vrais amis, ce ne sont pas des politiques, mais des créateurs. Par exemple, je suis devenu ami avec un type absolument formidable qui s'appelait Alfredo Guevarra, qui n'a rien à voir avec la famille du Che, mais qui avait créé une revue qui s'appelait *Cinecubano* et qui a permis à une école de cinéma très nouvelle de naître à Cuba pendant la révolution. C'était encore un prolongement de la révolution que de pouvoir concevoir des films très nouveaux, comme forme, comme contenu, comme méthode d'investigation du réel. Il y avait une explosion de créativité incomparable par rapport à ce qui se passait dans d'autres pays d'Amérique latine dirigés par des dictatures de droite soutenues par la CIA, dont Pinochet par exemple qui a pris le pouvoir, plus tard, en 1973.

En 1967, il n'y avait pas encore Pinochet, mais beaucoup de dictatures au Brésil, en Argentine… Ces dictatures étaient sanguinaires ; on y tuait des enfants, on y tuait des femmes, on y torturait à tout va. Je suis allé dans les prisons, même sur l'île où étaient enfermés les prisonniers politiques à Cuba, l'île des Pins. Je n'ai pas vu de tortures, je n'ai pas entendu de cris. C'était plutôt décent comme prison à l'époque, apparemment. Évidemment, les visites étaient guidées. Je n'ai pas tout vu, je n'ai pas vu de chambres de tortures, je n'ai pas entendu de hurlements ; ça n'avait rien à voir avec les camps d'extermination nazis. C'était une prison, toutes les prisons sont horribles. Je ne crois pas que les prisons américaines soient des modèles de grand confort et de grand bonheur relatif pour les prisonniers politiques, noirs en particulier. Ce qui me choquait, moi, c'est que la révolution n'ait pas supprimé la peine de mort. J'avais beaucoup combattu pour l'abolition de la peine de mort en France ; j'avais même écrit des poèmes contre la peine de mort, qui ont été publiés avant qu'elle soit abolie. Avec d'autres, je crois qu'on a fait pression et qu'on a pu jouer un petit rôle, collectivement, pour que Mitterrand, dans son programme, annonce, contre l'opinion majoritaire des Français qui étaient pour la peine de mort, qu'il allait la supprimer. C'est le grand mérite de Mitterrand de l'avoir fait et c'est une avancée de la pensée politique.

J. D. – À l'été 1967, vous assistez justement à un procès public d'ennemis de la révolution cubaine auquel Fidel Castro vous convie avec d'autres intellectuels français, et notamment les surréalistes. Comment appréhendez-vous ce jugement ?

A. J. – Il y a eu beaucoup de tentatives d'assassinat contre Fidel.

Il a eu une baraka, comme on dit, extraordinaire. Il a échappé à toutes sortes d'attentats. Il y avait des commandos, qui étaient financés par les Américains, avec des armes américaines et qui débarquaient sur les côtes, qui étaient accueillis souvent par les coups de fusils des paysans qui dormaient sur les plages. Ça, je l'ai vu. C'est assez étonnant : des paysans qui dorment sur les plages pour empêcher les ennemis de débarquer, pour veiller à la sécurité de ces plages et empêcher ces agents de crimes politiques, car ils avaient pour but d'assassiner le *líder máximo*, comme on dit. On a présenté tous ces gens qui ont été arrêtés, on a présenté toutes les armes trouvées sur leurs embarcations : grenades, fusils mitrailleurs, revolvers... Consternant. Il y avait même des correspondants de presse américains qui étaient venus à l'invitation de Castro pour qu'ils puissent diffuser la nouvelle dans leurs journaux, qui ne l'ont pas beaucoup fait, évidemment. Ce n'est pas la responsabilité peut-être de ces journalistes, qui avaient l'air de bonne volonté et très sympathiques, mais la direction des journaux a bloqué leurs informations ou les a censurées. Le déséquilibre, là, était patent. D'un côté, il y avait une révolution en marche, qui était menacée de mort. À cause du blocus, il y a eu cette histoire de liaison directe à l'URSS, catastrophique, parce que les éléments les plus durs du comité central du parti de Castro étaient de vieux staliniens qui ont contribué à infléchir la politique du gouvernement cubain vers plus de sévérité, avec plus d'arrestations, etc. La dérive du régime a été en quelque sorte le résultat conjugué de l'action des Américains, des tentatives d'assassinat contre Castro et de la pression de l'Union soviétique.

J. D. – En 1968, vous rendez-vous au Congrès culturel ?

A. J. – Oui, invité par un homme étonnant, sympathique, Carlos Franqui ; sans détenir officiellement ce poste, il remplissait les fonctions de conseiller à la Culture. Il parlait très bien français. Moi je parlais espagnol. J'avais une pleine liberté d'aller où je voulais. Carlos Franqui m'avait très gentiment confié à un chauffeur de taxi, qui s'occupait de moi. C'est moi qui disais : on va là, on s'arrête là. Personne ne me surveillait. Peut-être qu'ils avaient confiance en moi : "Celui-là, il ne va pas nous trahir, semer des troubles, nous dénoncer et répandre des tracts contre la révolution cubaine." Ça, c'est possible, ou même certain.

Mais j'ai joui de cette liberté, ce qui m'a permis d'observer ce qui marchait et ce qui ne marchait pas. Qu'est-ce qui ne marchait pas ? L'économie était menacée. Il existait un système de rationnement. Tout cela est en partie lié au blocus. Le peuple cubain, indépendamment de toute politique, est d'une qualité humaine exceptionnelle. C'est un peuple rieur, qui adore la musique, qui adore danser, qui adore le plaisir, et qui jusqu'à présent continue de danser dans les rues, quand il y a de la musique. Il y a trois ans encore, j'ai vu des vieillards qui dansaient dans les rues. Un peuple qui danse, même s'il a des difficultés pour trouver tout ce qu'il faut pour se nourrir, n'est pas absolument le plus malheureux des peuples. Ces vieillards sont souvent pro-castristes.

Après 1968, j'ai vu que ça empirait, que le nombre des sympathisants diminuait. Dans les années 1990, je me suis trouvé un jour près des remparts de La Havane, dans un très beau café avec une grande terrasse et il y avait là un beau petit garçon, 10-11 ans. Il me voit fumer, il rigole et puis il me voit jeter ma cigarette et l'écraser. Il me dit : "Ah non, Monsieur !" Il a ramassé le mégot et l'a mis dans un cendrier. "Il ne faut pas salir La Havane." Qui l'obligeait de faire ça ? Aucun témoin, aucun policier… C'est quand même une bonne école.

Je suis allé dans les écoles, pas seulement à l'école de Bellas Artes. J'y ai donné des conférences. De quoi j'ai parlé ? J'ai parlé du pop'art américain. Personne ne m'a empêché de parler du pop'art. J'ai parlé des peintres de la Nouvelle Figuration en France : Monory, Erró, Fromanger, dont les rétrospectives viennent d'avoir lieu au musée de La Havane. J'ai fait ce que j'ai pu pour équilibrer le manque d'informations. Cela dit, ils étaient informés par leurs parents. Ce qu'il y avait de curieux, c'est qu'ils étaient tous en train d'écouter – même dans les taxis – la radio cubaine de Floride. C'est un peuple débrouillard, très malin, qui a été condamné à faire du marché noir jusqu'à ce que Castro instaure ce double système de monnaie : des *pesos* qui ne valent rien, des *pesos* convertibles qui valent un peu plus, et des dollars qui ont été mis en libre circulation. Bien sûr, ce sont les plus avantagés qui ont bénéficié de ce système et pas forcément les plus pauvres. Une inégalité s'est produite à l'intérieur de la société cubaine absolument contradictoire avec les intentions premières. Cette différence de classes instaurée ou perpétuée par le régime cubain est à mes yeux injustifiée et intolérable.

J. D. – Après tout, quel bilan faites-vous de la révolution cubaine par-delà toute caricature ? Faites-vous une différence de fond entre les figures politiques du Che et de Castro ?

A. J. – J'ai toujours soutenu l'idéal du Che plutôt que celui de Fidel. J'ai revu Fidel Castro lors de mon dernier voyage, il y a trois ans. Il y avait une grande réunion. Ils ont restauré tout le vieux quartier de La Havane. Ça, c'est le côté magnifique. De l'autre côté, la pauvreté grandissait. Mais la dignité des gens de Cuba consiste à souffrir de ces difficultés d'une manière à la fois habile – combines, marché noir – et aussi résignée, comme si on ne pouvait pas faire autrement. Si vous demandiez, encore il y a trois ans, à la plupart des gens dans la rue s'ils voulaient revenir sous le régime américain, ils disaient "non". Entre le diable et un autre diable, ils préféraient quand même le diable cubain. Ils pensaient que l'indépendance de Cuba était défendue, maintenue coûte que coûte. Qu'est-ce qui peut se passer maintenant avec Raúl Castro qui a l'air d'essayer de faire des réformes – inattendu de la part d'un militaire ? Il semble créer un embryon de discussion démocratique, de ce que Ségolène Royal appelle la "démocratie participative", en consultant la base, en tenant compte des *desiderata* des gens qui viennent assister à ces réunions et qui votent. Ce qu'il y a d'étonnant, c'est que ces nouvelles mesures de Raúl Castro viennent d'un militaire finalement plus souple que son frère. On verra la suite. Comme il n'y a plus d'URSS et que le pétrole leur est fourni par Hugo Chávez du Venezuela, qu'il y a des accords avec Lula du Brésil, ils peuvent s'en tirer sans bain de sang. Imaginez, si les Américains revenaient, le nombre de vengeances : ce serait la guerre civile. On tuerait tous les communistes indistinctement et comme il y en a beaucoup, cela ferait beaucoup de morts. Un carnage, je le crains. »

Hôtel *Habana Libre*, siège du Congrès culturel de La Havane en janvier 1968 (Archives André Gorz / IMEC).

PRAGUE

PRAGUE

VOYAGE AU PAYS DU SOCIALISME TROP RÉEL

1968 est placée sous le signe du *Principe de plaisir* : dans le cadre de l'activité du groupe surréaliste historique, il s'agit de la toute dernière exposition, organisée en collaboration avec les surréalistes de Bratislava, Brno et Prague. En 1965, l'exposition surréaliste de la galerie de L'Œil avait eu lieu à Perio sans la participation de Marcel Duchamp ; celle qui circule en Tchécoslovaquie s'est faite en plus sans André Breton, décédé depuis septembre 1966.

Cette exposition, souvent négligée dans l'histoire du mouvement, marque un point d'épanouissement international du surréalisme. En août 1967, peu après le voyage à Cuba, se tient à São Paulo (Brésil) la première « *Exposiçao Surrealista* » qui, selon le commentaire qu'en donne Paulo Antonio de Paranagua, « se veut point de départ d'une activité désormais militante dans le combat décisif qui se livre en Amérique latine[1] ». Il n'est pas difficile d'entendre l'écho guévariste dans ce commentaire d'un proche des surréalistes.

L'invitation à Prague marque une autre poussée de cet internationalisme, mais cette fois sur un terrain profondément ravagé par le stalinisme : le « dégel » voit refleurir le surréalisme tchèque contraint à une longue clandestinité et permet aux liens avec Paris de se renouer.

1. *L'Archibras* n° 3, p. 86. Notons que Claude Courtot participe par un texte (« Lettre à Eva », repris dans *Carrefour des errances*, Éric Losfeld, coll. « Le désordre », 1971) au catalogue de l'exposition qui est également le numéro 1 de la revue du surréalisme brésilien : *A Phala*.

Une lettre de juillet 1967, reproduite p. 107, précise le projet de collaboration entre les groupes surréalistes parisiens et tchécoslovaques ; elle est signée par les trois surréalistes qui vont le plus s'engager dans l'aventure pragoise : José Pierre, Claude Courtot et Vincent Bounoure. Après la dissolution du groupe surréaliste à Paris en 1969, ce dernier n'hésitera d'ailleurs pas à se déclarer un surréaliste tchèque en exil. Cela donne la mesure de la profondeur des liens existant entre Paris et Prague.

La couverture du numéro 3 de *L'Archibras* où Black Power se lit sur un cadran de téléphone est présentée dans le chapitre consacré à Cuba p. 60. Dans cette livraison de la revue, on peut lire un texte du surréaliste noir américain Ted Joans. Les premiers mots de son article sont les suivants : « Des fleurs noires ont grandi dans toutes les capitales et les villes des États-Unis. Ces fleurs noires sont extrêmement dangereuses pour le Rêve de l'Amérique. » On peut voir aussi une photographie de Ted Joans avec Stockley Carmichaël, activiste non-violent puis Black Panther, le même Carmichaël que cite Alain Jouffroy dans son article « "Che" si », parce qu'il se trouvait en 1967 à La Havane lors des conférences de l'OLAS.

La question politique doit-elle alors être évacuée d'une exposition prenant place dans une société de « l'univers post-stalinien », c'est-à-dire estimant être définitivement sortie du pire ? L'adversaire idéologique a-t-il disparu ? La possibilité d'une exposition surréaliste n'est-elle alors rien de plus qu'un signe de l'assouplissement généralisé, comme si l'on pouvait désormais tolérer l'excentricité surréaliste à titre de divertissement longtemps différé ? Il va sans dire qu'élever le plaisir en principe, comme le veut le titre de l'exposition, « Princip slasti », recouvre une tout autre ambition, qui ne trahit pas ce que Jean Schuster appelle « l'utopie surréaliste[2] ». Tout en se réjouissant des progrès de la liberté d'expression en Tchécoslovaquie, les surréalistes préviennent, en juillet 1967, depuis leur observatoire parisien : « Il faut se garder cependant d'un optimisme excessif. » Ils ne songent guère au risque d'une intervention soviétique, mais à l'arrivée d'un modèle de civilisation qui, pour être plus permissif, n'en est pas moins délétère pour la liberté : ce modèle est celui qu'ils ont précisément mis en procès à l'occasion de l'exposition de 1965 : « L'écart absolu ». Dans le catalogue tchécoslovaque, la première partie de l'exposition placée sous le signe de « la violation de la loi » s'ouvre sur une photographie qui précise sur quel front intérieur s'est déplacé le combat idéologique dans le monde « libre » : des fusils, baïonnettes au canon, tenus par des militaires américains, tiennent en garde un groupe de Noirs dans la ville de Detroit. *L'Archibras* n° 3 de mars 1968 fait aussi sa couverture sur un téléphone dont le cadran comporte l'inscription : Black Power. L'aliénation, de Moscou à Washington, ne fait que changer de masques.

Dans le récit de la préparation de l'exposition fait par Claude Courtot, un des trois principaux organisateurs parisiens, avec Vincent Bounoure[3] et José Pierre, on voit que la question politique s'est immiscée dès l'origine du projet sous les traits de la suspicion. L'initiative du rapprochement[4] provenait d'un surréaliste de Bratislava,

2. « Le téléphone surréaliste Paris-Prague », inclus dans le catalogue *Princip slasti* (1968).

3. On pourrait s'étonner de l'absence de retranscriptions intégrales de textes de Vincent Bounoure (1928-1996), particulièrement dans ce chapitre. Conformément à l'interdiction catégorique formulée par son ayant droit, nous n'avons pu en reproduire. Le lecteur se reportera aux recueils publiés en 2000 et 2004 par les éditions de L'Harmattan (cf. bibliographie p. 260).

4. La dernière manifestation du surréalisme à Prague remontait à 1947. Les activités des surréalistes tchécoslovaques sont signalées dès 1964 dans *La Brèche* (nos 7 et 8) par deux notes de Radovan Ivsic. Notons aussi que Toyen est restée très réservée quant aux chances d'un véritable renouveau du surréalisme dans son pays d'origine. Elle n'a donc pas particulièrement œuvré pour l'exposition de 1968, même si elle y présentait une toile de 1955 et un collage de 1966.

La photographie est légendée « Detroit (USA), 1967 ». Dans le catalogue *Princip slasti*, elle ouvre le premier espace de l'exposition consacré à la violation de la loi.

Albert Marenčin[5], auquel le groupe surréaliste de Prague, et en particulier Vratislav Effenberger, reprochait son appartenance au Parti communiste.

La suspicion des Pragois est telle que « jusqu'en juillet 1967, écrit Claude Courtot, nous allons nous efforcer de démontrer à Effenberger et à ses amis que Marenčin est un personnage honnête et constructif[6] ». En outre, le thème choisi par les surréalistes parisiens pour l'exposition n'est pas accueilli sans grandes critiques par le groupe de Prague qui juge la référence à Freud, contenue dans le titre même de l'exposition, comme dénuée de tout pouvoir subversif. Claude Courtot rapporte que « du côté d'Effenberger, on voit de graves dangers dans le choix du thème, estimé trop inactuel, suggérant l'évasion, manquant de point d'application historique et par là s'exposant aux critiques des marxistes[7] ». N'est-ce pas au contraire parce qu'il est en écart absolu avec les pressions du déterminisme historique que le principe de plaisir demeure subversif ?

5. Albert Marenčin est l'auteur en février 1967 d'un article dans la revue *Preuves*, particulièrement remarqué par les surréalistes français : « André Breton et les destinées du surréalisme tchécoslovaque ». Qu'il ait été accueilli dans une telle revue signale assez que son adhésion au communisme était des plus ouvertes.

6. Claude Courtot, Marie-Claire Dumas, Petr Král, « Le principe de plaisir. Exposition surréaliste en Tchécoslovaquie, 1968 », *Du surréalisme et du plaisir*, Paris, Librairie José Corti, 1987, p. 263.

7. *Ibid.*

Des extraits d'échanges entre surréalistes de Paris et de Prague sont proposés plus loin à la lecture. « Le téléphone surréaliste Paris-Prague » a pour but que « les vases communiquent toujours », selon la formule qui clôture « La Plate-forme de Prague » (1968). Il s'agit aussi d'une référence à l'ouvrage de Breton *Les Vases communicants*, paru trois ans avant le voyage qu'il effectue à Prague en 1935, avec Paul Eluard.

Le thème que proposent, « imposent[8] », dit Claude Courtot, les surréalistes de Paris à ceux de Prague qui regimbent, alors que ceux de Bratislava donnent leur accord sans réserve, est tout à fait dans la ligne des expositions internationales du groupe depuis 1959 : aller à « contre-courant », explique Jean Schuster dans « Le téléphone surréaliste Paris-Prague » en déjouant simultanément toutes les entreprises qui singent le radicalisme de cette décision. Et il précise : « La difficulté actuelle vient de ce que courant et contre-courant n'apparaissent plus aussi distincts qu'avant la seconde guerre mondiale. Certaines propositions surréalistes – autrefois irrecevables, voire scandaleuses – sont entrées dans les mœurs, dans le courant : l'insolite fait recette en peinture, le scabreux, l'onirisme ou la provocation sont les ingrédients de la nouvelle littérature, un pseudo-radicalisme politique favorise les carrières. »

La revue *Cinéma* n° 121 fait sa couverture de décembre 1967 sur le film de Vera Chytilova, *Les Petites Marguerites*. Deux jeunes filles, Marie I et Marie II, renchérissent sur l'absurdité du monde en agissant conformément à sa logique outrancière et destructrice.

Aux yeux des surréalistes français, il va de soi que le principe de réalité derrière lequel « surgit le fait fondamental de l'*Ananké* ou de la pénurie (*Lebensnot*)[9] » (Herbert Marcuse) a été encore plus durement éprouvé dans ce pays de l'Est qu'ailleurs en Occident démocratique. La sur-valorisation du *travailleur* ne se faisant pas sans une « sur-répression » (Herbert Marcuse) des désirs ; cela justifiait amplement la conversion au principe de plaisir, généralement condamné à être laissé sur sa faim[10]. Ainsi, la divergence entre les surréalistes du monde post-stalinien et ceux de Paris s'est par exemple manifestée à propos d'un film de Vera Chytilova, *Les Petites Marguerites*. Dans la rubrique du jeu « Ce qui est », *L'Archibras* n° 3 (mars 1968)[11] déclare ce film surréaliste, notamment en raison d'une séquence où la table surchargée de somptueuses victuailles d'un grand festin est proprement saccagée en pure perte. Ce spectacle de potlatch, de pure « dépense », dirait Georges Bataille, n'était pas du goût des surréalistes tchécoslovaques ayant subi au jour le jour la dure loi de la pénurie.

8. La lettre déjà citée du 4 juillet 1967 commence en effet par ces mots péremptoires : « L'exposition surréaliste qui doit s'ouvrir en décembre 1967 à Bratislava (et vraisemblablement à Prague et à Brno) prendra pour thème *Le principe du plaisir.* »

9. Herbert Marcuse, *Éros et civilisation* (1955), Seuil, coll. « Points », p. 44.

10. Parlant de « l'édifice capitaliste », Vincent Bounoure écrit dans son texte de présentation du catalogue *Princip slasti*, « Au lever du rideau » : « Le principe de rendement y a cours depuis plus longtemps que partout ailleurs et y a acquis une remarquable efficience. Aussi, serait-il puéril de s'étonner que les mêmes armes aient dû être activement fourbies dans les pays qui se réclament du socialisme où le *primum vivere*, si ce n'est le *d'abord survivre*, prenaient nécessairement valeur de mot d'ordre. »

11. Dans ce même n° 3 de *L'Archibras*, à la rubrique *Le fond de l'air*, la note d'Alain Joubert concernant *Les Petites Marguerites* va dans le même sens en soulignant « l'excès surréaliste » dont ce film est porteur.

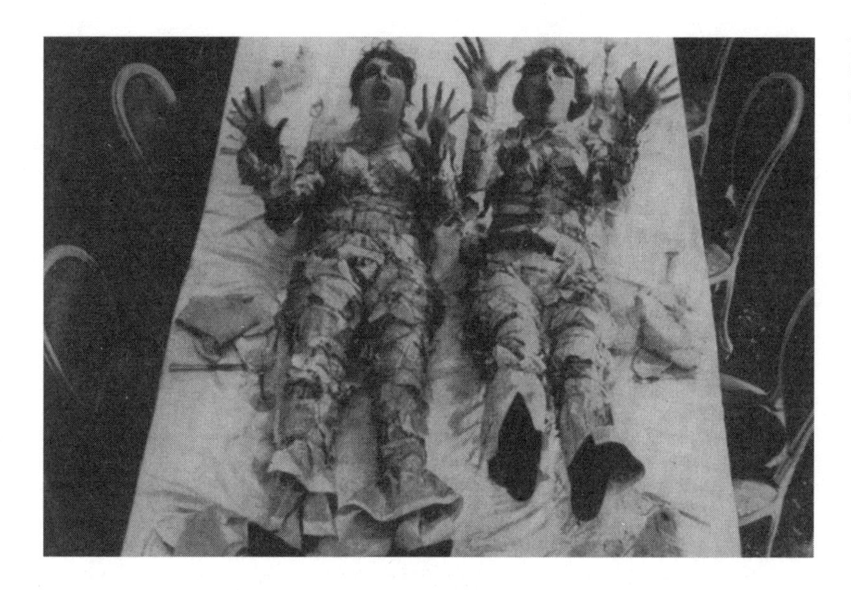

Photogrammes du film de Vera Chytilova, *Les Petites Marguerites*, extraits de *Téléciné* n° 146 (octobre 1968).

Par surcroît, la revendication du principe de plaisir devait servir d'arme contre le développement croissant « d'un irrationnel de pure surface » dans les arts plastiques tchécoslovaques : un fantastique à forte tendance morbide avait en effet rapidement succédé au réalisme socialiste. Il était donc tout à fait nécessaire de parer à toutes confusions avec le surréalisme authentique. La Tchécoslovaquie se montre par là perméable à une tendance générale de « dépréciation du surréalisme au fantastique », déjà dénoncée en 1954 par Charles Estienne à l'occasion du changement de thématique de la XXVIIe Biennale de Venise (juin 1954). Mais la revue *Planète* de Louis Pauwels ou le livre de Marcel Brion datant de 1961 – *L'Art fantastique* – témoignent amplement que la mise au point de Charles Estienne n'avait pas eu l'effet d'un salubre coup d'arrêt.

L'exposition « Le principe de plaisir » entend aider les surréalistes tchèques et slovaques à trouver la juste frontière entre le fantastique proliférant et les vraies trouvailles surréalistes. Si le fantastique a une propension au « viscéral », au « répugnant » ou au « malsain », le principe de plaisir lui porte en effet la plus efficace des contradictions. Pourquoi alors les Pragois ne l'ont-ils pas entendu de cette oreille marcuso-freudienne ? « Le téléphone surréaliste Paris-Prague » est-il un malentendu total ? Certainement pas, sinon un important texte théorique comme « La plate-forme de Prague », pensé conjointement par Jean Schuster

| « La plate-forme de Prague », texte intégralement reproduit dans les pages qui suivent, n'a finalement pas été publié dans la ville qui lui donne son nom. À l'instar de certains protagonistes de la pièce d'Alfred Jarry, *Ubu roi*, que Prokop Voskovec a mis en scène à Prague dans les années 1960, son destin était de passer « à la trappe », parce qu'elle représentait un signe trop scandaleux de liberté.
Elle aurait cependant dû paraître dans une revue des surréalistes tchécoslovaques en préparation durant le printemps 1968 et qui ne vit jamais le jour : *Aura*.

et Vratislav Effenberger, n'aurait pu voir le jour. Petr Král estime qu'entre les deux groupes il en va au fond d'une « différence d'accent[12] ». Les Tchèques ont « peur des illusions », dit-il encore, et notamment de ce que leurs amis surréalistes de Paris portent alors très haut : Cuba, l'utopie fouriériste, la refonte radicale du monde. Mais on peut légitimement se demander si le surréalisme historique aurait pu se maintenir jusqu'en 1969 sans adhérer en particulier à la révolution cubaine, dans laquelle il trouvait jusqu'à un certain point une occasion de rencontre entre l'histoire et l'exigence poétique.

Ce qui a lieu à Prague, mise à part « l'exceptionnelle chaleur affective[13] » des rencontres entre surréalistes, c'est en fait le choc de deux contextes historiques très différents, qui confère par là même un sens différent au surréalisme, quand il se développe au bord de la Seine ou au bord de la Vltava, toute magique que soit la vieille cité des alchimistes.

Ces contradictions ne manquent pas de se retrouver dans l'exposition qui souffre au premier chef de ce qui fait l'originalité caractéristique des manifestations surréalistes antérieures : la mise en scène. Il y a eu de la part des surréalistes présents (tchèques et français) lors du montage de l'exposition de Prague une volonté « d'éviter le pur et simple accrochage de tableaux[14] ». Mais pour y parvenir au sein de la « très officielle et austère Galerie Nationale », où aucune modification d'ampleur n'était possible, le pari était difficile à tenir.

Puisqu'il leur a fallu d'emblée renoncer à tout projet trop sophistiqué, il serait par trop hasardeux de juger aujourd'hui de la réussite de ce qui a été entrepris par José Pierre, Nicole, Georges Sebbag, Claude Courtot et leurs amis tchèques pour faire de cette exposition un *événement* surréaliste. Leurs interventions se sont limitées à la fabrication de quatre entrées marquant le seuil de chacune des quatre salles de l'exposition. Pour la salle dévolue à « la violation de la loi[15] », une

12. *Du surréalisme et du plaisir, op. cit.*, p. 271.

13. « La plate-forme de Prague », *L'Archibras*, 30 septembre 1968, n° 5, hors série. À l'occasion de l'exposition, en avril 1968, une importante délégation de surréalistes se rendit à Prague : Micheline et Vincent Bounoure, Marguerita et Jorge Camacho, Martine et Claude Courtot, Simone et Adrien Dax, Nicole, José Pierre, Jean-Claude Silbermann, Georges Sebbag, Jean Schuster, Michel Zimbacca, auxquels il faut ajouter Dionys Mascolo.

14. Claude Courtot, *ibid.*

15. Et non « transgression » de la loi, qui la maintient tout en accordant une valeur au sentiment de culpabilité, comme on peut le constater chez Georges Bataille. Une allusion de Vincent Bounoure dans son texte « Au lever du rideau » signale cette volonté de marquer la différence avec l'auteur de *L'Expérience intérieure*. Cependant, la pensée anthropologique de ce dernier est aussi invoquée comme une ressource stimulante dans la contribution de José Pierre au catalogue *Princip slasti*, « Sifflera bien mieux le merle moqueur » (voir p 138).

Les surréalistes à Prague, en 1968, au Château étoilé. De gauche à droite : Micheline Bounoure et son fils, Claude Courtot, Petr Král, Nicole et José Pierre, Jean-Claude Silbermann, Vincent Bounoure.

barrière comportant un sens interdit devait être franchie. « La loi de la nuit » était matérialisée par un rideau constellé de clés. Les modifications apportées à deux anciens réverbères pragois tentaient de suggérer que la lumière de la « vérité automatique » est tout intérieure. Quant au « jeu », on pénétrait dans la salle qui lui était consacrée en poussant une grande carte à jouer réalisée par Nicole.

Il est certain que le résultat ne peut se comparer à ce qui avait pu être accompli grâce à Pierre Faucheux et à l'ensemble du groupe surréaliste à la galerie de L'Œil en 1965, à savoir un environnement total conçu avec la complicité des peintres et des écrivains. Cette demi-mesure, inévitable dans les conditions matérielles trouvées à Prague, ne fut pas jugée satisfaisante par Jean Schuster. Une polémique enfla même : de retour de Prague le 13 avril, il explique en privé que son mécontentement procède essentiellement de ce que l'exposition se montre trop conventionnelle sur le plan formel. Il l'aurait souhaitée plus combative et qui ne déméritât point de « L'écart absolu », *a fortiori* dans un pays si loin d'avoir pris la mesure de sa jeune (et brève) liberté. Aux yeux de Jean Schuster, ce serait surtout les œuvres de Juan Miró et de Enrico Baj qui faisaient l'essentiel de l'intérêt de l'exposition tchèque, où on retrouvait pourtant l'ensemble des jeunes artistes présentés à « L'écart absolu » et parmi les plus anciens (Wifredo Lam, Roberto Matta, Juan Miró), ceux qui continuaient à produire selon l'esprit du surréalisme. Étaient présentés : Enrico Baj, Jean Benoît, Jorge Camacho, Agustín Cardenás, Adrien Dax, Gabriel Der Kevorkian, Fabio De Sanctis, Henri Ginet, Konrad Klapheck, Robert Lagarde, Yves Laloy, Wifredo Lam, Roberto Matta, Juan Miró, Mimi Parent, Gina Pellon, Friedrich Schröder-Sonnenstern, Jean-Claude Silbermann, Hervé Télémaque, Jean Terrosian, Toyen. En somme, c'est seulement la dimension rétrospective des expositions surréalistes qui se trouvait là amputée, ce qui faisait de cette présentation un reflet tout à fait fiable de ce qu'on peut appeler légitimement le surréalisme vivant des années 1960. Ainsi, même les Miró exposés datent de 1965 ou 1966, le Lam de 1966 et un des Matta portant le même titre que l'exposition (sous-titre : « le poète Che Guevara ») est de 1967.

Quelque temps après le départ des surréalistes parisiens, au mois d'août, la pesanteur soviétique retombe violemment sur la ville, coupant cours à toutes les espérances du « socialisme à visage humain » et confirmant par la même occasion que la revendication du « principe de plaisir » présentée par l'exposition des surréalistes conserve toute sa pertinence anti-autoritaire et utopique. Lorsque les surréalistes enregistraient en février 1968 un « Journal parlé[16] » destiné à marquer la clôture des manifestations de Prague, ils ne pouvaient pas se douter qu'en prenant alors parti pour Cuba, ils cautionnaient en fait un régime qui allait justifier l'invasion soviétique de la Tchécoslovaquie. Comme on l'a vu, ils perdirent du coup toute la confiance qu'ils pouvaient placer dans une révolution, dont ils avaient d'abord, avec beaucoup d'autres, reconnu la réelle originalité.

Cette nouvelle crise de l'idée révolutionnaire qui se noie dans les discours de Castro à La Havane et qui brûle avec Jan Palach à Prague retire les dernières raisons d'espérer encore du surréalisme historique, d'autant plus qu'à la fin de l'été 1968, le Mai français a montré bien des signes d'essoufflement.

16. Jean Schuster y fait une attaque en règle du gaullisme et salue l'étudiant (Daniel Cohn-Bendit) qui a eu la belle inconvenance que l'on sait en rappelant à un ministre que son expertise bureaucratique du milieu étudiant était restée aveugle à la question des rapports sexuels. Le principe de plaisir confirmait là sa parentèle avec la jeunesse mutine.

Entrée de l'exposition « Le principe de plaisir ». Les mots *Princip slasti* sont inscrits sur un panneau de sens interdit qu'il fallait franchir pour pénétrer dans la galerie d'art (Prague, 1968).

LETTRE SUR L'EXPOSITION « LE PRINCIPE DE PLAISIR »

Datée du 4 juillet 1967, une lettre collective informe les surréalistes de Tchécoslovaquie des raisons du choix parisien de la thématique du plaisir pour l'exposition qui doit, selon le projet initial, s'ouvrir à Bratislava, puis à Prague et Brno. Comme l'explique Claude Courtot dans une communication lors du colloque de Royaumont intitulé « *Du surréalisme et du plaisir* », la réaction à cette lettre va être très différente de Bratislava, où l'accord est total, à Prague, où les réticences sont d'abord nombreuses. En vue de négocier les conditions de mise en œuvre de l'exposition, Claude Courtot part en août 1967 pour la Tchécoslovaquie afin d'y rencontrer d'abord Albert Marenčin à Bratislava, puis Vratislav Effenberger à Prague, en faisant en outre une étape pour rendre visite à Adolf Kroupa, le directeur de la maison des Beaux-Arts de Brno, depuis longtemps fin connaisseur du surréalisme.

« **L'exposition surréaliste** qui doit s'ouvrir en décembre 1967 à Bratislava (et vraisemblablement à Prague et à Brno) prendra pour thème "Le principe de plaisir". Le choix de ce thème nous a été dicté par les conditions particulières dans lesquelles s'est manifestée l'activité surréaliste en Tchécoslovaquie. Nulle part, en effet, la convergence souhaitée par le surréalisme entre la révolution sociale et la révolution poétique ne paraît avoir été mieux entendue. Aux pires périodes du stalinisme comme auparavant du nazisme, l'influence du surréalisme n'a cessé d'imprégner clandestinement la vie spirituelle en Tchécoslovaquie au point que, dès les premiers signes dits de "dégel", cette influence est apparue au grand jour.

Il faut se garder cependant d'un optimisme excessif. Si la revendication de la liberté d'expression en Tchécoslovaquie prend naturellement les couleurs du surréalisme, cela ne va pas sans quelque confusion. D'une part, les adversaires naturels du surréalisme n'ont pas pour autant désarmé, il s'en faut. D'autre part, la réaction qui a suivi normalement l'affaiblissement des positions du réalisme socialiste se traduit par un appel plus ou moins désordonné et sincère aux forces du subconscient, entraînant là-bas plutôt une floraison de peintures et de sculptures fantastiques – volontiers de l'ordre du morbide – qu'un renouveau surréaliste à proprement parler.

Celui-ci n'en demeure pas moins en puissance, ainsi que le prouvent divers témoignages indiscutables. Dans une telle situation, notre rôle doit être d'aider nos amis tchèques et slovaques contre l'adversaire idéologique et de contribuer à ruiner les séductions d'un irrationnel de pure surface. Telle est la raison du thème choisi. "Le principe de plaisir", en mettant l'accent sur le rêve, le jeu, l'érotisme, le vagabondage psychique et physique (automatisme, délire, folie), la transgression, l'art de jouir, le langage sensuel ou l'alchimie au détriment des contraintes sociales, politiques et religieuses en général et plus particulièrement de celles qui ont cours dans l'univers post-stalinien, a le mérite de conférer à notre intervention une signification dynamique d'autant plus nécessaire qu'aujourd'hui en Tchécoslovaquie le surréalisme (au moins d'avant la dernière guerre mondiale) est sans doute mieux connu qu'ailleurs.

"Le principe de plaisir", on ne peut plus opposé aux moroses délectations du viscéral, du répugnant et du malsain, nous paraît en mesure d'exalter chez chacun des participants ce qui le requiert le plus profondément et, du même coup, sa contribution la plus spécifique à la vie du surréalisme. Mieux que par de longues considérations théoriques, la preuve flagrante de la vitalité du mouvement peut être apportée au public tchécoslovaque par l'exposition proprement dite en même temps que l'affirmation de ce qui distingue le surréalisme de la prolifération internationale du fantastique.

Afin qu'aucun doute ne subsiste, les textes réunis dans le catalogue auront pour fin de commenter l'orientation générale et ses implications dans l'ordre poétique et artistique comme dans l'ordre moral et social.

Aussi nous a-t-il paru de la plus grande importance que, pendant toute la période d'élaboration de cette manifestation, un contact très étroit soit maintenu entre écrivains et peintres, le sens de l'entreprise risquant de se voir affaibli si une parfaite adéquation des efforts n'était obtenue. Ceci, qui était vrai des précédentes expositions surréalistes et notamment de « L'écart absolu », l'est encore davantage cette fois-ci…
L'approche des vacances, jointe aux délais nécessaires à la traduction en slovaque et en tchèque des textes du catalogue, nous oblige donc à vous demander :

1) de situer la participation que vous envisagez à cette exposition selon la distribution en quatre secteurs adoptée pour des raisons d'organisation :
– La violation de la loi (Camacho, Der Kevorkian, Ginet, Lam..)
– La loi de la nuit (Benoît, Parent, Toyen…)
– La vérité automatique (Alechinsky, Dax, Lagarde, Matta, Silbermann…)
– Le jeu (Klapheck, Télémaque, Terrossian…)
Il va de soi que les noms énumérés plus haut le sont à titre purement indicatif, et que la plupart ne se trouveraient nullement dépaysés en changeant de rubrique. Si cette répartition vous paraissait appeler des corrections ou des additions, vos suggestions nous seront précieuses à condition de ne pas perdre de vue que la distribution des œuvres doit commander la distribution des textes de présentation.

2) de choisir la *photographie* (ou, à la rigueur, un dessin) d'une œuvre déjà réalisée s'approchant le plus possible de ce que doit être votre participation (ceci au cas où les délais de fabrication du catalogue nous empêcheraient d'attendre la photographie de l'œuvre exécutée en vue de l'exposition, s'il y a lieu).

3) de nous fournir toutes indications, susceptibles d'aider à la rédaction des textes du catalogue, concernant ce que vous avez l'intention de proposer dans le cadre du "principe de plaisir".
Nous vous prions d'adresser ces divers documents avant le 15 juillet 1967 à :

José Pierre
2, rue Cournot
75 – Paris 15°

Amitiés surréalistes,

Vincent Bounoure
Claude Courtot
José Pierre. »

Surrealistický telefon Praha-Paříž

Le téléphone surréaliste Paris-Prague

« LE TÉLÉPHONE SURRÉALISTE PARIS-PRAGUE »

(EXTRAITS)

À l'automne 1967, la venue en France de Petr Král (né en 1941) était l'occasion de mettre en place ces échanges entre surréalistes de Paris et de Prague. Un lien physique et réciproque était dès lors renoué après l'initiative prise dès 1964 par Albert Marenčin du groupe de Bratislava et le voyage de Claude Courtot durant l'été 1967. Mais rétablir cette ligne magnétique entre l'Est et l'Ouest ne visait pas à donner l'illusion d'une totale communauté de vues. Un appel d'air venu de France était vital pour le groupe pragois. Pour le groupe parisien, l'enjeu était d'un autre ordre. La confrontation avec des hommes et des femmes à l'expérience historique singulièrement éprouvante représentait un péril dans un contexte où les difficultés à faire entendre la parole surréaliste étaient tangibles en France comme à Cuba. Comment le surréalisme s'était-il maintenu à l'Est dans une situation de détresse ? A-t-il en somme tenu le coup devant la voix impérieuse et assourdissante de la ligne générale stalinienne ? On comprend que les modalités de cette communication entre Paris et Prague s'établissent sous le simulacre d'une conversation téléphonique : il convient de se donner le sentiment de la plus grande proximité tout en cultivant une amitié prometteuse. Les surréalistes tchèques interrogent leurs amis parisiens sur le principe de plaisir et son double, le principe de réalité (Gérard Legrand), mais aussi sur l'humour noir (Vincent Bounoure), le mythe (Philippe Audoin), l'érotisme (Annie Le Brun), les derniers mouvements artistiques en vogue à l'Ouest (Hervé Télémaque), le surréalisme d'avant et d'après guerre (Jean Schuster), et la contestation par les moyens de l'art (Jean-Claude Silbermann).

« **La manière** dont le surréalisme usait, dès le début, de se poser des questions à lui-même et souvent contre lui-même pour renouveler ses sources correspond à la signification qu'il adjuge à la dialectique. La ligne imaginaire entre Prague et Paris représente cette fois-ci une spécification de quelques opinions en rapport au thème de l'exposition "Le principe de plaisir" par laquelle la nouvelle création du groupe surréaliste parisien apparaît à Brno, Prague et Bratislava. Dans cet ordre d'idées, nous avons posé à nos amis de Paris avant tout des questions au-delà desquelles nous pressentons l'actualité du surréalisme et, en même temps, une problématique profonde, pleine de vives contradictions et d'impulsions importantes. Ces places vives et sensibles du surréalisme actuel ainsi que les points de vue particuliers ne peuvent naturellement être indiqués ici que très superficiellement. Nous sommes d'ailleurs convaincus que ce téléphone continuera à fonctionner à l'avenir.

Stanislav Dvorský
Vratislav Effenberger
Petr Král

Septembre 1967

Est-ce qu'à vos yeux la contradiction entre principe de plaisir et le principe de réalité vise à quelque forme cristallisée de suppression de l'un par l'autre, ou est-ce avant tout le caractère inspirant de leur corrélation dialectique qui vous importe ?

Gérard Legrand :
Sur le plan théorique, la suppression d'un des deux principes par l'autre ne saurait se concevoir que comme une suppression réciproque et dialectique (*Aufhebung*), condition de la synthèse introductrice à plus de liberté pour l'esprit, donc excluant toute fixité particulière. Cette suppression apparaît d'autant mieux seule possible que, ne l'oublions pas, "Le principe de plaisir" *répond* dans la dernière terminologie freudienne à l'instinct (ou pulsion) de vie, le principe de réalité à l'instinct (ou pulsion) de mort, et que les deux instincts (ou pulsions) sont véritablement à l'œuvre, en un entrelacement d'adversaires inséparables, dans tout ce que nous pouvons apercevoir, en l'état actuel de nos connaissances, du psychisme humain : "Même dans l'inconscient, toute pensée est liée à son contraire." (Freud)
Sur le plan poétique et plastique, la revendication qui consiste à mettre l'accent sur le principe de plaisir, revendication que le surréalisme a fait sienne, traduit le besoin de l'homme de réagir contre sa propre tendance à s'abandonner au seul principe de réalité. Cette revendication tend à rétablir d'abord un équilibre plus que menacé par les intrusions persistantes du rationalisme vulgaire et du positivisme dans le domaine de l'expression, où elles font régner platitude et misère. Elle ne saurait être interprétée comme substitution entière d'un principe à l'autre, laquelle amènerait la poésie et l'art à se perdre dans les sables d'une euphorie illusoire. Mais aussi, par ses caractères spécifiques, elle cherche dans une certaine mesure à *dépasser* la seule confrontation, en ce qu'elle a à la fois d'inévi-

table et de tragique, des deux principes, et à promouvoir un accroissement de conscience qui fasse échapper l'homme au retour obsédant du principe de réalité. Dans quelle mesure ? C'est là que le jeu irréductible des libertés individuelles et des possibilités créatrices doit pouvoir se déployer, pour se fondre, et reparaître en précipité dans l'élément fatidique que constitue la corrélation d'Éros et de Thanatos.

De quelle manière la différence entre le surréalisme d'avant guerre et celui d'aujourd'hui peut-elle être caractérisée et quels sont, actuellement, les problèmes les plus essentiels des recherches surréalistes ?

Jean Schuster :
Prenons l'image d'un fleuve dont les eaux mêlées seraient les activités humaines – et l'observateur peut tantôt les analyser pour distinguer les spirituelles des matérielles, tantôt les saisir dans leur unité pratique. Ce fleuve, indépendamment de la nature de ses eaux – de ses structures, dirait-on aujourd'hui –, suit la pente naturelle de son lit qui va de la source à la mer. Ici, l'image devient trompeuse : d'aucuns, fascinés par le sens de l'Histoire (et c'est chose assez nouvelle que cet hégélianisme primaire, de droite et de gauche, parlant un langage unique et purement pragmatique) tiennent le courant du fleuve pour irréversible : il est l'Histoire elle-même et sa progression irrégulière – parfois ralentie par le contre-courant mais fatale. D'autres – et les surréalistes – pensent que la pente naturelle ainsi admise est en vérité celle de la facilité que suit volontiers l'esprit humain. Le contre-courant n'est pas pour freiner la descente des eaux vers la mer mais pour renverser la pente[1]. C'est là le projet – et si l'on veut l'utopie surréaliste. La difficulté actuelle vient de ce que courant et contre-courant n'apparaissent plus comme aussi distincts qu'avant la seconde guerre mondiale. Certaines propositions surréalistes – autrefois irrecevables, voire scandaleuses – sont entrées dans les mœurs, dans le courant : l'insolite fait recette en peinture, le scabreux, l'onirisme ou la provocation sont les ingrédients de la nouvelle littérature, un pseudo-radicalisme politique favorise les carrières. Il s'agit naturellement d'un détournement par la forme et le succès temporaire des illusionnistes qui le pratiquent, s'il ne laisse pas d'être irritant, est en fait la preuve que rien d'essentiel n'est altéré. La dénonciation de cette manœuvre de récupération, par le retour à l'idéologie plutôt que par la polémique, est nécessaire mais nullement suffisante. Vitale est la création d'œuvres individuelles qui, se retrouvant d'emblée dans un contre-courant plus clandestin, l'alimentent et lui prêtent une nouvelle vigueur. Le problème, aujourd'hui, est seulement dans le mode d'affirmation et non dans ce qui est à affirmer.

1. Changeons d'image : « On sait, par exemple, que si l'on renverse l'arbre en dirigeant ses racines vers le ciel et en enfonçant les rameaux et les branches dans le sol, les premières poussent des feuilles, des boutons, des fleurs et les seconds deviennent racines. » (Hegel)

"Le surréalisme n'essaie pas de définir ce que sera l'homme à venir ni de peindre le paysage du futur paradis... il estime indispensable de procéder à l'analyse critique des formes actuelles de la société et, par leur contestation, de susciter l'éruption violente de tout ce qui dans l'individu... reste aujourd'hui à l'état de virtualité." (La Brèche *n° 7, 1964.) À l'occasion de l'exposition de la création des peintres du groupe parisien on devrait se rappeler quelle participation sur cette intervention critique peut avoir, d'après votre avis, une expression poétique ou plastique en considération des moyens spécifiques de l'art auxquels cette expression en est plus ou moins réduite.*

Jean-Claude Silbermann :
On ne découvre, on ne force jamais ses profondeurs que par instants. Quel peintre, quel poète n'a rêvé de pouvoir s'en tenir, une fois pour toutes, au chant, au tracé allègre et varié de qui s'abandonne à l'exubérance ?
Mais le spectre de la culpabilité règne sur la vie. Les relations entre les hommes ne semblent avoir pour principal *mobile* que de taire et de déguiser, sous une prudence angoissée, une parcimonie honteuse et une patience faite d'accommodements, un désir de châtiments et une soif de salut qui autorisent, qui perpétuent des mœurs féroces tout entières soumises à la loi immonde de l'argent et de la domination. Ne montre-t-on, ne trahit-on ses profondeurs que par faiblesse ? Quel poète, quel peintre n'a été tenté de s'en tenir, une fois pour toutes, au silence orgueilleux de qui sait garder un secret ? L'utilisation de l'euphémisme, porté au contresens, à laquelle ont recours nombre d'expressions de cette époque pour désigner ce qui la caractérise, est révélatrice de cette culpabilité qui, parce qu'elle est inavouée (et inconsciemment chérie), institue la peur des mots, c'est-à-dire de la pensée. Aujourd'hui, on ne dit plus : guerre, on dit "pacification" ; on ne dit plus : capitalisme, on dit "société de consommation" ; on ne dit pas : aventure intellectuelle, on dit "activité culturelle" ; l'équilibre de la terreur s'appelle "coexistence pacifique", et moyennant quelques variantes de factures, le jdanovisme s'intitule, non sans nostalgie, "art engagé"... De tels *ersatz* de mots, dont il serait salubre d'opérer, en annexe au *Dictionnaire des idées reçues*, le recensement, recouvrent en fait tout le contraire de ce qu'ils prétendent désigner. Ils ont pour tâche d'émousser les problèmes et de donner ainsi, à ceux qui les emploient comme à ceux qui les reçoivent, l'illusion de la liberté. Faire justice de cette falsification générale des signes, telle est l'ambition pressante du surréalisme.
S'il n'est pour cela besoin de recourir à l'arme, sans portée en art, du didactisme critique, trop soumis à ce qu'il entend dénoncer pour que jaillisse sur son passage quelque éclair d'évidence, disons, en termes de stratégie élémentaire, que les moyens les plus percutants sont parfois ceux-là même qu'emploie l'adversaire, détournés des buts qu'il leur assigne et forts de l'élan qu'il leur donne.
En tout état de cause, ce serait gravement se leurrer de croire que le surréalisme, en vertu de je ne sais quelle protection que lui conférerait son passé sacrilège, se trouve à l'abri de toute utilisation lénifiante de ses façons et de

toute interprétation dérisoire de ses fins. Il faut se garder avant tout de ce que des moyens employés par le passé, dans un esprit ironique et cinglant (je pense principalement aux matériaux des collages de Max Ernst et de Štyrský ainsi qu'aux différents procédés de la peinture académique), ne fassent aujourd'hui, de la part de certains de ceux qui se réclament du surréalisme, l'objet d'un goût particulier, masquant mal, sous le sérieux artistique et le mépris avoué de toute forme nouvelle, une volonté satisfaite de la routine.

En ce qui regarde le fond nous n'avons pas le choix : la volonté de chant, l'exigence de silence, c'est de leur tension, exaspérée, que jaillit toujours la lumière. Elle brille, plus proche pour certains du chant, pour d'autres du silence. Il s'agit de refuser les confidences qui divertissent, rassurent et consolent. Il s'agit que chacun de nous, se gardant au départ, sur ce point, jusque de l'assentiment de ses amis, rallie à ses risques et périls ce lieu de toute solitude où il ne maîtrise plus les cris qui lui échappent.

Il y a des cris qui sont à s'y méprendre semblables à des rires, il y a des rires qui se convulsent sur les lèvres de qui annonce de "bien mauvaises nouvelles".

"Ô bouches l'homme est à la recherche d'un nouveau langage[2]". C'est d'une langue sacrée qu'il s'agit, riche de toute l'innocence dispendieuse et charnelle du monde. »

2. Guillaume Apollinaire, "La victoire".

Vratislav Effenberger et Claude Courtot dans le Parc du Château étoilé (été 1967), lieu qu'évoque André Breton à la fin de *L'Amour fou*.

« PRAGUE AUX COULEURS DU TEMPS »

Rédigé entre décembre 1967 et janvier 1968, ce texte constitue une sorte d'état des lieux de la vie culturelle en Tchécoslovaquie au seuil de l'année 1968. D'abord destiné par les Tchèques à leurs amis parisiens pour les mettre au fait de la situation qu'ils vont trouver quelques mois plus tard, il va finalement être publié dans *L'Archibras* n° 6 en décembre 1968 avec un préambule précisant que les événements du mois d'août ont rendu « purement historiques » certains aspects de ce portrait. Le groupe pragois était composé en 1968 de Vratislav Effenberger, Petr Král, Stanislav Dvorský, Ivana Spanlangova, Jarostlav Hrstka, Ludvík Šváb, Prokop Voskovec, Nadia Tronnerova, Sbynek Havlícek, Roman Erben, Mikulas Medek, Joseph Istler, Emila Medkova, Karel Sebek, Alois Nozika. Animateur essentiel du groupe après la mort de Karel Teige (1900-1951) rencontré en 1945, Vratislav Effenberger (1923-1986), à la fois poète et théoricien, a poursuivi les activités surréalistes clandestines après le coup d'état de 1948 comme après l'écrasement du Printemps de Prague. En intitulant ce texte « Prague aux couleurs du temps », il ne pensait certes pas avec ses jeunes amis que le temps allait se faire si vite menaçant.

« 1) **Après la pluie**

Il y a tout juste vingt ans qu'eut lieu à Prague une "Exposition internationale du surréalisme" (novembre-décembre 1947). C'était durant la brève période qui fut marquée en Tchécoslovaquie par un inventaire des idées, mené de manière intensive (soirées de discussions, formation de groupes, etc.) Les années de guerre avaient entraîné une paralysie de la vie culturelle et on se trouvait devant une situation particulière : paradoxalement, le ciel était nettoyé, car on découvrait l'étendue d'une crise de conscience générale ; les illusions tombaient ; cette époque était un nouveau *crépuscule des idoles.* Plus il était difficile de s'orienter dans la situation nouvelle, plus la polémique idéologique aurait dû être rigoureuse et féconde, si elle avait pu venir à maturité. Mais tout fut brutalement arrêté par l'avènement du stalinisme, par la campagne contre "l'art perverti", puis par l'extirpation du "formalisme monstrueux". Nous nous trouvons aujourd'hui dans une situation où, après un long sommeil, des voix différentes peuvent à nouveau, depuis quelques années, se faire entendre. Par où Prague en novembre 1967 diffère-t-elle de Prague en novembre 1947 ? Qu'y a-t-il de changé, depuis 20 ans, dans la sphère intellectuelle ?

2) **20 ans**

L'aptitude des groupes de 1947 à développer leurs propres conceptions relèverait d'explications plus détaillées. À cette époque, des indices permettaient d'augurer des regroupements autour de certaines idées ; maintenant, notre situation à cet égard est beaucoup plus obscure. La tendance à former des groupes est certes assez forte, même aujourd'hui, mais elle reste presque entièrement formelle ; leur cohésion intérieure n'offre presque aucune résistance, car elle n'est pas fondée sur une communauté de principes, mais le plus souvent sur des occasions de publication collective. De plus, les différents cercles d'après guerre partaient encore pour la plupart de la situation des années 1930 : il s'agissait de renouveler en bloc les anciens modèles, bien qu'on parlât beaucoup d'examen critique du passé. La renaissance présente de la vie culturelle, après un vide de 20 ou 30 ans, subit naturellement les influences les plus diverses, notamment celles de l'Europe occidentale qui ne trouvent cependant pas ici un sol préparé. Il est devenu inutile de réfléchir sur les années 1950 : le réalisme socialiste a disparu et c'est sur d'autres terrains que depuis longtemps se situent les vrais fronts. On peut distinguer plusieurs courants aujourd'hui dans la vie intellectuelle pragoise. Il y a d'abord le camp désorganisé des représentants du stalinisme culturel qui s'efforcent tant bien que mal de moderniser leurs formules, bien qu'ils soient les moins aptes à engager une polémique à propos des questions contemporaines. À l'opposé, on rencontre quelques philosophes et spécialistes, marxistes, qui se consacrent exclusivement aux procédés modernes de recherche dans les sciences humaines et les arts : psychanalyse, structuralisme, etc. Les représentants de cette tendance sont peu nombreux mais remarquables par leur érudition et leur personnalité. Enfin beaucoup plus nombreux sont les partisans d'une sorte d'"éclectisme moderniste", totalement dépourvu de contenu idéologique (toute idéologie est naïvement assimilée au stalinisme) : même s'ils font parade d'une problématique philosophique, pour la plupart, ils ne sortent pas de la création "décorative" ni d'un esthétisme fidèle au goût du jour.

3) Boutique aux baleines

Dans ces conditions, le seul élément "vivifiant" de développement intellectuel est constitué par *la mode*. Il faut à tout prix marcher au même pas que les autres. Rien de ce qui se fait dans le monde qui nous entoure – fût-ce la manifestation la plus superficielle – ne doit laisser indifférent. On éprouve ici une peur angoissée de ne pas être actuel. Le provincialisme, si caractéristique de la culture du pays dans le passé – seuls quelques personnages exceptionnels (F. X. Salda, L. Klíma et d'autres) et naturellement tous ceux qui formaient l'avant-garde de l'entre-deux-guerres ont réussi à ne pas en être atteints –, ce provincialisme ne fait aujourd'hui que revêtir un nouveau masque. On n'a plus 50 ou 100 ans de retard sur les transformations de la pensée et de la sensibilité en Europe, mais on admire lamentablement la "houle" qui agite la surface des bourses d'art mondiales pour en reproduire le mouvement le plus promptement possible sur une petite mare aux canards locale.

4) À prix réduit

Le refus de l'idéologie est aujourd'hui aussi bien le fait d'une partie de la jeunesse qui promène un front pur de la messe aux happenings et vice versa, que de beaucoup de lettrés renommés. C'est la « peur de la liberté » qui se reflète ici ou, plus précisément, une notion dégénérée de la liberté dans laquelle on ne voit plus qu'une porte pour laquelle chacun peut en privé se procurer une fausse clef. Le discrédit des critères idéologiques, qui résulte de leur vulgarisation dégradée, n'a pas été reçu comme une invitation à les *revaloriser*, mais la plupart du temps, comme un ordre donné à des écoliers, quand une leçon n'a pas lieu, de fuir l'école en masse…

5) La pensée n'est pas une belle grenouillère

La notion d'*idéologie* est devenue une notion repoussante et est interprétée, le plus souvent, de façon expressément péjorative. Ceci est le fait d'une pensée formaliste par excellence ! Est-il donc si facile de renoncer à la signification originale des mots ? D'autre part, est-il vraiment possible de se résigner à ce que l'activité créatrice ne s'exerce que dans les coulisses d'un théâtre dont la scène est vide ? Chaque conception ou méthode créatrice doit défendre d'une manière quelconque sa légitimité dans le monde où elle entre et avec lequel elle « règle ses comptes ». Mais chaque démonstration de cette légitimité – qu'aucune conception artistique ne peut éluder si, bien entendu, elle n'entend pas se borner à "battre la campagne" – est en même temps la détermination de la *signification* non seulement de l'art, mais aussi de la vie. C'est dans ce rapport entre l'expression artistique et la réalité de la vie que réside l'intentionnalité la plus élémentaire, souvent purement intuitive, pour se développer en système de conception du monde. C'est seulement quand cette évidence sera comprise plus généralement que la création pourra être évaluée à sa valeur comme *communication* et estimée selon sa profondeur comme découverte ; ce but ne peut être atteint que grâce aux luttes entre différentes conceptions, luttes qu'on cessera de mépriser quand le "public" sera las des "attractions" dont on le divertit ; quand, au milieu du vide, il se rendra soudainement compte qu'il est à bout de patience.

6) Une passoire pleine d'eau

Certes, aujourd'hui nous sommes dans une telle situation qu'on accueille avec joie chaque variation de menu, dût-on nous présenter des conserves dont la date limite de consommation est depuis longtemps échue. Ainsi il n'est pas surprenant que des personnages comme Aragon, Ehrenbourg ou Sartre (pour ne rien dire de Simone de Beauvoir) jouissent encore d'un crédit relativement haut...

7) Les pralines de l'éducation sentimentale

... Et cela n'est pas par hasard qu'on met en vedette Erich Fromm dont la "néo-psychanalyse", se perdant en humanisme abstrait et en apologie de l'amour chrétien, s'accorde à merveille avec le sentimentalisme pathétique des Pierres-et-Lucies dont on abrutit la jeunesse depuis des années déjà, sous prétexte d'éveiller sa sensibilité.

8) Avec le râteau contre les fantômes

Par contre, des auteurs comme Bataille, Péret ou Roussel restent pratiquement inconnus. En revanche, il n'est pas de petit roman queneauesque qui ne soit publié sans difficultés, toute fantaisie vianesque est applaudie. La politique de l'édition est, en général, très révélatrice de l'état de la pensée. On peut ici parler du cas de Teige. Si la publication de son œuvre est retardée, ce n'est pas seulement parce que ceux qui se sont le plus "distingués" dans les années 1950 se sentiraient moralement compromis par lui, c'est aussi parce qu'il y a indifférence de la part des autres, pour des motifs divers. Il est évidemment plus facile de s'acquitter envers Teige, si celui-ci reste un simple nom, si son œuvre reste en grande partie inconnue.

9) J.V. Djougachvili et Pierre Restany

C'est qu'ici se produit un phénomène paradoxal mais très significatif : les survivants du stalinisme culturel qui cherchent aujourd'hui à officialiser un éclectisme moderniste sans prétentions, visent objectivement les mêmes buts que les éclectiques modernistes du type Restany qui cherchent à abuser de la monopolisation publicitaire pour supprimer leurs adversaires par la voie administrative. Théoriquement, ces deux groupes illustrent le désaccord entre tenants de l'art engagé et tenants de l'art pour l'art, désaccord apparemment insurmontable. Apparemment seulement, car ils ont objectivement en commun *le manque de conscience critique*, la réception passive, l'épigonisme, la soumission aux règlements officiels ou à la mode, c'est-à-dire le recours à la facilité. Incapables de développer la conscience critique dans l'ordre de la création irrationnelle, les uns et les autres réduisent l'art à un pur camouflage décoratif qui masque le vide spirituel et l'intérêt matériel.

Tel est l'un des fronts où se livre la bataille artistique à Prague.

10) Rien que néant

Il est évident que dans de telles conditions, la catégorie, vivante jadis, des créateurs non conformistes et indépendants, a presque disparu. Au lieu de tenir tête à la décadence contemporaine en l'affrontant de manière critique, en prenant ses responsabilités, on présente comme le meilleur "atout" la fausse carte de la résignation laquelle, en dépit de ses origines très diverses, est toujours payante. Des philosophes tirés à quatre épingles répètent, sous les applaudissements (pour la plupart machinaux) du public, leurs sauts périlleux dans le néant ; néant qui semble, à juste titre d'ailleurs, plus séduisant qu'une difficile lutte idéologique, même aux yeux de quelques-uns qui, récemment encore, se sentaient des dispositions surréalistes. Pendant que les uns se mirent maintenant avec complaisance dans les miroirs de poche du scepticisme ou du langage érigé en valeur absolue, fermement déterminés à ne pas se souiller au contact de la réalité désolante, les autres se sentent déjà attirés vers de semblables déserts – il s'agit cette fois de l'éternité – par le "fifre du pasteur" qui enseigne l'humilité religieuse devant le monde insaisissable. Il n'est pas surprenant que ce soit précisément ces partisans des spéculations philosophiques fondées sur une foi naïve en l'Absolu (serait-il nihiliste) qui prennent la psycho-idéologie concrète du surréalisme pour une manifestation attardée du romantisme naïf – comme si le romantisme comportait des "œillères". Non, la race des aristocrates de l'esprit n'est pas encore éteinte. Il en reste toujours, même parmi les poètes les plus jeunes, qui, fuyant le problème difficile de l'action dans le monde d'aujourd'hui, se réfugient dans la culture aristocratique et brémondienne du "mot pur", au sein de laquelle on voit le bruyant ingénieur Max Bense tendre la main au vieux T. S. Eliot.

11) L'être au néant

Ces jeux formalistes auxquels on plie la pensée ne sont pour la plupart que pure grimace. Fort de tout ce qu'il a appris, le plus souvent indirectement, de Heidegger, notre poète existentialiste commence à écrire 99 versions de la mélodie "je me cache dans un coin", mais, en vérité, rien n'est plus éloigné de son allure. C'est même avant d'avoir écrit les derniers mots de son réquisitoire dédaigneux contre la vie et le monde qu'il entreprend fébrilement le tour des salles de rédaction, afin de donner un effet très pratique à son dégoût de tout.

12) Les hémisphères d'aliénation de Magdebourg

Pour se soustraire au choix idéologique, on donne dans l'illusion "scientifique". Mais la science (qui nous intéresse avant tout dans la mesure où elle concerne l'anthropologie) n'est pas restée à l'abri du marasme et de la médiocrité intellectuelle contemporaine. S'adapter promptement au vent changeant de la mode devient, même en ce domaine, une loi pour tous ceux qu'un simple rajeunissement de la terminologie d'hier et un arrangement superficiellement scientifique de vieilles machines à levier doivent surtout aider – et aident véritablement – à obtenir des invitations pour les congrès à l'étranger et à grandir trompeusement leur propre renommée mondiale. Il s'agit là d'explorateurs mondains à peine dignes des opérettes de nos pères. L'édifice de la science reste, pour la plupart, un château de revenants. La réalité n'est pas appréhendée globalement (cette approche décourageante est peut-être un fait d'époque) et, dans ces conditions, l'espoir est faible de voir naître à brève échéance une nouvelle *interprétation* du monde, plus profonde et plus féconde. Naturellement, il est plus habile de profiter des demi-résultats de recherches passées pour tenter d'en faire les supports d'abris intellectuels, de confortables refuges théoriques... Et ce qui est le plus effrayant, c'est l'affichage du progrès des travaux à chaque coin de rue. Ainsi il est possible d'apprendre la technique de l'amour par cours radiophoniques, de la même manière que le russe – avec de non moindres résultats ! Et on ne manquera pas de trouver dans la bibliothèque du lettré contemporain, outre les best-sellers du Nouveau roman et les livres d'Heidegger, encore non coupés, l'œuvre de l'atomiste important sur la beauté, le sens de l'art, etc.

13) Sans garantie

Il serait inexact de dire que la situation est obscure et compliquée. Car ce serait presque une sorte d'excuse pour tous. Quelques événements superficiels de la vie intellectuelle suffisent à révéler ce qui se passe en profondeur. Il est plus que probable d'ailleurs que nous pourrions observer les mêmes phénomènes (à quelques variantes près) partout. Cette situation n'est pas particulière à Prague et à la Tchécoslovaquie. Les difficultés commencent à partir du moment où nous refusons de nous contenter du déclin général du jugement et des gestes hystériques sur fond blanc, seuls résultats apparents de la détente culturelle, et quand nous décidons de chercher dans l'actuelle "foire des arts" des éléments susceptibles d'apport à longue échéance, un renouveau.

14) Entre les barrières

Il est *a priori* suspect qu'on mise plus volontiers sur les favoris de l'actuelle saison qu'on ne fait crédit au développement continu d'une conception créatrice déterminée. Ceux qui, jusqu'à présent, défendaient le "théâtre absurde", se battent maintenant de nouveau pour le bâton noueux de Stanislavski ; dans les arts plastiques, nous voyons les chefs de "l'école non-figurative post-surréaliste" – dont l'attention fut attirée par la prospérité des dérivations pop-artistes du surréalisme – de nouveau passer en fraude des machines à coudre dans leurs tableaux ; enfin les apôtres du film-vérité se relèvent de la boue, portés par les ailes d'un avant-gardisme de coupe polonaise (Vera Chytilova : *Les Petites Marguerites*).

15) Pour avis

À la différence de cette inspiration avant-gardiste polonaise, un genre de création vraiment neuf et subversif a commencé de se manifester dans le film tchèque contemporain ; peu de place y est faite à l'originalité formaliste. Il ne s'agit pas même d'une offensive de l'imagination. Mais ce genre de films pourrait être d'une salubrité merveilleuse en renouvelant la conscience de réalité dont l'imagination tient au rapport dialectique qu'elle entretient entre les composants conscients et inconscients. Nous pensons aux premiers films de Miloš Forman, qui ont sans aucun doute échappé aux directives des producteurs et qui diffèrent en ce sens d'une façon éclatante du reste de la production du pseudo "jeune cinéma" local.

L'Avant-Scène Cinéma n° 60 (juin 1966) met en vedette le film de Miloš Forman sorti en 1965 : *Les Amours d'une blonde.* Les ouvrières de l'immense usine de chaussures filmées par Forman fabriquaient-elles en rêve ce modèle très singulier que les surréalistes tchèques ont choisi pour illustration de la revue *Analogon*, que nous reproduisons dans ce chapitre p. 169 ?

16) Jeux au fleuret dans l'obscurité

En ce qui concerne le surréalisme, il est impossible de ne pas remarquer, à certains signes extérieurs mais assez spécifiques, que sa situation est ici très différente de ce qu'elle peut être en France et ailleurs. L'absence de toute publication pendant plus de 20 ans fait qu'aujourd'hui "partisans" et adversaires du surréalisme se divisent selon des manières de voir pour le moins schématiques. Ceux qui constatent, petit à petit, qu'ils peuvent de nouveau se réclamer de l'amour de leur jeunesse, acceptent et admirent le surréalisme dans la stricte mesure où il n'altère pas l'idée qu'ils s'en sont formée une fois pour toutes, il y a trente ans. D'autres, adversaires du surréalisme, peuvent être irrités (ils prononcent assez nerveusement le mot "anachronisme") par sa version teigiste, en partie connue. Et cela, d'une part parce qu'ils ignorent le contexte historique qui permettrait de comprendre comment la conception marxiste du surréalisme de Teige était liée à la situation des années 1930, d'autre part parce que cette version teigiste qui est ici pratiquement la seule source d'information accessible sur le mouvement surréaliste est intentionnellement généralisée et présentée comme le dogme auquel toute activité surréaliste, passée et présente, devrait être réduite. Bien que ces derniers temps ce manque d'informations ait été quelque peu surmonté, c'est seulement de l'édition tchèque de *L'Histoire du surréalisme* de Nadeau (sous presse) et des *Vingt ans du surréalisme* (1939-1959) de J.-L. Bédouin (pour le moment, "l'Armée du Salut" a réussi à faire éliminer ce titre du plan de publication !), que l'on peut attendre une première moisson d'informations fondamentales, conditions nécessaires de toute discussion féconde.

17) Par la passerelle emportée

En revanche, peut-on mieux définir la situation *intérieure* du surréalisme en Tchécoslovaquie ? Ce n'est pas beaucoup plus aisé, semble-t-il. D'abord pour la bonne raison que l'activité des groupes surréalistes – ou quasi-surréalistes – si tant est qu'ils existent, hors de Prague, n'est pas jusqu'à maintenant très visible. Les dernières années ont naturellement accumulé une quantité de questions

En 1961, ce livre de Jean-Louis Bédouin (1929-1996), orné d'une couverture de Max Walter Svanberg, offre le panorama le plus complet sur 20 années d'activité du groupe surréaliste.

à discuter ; même si le rétablissement (encore un peu timide) des moyens de publication invite à des manifestations communes, celles-ci seraient sûrement prématurées tant qu'elles ne sont pas fondées sur un échange de vues plus profond. Ainsi la solidarité réelle ne peut se manifester que par la constitution d'une commune base de discussions. Il y a d'autre part la création de quelques auteurs plus ou moins isolés dont l'activité, du moins en partie, est proche du surréalisme, même s'ils ne s'en réclament pas toujours. Nous pouvons ainsi nous sentir directement concernés par les dessins médiumniques de Karel Havlícek, le journal intime fait d'enregistrements photographiques de Jiri Sever, l'humour "naïf" et très expressif d'Oldrich Wenzl, les jeux de mots et d'images de Ladislav Novák ou les recherches cinématographiques de Karel Vachek qui, après avoir réalisé quelques courts métrages, se voit d'ailleurs presque interdire toute activité...

Pourtant il serait vain de vouloir augurer dès aujourd'hui, en quelque sens que ce soit, les perspectives *futures* du surréalisme ici : on ne ferait qu'exprimer l'humeur du moment. Quoiqu'il ne soit plus impossible de publier, à Prague, certaines œuvres de Freud, Breton ou Teige (malgré quelques difficultés partielles et malgré la lenteur de l'édition), ni de consacrer au surréalisme des expositions thématiques, des émissions radiophoniques ou un cycle de conférences, le fait que ces occasions ne garantissent nullement une continuité de publications et de manifestations, restreint considérablement leur portée, jusque sur le plan de la simple information.

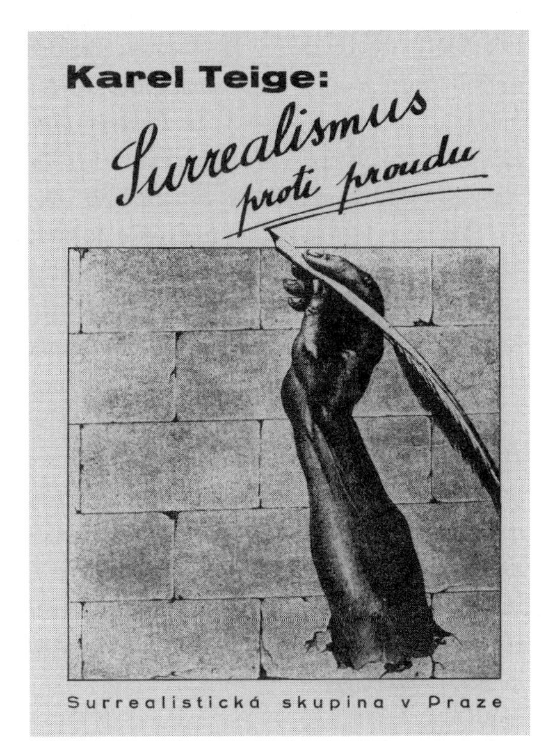

Karel Teige, *Le Surréalisme à contre-courant*, 1938. Ce livre marque la rupture de Teige avec Nezval et le Parti communiste : le théoricien tchèque se situe alors sur les mêmes positions que Toyen, Heisler et Kalandra. La couverture est la reproduction d'une œuvre de Teige.

18) La différenciation

… Des conceptions artistiques est théoriquement reconnue aujourd'hui et la confrontation des points de vue créateurs a même déjà été réalisée plus d'une fois – le plus souvent avec des résultats pitoyables, faute du préalable fondamental à chaque confrontation, c'est-à-dire faute de connaissances, mais aussi en raison de la confusion qui règne aujourd'hui dans le monde entier, sur tout ce qui concerne l'art.

On ne peut rejeter toute la faute sur la monopolisation administrative des moyens de publication. Cette monopolisation fut la conséquence de l'opinion officielle selon laquelle le marxisme, en tant que science de la vie sociale, renferme tous les critères pour apprécier la valeur des pensées créatrices s'offrant à la publication. Mais ce point de vue s'est peu à peu assoupli. Il subsiste un système de monopolisation qui s'oppose certes à la différenciation et à la confrontation des opinions mais dont le principe, par ailleurs, grâce aux vastes plans d'édition, facilite les publications dont le déficit économique autrement ne serait pas assumé. Il est dès lors probable que les clubs de discussion qui commencent de se former autour de quelques périodiques constitueront un progrès. Mais les perspectives les plus encourageantes sont évidemment celles qu'ont ouvertes, au seuil de l'année 1968, les événements assainissants que l'on connaît.

19) Relations animées

De février à mai 1968 se tiendra à Brno, Prague et Bratislava, l'exposition "Le principe de plaisir", préparée par Vincent Bounoure, Claude Courtot et José Pierre, exposition où doit être présentée, sous quatre thèmes principaux (la violation de la loi, la loi de la nuit, la vérité automatique, le jeu), une sélection des œuvres contemporaines du mouvement surréaliste. Le catalogue de l'exposition sera complété par un bulletin, « Le téléphone surréaliste Paris-Prague », où les organisateurs de l'exposition ainsi que Philippe Audoin, Annie Le Brun, Gérard Legrand, Jean Schuster, Jean-Claude Silbermann et Hervé Télémaque répondent aux questions que nous leur avons posées. Parallèlement à cette exposition, l'Académie socialiste de Prague va organiser un cycle de conférences sur "Le surréalisme et l'art" où seront abordés les problèmes de la création et de l'idéologie surréaliste hier et aujourd'hui.

Après des publications récentes (première édition intégrale des *Chants de Maldoror* ; série de textes publiés dans les 6 premiers numéros de la revue *Svetova literatura* sous le titre "Défenestrations surréalistes" ; le recueil *Poétisme* ; l'*Histoire du surréalisme* de Nadeau et un vaste recueil de textes d'André Breton) et succédant aux deux premières expositions du groupe surréaliste pragois UDS ("Les symboles de monstruosité", 1966 ; "Karel Teige. Du poétisme au surréalisme", 1967), l'exposition "Le principe de plaisir" représente un pas important dans la connaissance de la création et de la pensée actuelles du mouvement surréaliste.

D'autre part, divers ouvrages écrits par des membres du groupe UDS sont actuellement en voie de publication : *La Photographie dans le surréalisme, Créations plastiques du surréalisme*, à la maison d'édition Odéon ; *La Réalité et la Poésie*, à la maison d'édition Mlada Fronta ; enfin, aux éditions Cs. Spisovatel, le recueil *Point de départ surréaliste*, qui retrace l'histoire du mouvement surréaliste, notamment en Tchécoslovaquie, jusqu'à nos jours.

Par sa collaboration à la préparation de l'exposition "Le principe de plaisir", Prague, depuis longtemps l'un des foyers avancés du surréalisme, renoue pour la première fois depuis l'exposition internationale du surréalisme de 1947, un contact direct avec le groupe parisien.

Pour le mouvement surréaliste pragois :
Stanislav Dvorský, Vratislav Effenberger,
Petr Král, Ludvík Šváb. »

« JOURNAL PARLÉ SURRÉALISTE »
(EXTRAITS)

Le 15 février 1968, une dizaine de surréalistes se retrouvent au domicile parisien de Michel Zimbacca pour y réaliser l'enregistrement d'une émission radiophonique destinée à la Tchécoslovaquie. Les participants sont Jean Schuster, Vincent Bounoure, Claude Courtot, Micheline Bounoure, Jean-Michel Goutier, Giovanna, Alain Joubert, Michel Zimbacca et peut-être un ou deux autres membres du groupe. L'émission démarre sur la lecture du tract « Pour Cuba » par Jean Schuster. On y entend ensuite : des nouvelles brèves selon le principe de la rubrique « Ce qui est » de la revue *L'Archibras* ; une chronique féminine reprenant un texte de Joyce Mansour parue dans *Bief, jonction surréaliste*, n° 12, en avril 1960 ; des dépêches du monde de faux correspondants, vraiment spéciaux, dont on lira ci-après deux exemples ; une minute de cris contre le principe de rendement, sorte d'hommage à Marcuse et Artaud mêlés ; « la greffe du rêve », qu'on a retranscrite ici ; une page littéraire indiquant ce qu'il faut et ce qu'il ne faut pas lire ; des faits divers ; la lecture du *Décamérêve*, qu'on trouvera dans le chapitre sur Paris. Le tout émaillé de slogans et de maximes.

« Du Vatican, Claude Courtot nous communique :
Je dois hélas rassurer nos auditeurs sur l'état de santé du Pape qui pouvait inspirer des inquiétudes légitimes hier soir. On sait en effet qu'après la dure journée qu'il passa à boire, le matin du whisky avec son hôte officiel américain, et de la vodka l'après-midi avec un diplomate soviétique, on eut toutes les peines du monde à persuader le Saint-Père, excité comme un séminariste, de s'aller sagement coucher. Un de ses familiers lui ayant obligeamment proposé un comprimé pour apaiser ses maux de tête, le Pape refusa énergiquement : "Surtout pas de pilule !" Il tint ensuite des propos si décousus et si grossiers que son entourage dut se rendre à l'évidence : à n'en point douter le Saint-Père était ivre. De fait, il voyait double : il jurait qu'il y avait deux Christ au-dessus de son lit, le Christ capitaliste et le Christ socialiste ; l'un ressemblait à Spellman bénissant les cohortes d'assassins américains, l'autre avait la tête d'Evtouchenko à Fatima. La pensée que la Vierge avait pu mettre au monde des jumeaux lui donna le fou rire. Enfin il se livra à l'extravagance que nos auditeurs connaissent : il se précipita soudain vers une des fenêtres qui donnent sur la place Saint-Pierre, l'ouvrit et s'écria : "Vive la coexistence pacifique, nom de Dieu !" Il faisait nuit, la place était déserte, on entendit pourtant ses paroles et ce matin même on apprenait au Vatican que le Souverain Pontife venait de recevoir des invitations officielles à se rendre en Amérique du Sud et en Pologne, mais, par courtoisie, on ne faisait aucune allusion au blasphème. Le Pape, fatigué par ces exploits, consentit finalement à se mettre au lit.
J'appris ce matin que le Saint-Père avait passé une très bonne nuit et qu'il avait même fait un rêve assez étrange : il voyait des minarets pénétrer dans des porches d'églises. Comme je tentais de savoir quelle interprétation il convenait de donner au rêve papal, on me répondit que Sa Sainteté avait eu ses raisons d'interdire la psychanalyse dans les couvents, et qu'en tout cas le sens d'un tel rêve était évident : le Saint-Père jusqu'en son sommeil songeait à l'œcuménisme.

Extrait de la communication de Jean Schuster, de Paris :
[...] Le ministre de la Jeunesse et des Sports, sorte de play-boy pour crémières, s'est fait prendre à partie par un étudiant de Nanterre qui lui faisait remarquer que dans le "livre blanc" sur la jeunesse, publié sous sa responsabilité et présenté avec la modestie qui caractérise le régime comme un document d'exceptionnel intérêt, pas une seule ligne n'était consacrée aux problèmes sexuels. Réponse du ministre Missoffe : si vous avez ce genre de problèmes, il y a une piscine ici, allez vous y baigner. On reste ébahi devant une telle épaisseur de pensée et l'on comprend que l'étudiant, de nationalité allemande, lui ait alors administré une belle gifle morale en lui disant qu'il s'agissait là d'une réponse de type hitlérien. Après cet incident, la police est entrée à la Faculté de Nanterre, contre toutes les traditions en usage, pour y faire régner l'ordre...
Ainsi va la France en 1968.

La greffe du rêve

Il n'y a aucune raison de limiter aux organes les opérations de greffe pratiquées de plus en plus fréquemment sur les êtres humains. Nous proposons d'expérimenter la greffe du rêve, à réaliser bien entendu par un psychanalyste.

Il s'agira, pour celui-ci, de réunir un certain nombre de récits de rêves récents (frais), émanant d'individus différents et de choisir (ou de tirer au sort) parmi ces récits celui qui sera transplanté. Le sujet destiné à recevoir le rêve devra nécessairement l'apprendre par cœur, se livrer à une opération préalable d'assimilation. Puis il se soumettra à l'analyse, fera le récit de "son" rêve à l'analyste et répondra ensuite aux questions de ce dernier en fonction des caractéristiques de son propre moi. Cette expérience n'a aucunement pour but de mettre en cause la pratique psychanalytique. Elle ne saurait, par exemple, prétendre se substituer à l'analyse classique d'un rêve. Elle vise, au mieux, à retremper la psychanalyse dans un parti pris de *recherche* et d'*aventure* qui était, après tout, celui de son fondateur. Elle peut également révéler, à la longue, une série de signes intersubjectifs qui seraient de nature à faciliter encore le va-et-vient entre le monde intérieur et le monde extérieur. Elle risque enfin de perturber les fonctions psychiques de celui qui veut bien s'y prêter.

*

Il y a dans votre mythologie intérieure un rêve auquel vous attachez plus d'importance qu'à d'autres, soit en raison de sa fréquente résurgence, soit à cause de son retentissement affectif, soit parce qu'il vous paraît rendre compte d'une attitude essentielle de votre esprit.

Sa réalisation objective n'a pas eu lieu de votre temps. En quel lieu et en quelle époque de l'histoire passée ou future placez-vous cette réalisation. Pourquoi ?

*

Interroger, dans un café (ou au café, mais alors sous le voile de l'anonyme), douze personnes sur un rêve énigmatique noté au réveil de la manière la plus fidèle possible. Juxtaposer ces interprétations et en examiner librement le contenu à la lumière de l'événement nocturne. On se trouvera en face de prédictions agréables ou non, d'explications déprimantes ou exaltantes. Noter de 0 à 20 l'agrément que l'on prend aux réponses.

Après de nombreuses expériences, classer les rêves soumis à ces interprétations selon leur pouvoir de mobiliser l'attention. »

NÁRODNÍ GALERIE
PRAHA

Výstava současné tvorby pařížské surrealistické skupiny
na thema

PRINCIP SLASTI

Porušení zákona · Zákon nocí · Automatická pravda · Hra

Zahájení v úterý 9. dubna 1968 v 17 hod. v nové galerii sbírek moderního umění v Městské knihovně magnetofonovým komentářem k jednotlivým thematickým částem výstavy.

Závěrečný večer ve čtvrtek 2. května 1968:
Journal parlé surréaliste,
pořad připravený pařížskou skupinou.

V souvislosti s výstavou pořádá v malém sále Městské knihovny Lidová universita v Praze každý čtvrtek od 7. 3. do 18. 4. přednáškový cyklus **Surrealismus a Umění,** zaměřený k současné surrealistické tvorbě.

Carton de l'exposition « *Princip slasti* », (« Le principe de plaisir ») signalant le « Journal parlé surréaliste ». Le macaron est de Jorge Camacho.

Lisez / Ne lisez pas

LISEZ	NE LISEZ PAS
Teige	Nezval
Freud	Jung
Marcuse	Lukacs
Youli Daniel	Cholokov
Gombrowicz	Heidegger
John Lennon	Saint Exupéry
Genêt	Cocteau
Kubin	Robbe Grillet
Césaire	Neruda
Trakl	Rilke
Orwell	Ostrovski
Meyrinck	Malraux
Georges Bataille	Sartre
Huizinga	Foucault
Mabille	Teilhard de Chardin
Blanchot	Barthes
Peter Weiss	Brecht
Brodski	Evtouchenko
Lowry	Durrel
Gramsci	Garaudy
Darien	Camus
Panizza	Claudel
Dylan Thomas	Ezra Pound

Page littéraire du *Journal parlé surréaliste*, qui remet à jour les conseils de lecture déjà donnés par les surréalistes selon cette même formule pour le catalogue de la Librairie José Corti annonçant les publications surréalistes en 1931.

« LE PRINCIPE DE PLAISIR »
(EXTRAITS)

L'exposition « Le principe de plaisir » (« Princip slasti ») a d'abord ouvert ses portes à Brno le 18 février. Deux cents personnes assistent au vernissage : c'est un grand succès. Le groupe La Coste de Brno comprenant Arnost Budik, Jiri Havlícek, Joseph Kremlacek et Václav Pajurek, salue l'événement par un tract. Cette exposition se tient à Brno jusqu'au 17 mars, puis à Prague du 9 avril au 2 mai pour finir à Bratislava entre la mi-juin et le mois de juillet. Après deux longs exergues d'André Breton et de Karel Teige au sujet du principe de plaisir, c'est au texte écrit par Claude Courtot que revient la tâche de préciser le sens déboussolant que les surréalistes entendent lui conférer. Les textes suivants du catalogue, « Au lever du rideau » de Vincent Bounoure (non reproduit), « La fontaine de fortune » de Philippe Audoin et « Sifflera bien mieux le merle moqueur » de José Pierre indiquent comment l'exaltation de l'utopie, de la voie alchimique ou de la fête transgressive de l'art conduisent en 1968 le surréalisme sur les voies aventureuses du principe de plaisir.

Les surréalistes parisiens sont arrivés à Prague à partir du 5 avril 1968 pour se consacrer aux préparatifs matériels de l'exposition et surtout en améliorer quelque peu la mise en scène. Dans les jours qui suivent, ils participent à une soirée de cinéma, à des entretiens dans la presse (*Literární Listy*), à la radio, et certains prononcent des conférences. Jean Schuster, Dionys Mascolo et Michel Zimbacca n'arrivent à Prague que le 13 avril. Tous les surréalistes quittent la capitale tchèque le 16 avril.

« Claude Courtot

"Le bonheur n'est pas une valeur culturelle." C'est en ces termes que Freud dénonce l'opposition, à ses yeux irréductible, entre la civilisation (ou la culture – car Freud, à juste titre, ne fait point de distinction entre l'une et l'autre) et les aspirations les plus profondes de chacun d'entre nous. Qui contesterait en effet que, dans l'écrasante majorité des cas, la loi l'emporte sur le désir et le contestable mais contraignant *je dois* sur le *j'ai envie* sans cesse différé ?

Il est vrai que la civilisation trouve à bon compte quantité de prêcheurs borgnes expressément chargés de nous persuader non seulement d'obéir, mais d'exécuter avec joie les plus sordides tâches quotidiennes, et que l'humanité est toujours assez sotte pour se laisser prendre au piège des beaux sermons, considérant comme un inaliénable privilège la possibilité de choisir parfois encore, au banquet de l'existence, la sauce à laquelle elle veut être mangée ! Il arrive pourtant que les hommes n'aient pas envie ou la faculté de s'asseoir à cette table. Car après des millénaires de "civilisation", on parvient à ce brillant résultat qu'une bonne moitié de l'humanité ne mange pas à sa faim et que l'autre, qui ne manque pas même du superflu, n'a plus d'appétit ! ("La pauvreté en civilisation naît de l'abondance même" – Fourier.) La "racaille tonsurée" tire évidemment parti de cette constatation : cette terre est une vallée de larmes, l'homme est un perpétuel insatisfait, le paradis n'est pas de ce monde ! Tandis que d'autres bons apôtres s'emploient à nous faire accepter, en brandissant l'enfer d'hier, le réel purgatoire d'aujourd'hui, au nom d'un paradis pour demain, si hypothétique qu'aucune philosophie de l'Histoire ne songe sérieusement à le définir, avouant qu'elle en est incapable, tout en nous demandant de lui faire confiance… !

Assez de promesses ! Voici trop longtemps que l'histoire se confond avec celle de sa répression, trop longtemps que le principe de réalité opprime le principe de plaisir. Le surréalisme somme la civilisation d'avoir à renoncer *immédiatement* à son intolérable tyrannie. Qu'on y prenne garde, nulle force, et le temps moins qu'aucune autre, ne saurait nous mettre à bout d'*impatience* !

Affiche de l'exposition « Le principe de plaisir » réalisée par Jaroslav Hrstka.

Couverture du catalogue bilingue de l'exposition « Le principe de plaisir ». Il comprend en encart les textes en français des surréalistes parisiens et les échanges du « téléphone surréaliste Paris-Prague ». La brochure compte 26 pages avec de nombreuses illustrations en noir et blanc.

Car l'impatience qui nous anime aujourd'hui est aussi acérée qu'en 1924, aussi neuve qu'à l'origine des premières sociétés. Cette impatience est le danger permanent qui menace la civilisation, le rêve obsédant qui trouble un sommeil que la société voudrait de plomb comme la chape dont elle paralyse nos mouvements les plus spontanés ; cette impatience qu'on qualifie ironiquement, pour conjurer ses charmes, de "déraisonnable", et qu'ainsi l'on condamne en vertu d'une pétition de principe qui veut que la raison soit la valeur absolue, cette impatience, nous pouvons la saluer notamment chez Rousseau et Fourier, qui, sans s'être donné rendez-vous et par des voies différentes – qui passent toutes cependant par le Désir, celui qu'on éprouve ou celui dont on observe les pouvoirs – se retrouvent avec Freud au carrefour de *l'essentiel.*

Car l'essentiel, c'est *le singulier* ; c'est mon bonheur, ton bonheur, son bonheur, ce n'est jamais notre – votre, leur – bonheur-à-tous, qui n'êtes ni là ni au-delà. Je suis un vagabond de l'existence domiciliée, qui entends vendanger comme il me plaît les raisins imaginaires de mes vignes vierges. Ma patrie est celle que me désignent mes papillons voyageurs, les soirs d'été où ils cherchent un refuge frais dans les grandes fleurs exotiques. Mes jours sont tous des jours de fête et mes rêves dans la nuit se mêlent à ceux de ma femme endormie, enfants parfois plein d'humour, parfois cruels, enfants d'école buissonnière qui, avec un assez joli sens de la famille, se mettent à faire l'amour avec tant de violence qu'ils réveillent leurs parents qui n'ont plus dès lors qu'à les imiter… Je ne me reconnais d'autres lois que celles des nouveaux jeux que j'invente au rythme de mes caprices. Je ne me sentirais coupable qu'en ne succombant pas aux tentations les plus secrètes dont ma vie est tissée. "La vraie civilisation… n'est pas dans le gaz, ni dans la vapeur, ni dans les tables tournantes, elle est dans la diminution des traces du péché originel", écrit Baudelaire. Cette parole est aujourd'hui plus vraie que jamais. La société est consciente qu'elle n'a vécu jusqu'ici que d'expédients, que l'échéance redoutable approche et que des concessions sont nécessaires : les exploits techniques qui pendant un certain temps lui ont permis de faire vivre l'humanité, prisonnière modèle, dans l'espoir d'une libération anticipée, ont donné de si spectaculaires résultats que la civilisation se voit désormais contrainte d'accorder quelques récréations surveillées aux hommes condamnés qui ne comprennent plus pourquoi on persiste à les détenir.

Nous ne nous laisserons pas prendre au piège grossier des loisirs dirigés. La liberté authentique ne saurait s'accommoder de ces tolérances suspectes. Le principe de plaisir ne peut composer. Nous n'accepterons pas que le risque majeur qu'il implique soit habilement réduit au sinistre rôle d'une soupape de sûreté.

Cette exposition n'est qu'une fenêtre ouverte sur la jungle de vos désirs. Brisez toutes vos boussoles et jetez-vous par la fenêtre.

Philippe Audoin, "La fontaine de fortune"

Tel est l'effet d'un certain recul optique : l'escalier que descend le *Nu* de Marcel Duchamp devient celui de la tour Saint-Jacques ; vis à ailettes sans fin, véhicule perforant de ce que l'esprit moderne a pu se proposer de plus agressif en fait de forages dans la nuit-des-temps – et lançant, vers un couronnement inverse de celui que signe, dans les nuages, le chiasme tétramorphique, la forme démultipliée de l'*Épouse attendue* de Nicolas Flamel. On sait que lorsque ce dernier passa pour mort, les adeptes de la Sublime Science s'abritaient déjà sous le grand porche hérétique de Notre-Dame. Plus tard, tous ceux qu'attirait le caprice de l'empereur Rodolphe connaissaient les figures que l'écrivain parisien avait fait tracer dans le charnier des Innocents. On frappait en secret l'or alchimique à Prague et à Paris, comme aux deux pôles stables d'un univers intransitif, sous-jacent au monde officiel des Cours vacillantes et des tueries religieuses.

Lorsqu'à Paris le surréalisme, à sa manière brusquée, souffla sur quelques braises de l'ancien "feu des sages", celles-ci se ranimèrent tout aussitôt à Prague. Il s'ensuivit de part et d'autre un beau lâcher de chimères ; imprévisibles mais homophones puisque la seule langue qu'elles sussent était celle des oiseaux. Laissons aux esprits "positifs" le soin de rappeler qu'analogie ne fait pas preuve. Preuve ? Ce serait à voir du côté des laboratoires de la *structure*. Qu'il nous suffise ici d'affirmer que de telles rencontres n'ont lieu, en effet, qu'à la faveur de cette nuit qui nous habite, qui est l'humide de chacun, le lieu et le temps d'où sa vie, voluptueusement lovée dans son amour du feu, prononce les oracles qui signalisent le chemin de l'éveil : éveil éphémère ou rêve d'éveil, mais inoubliable et tel qu'il puisse se substituer à toutes les raisons qu'on se trouve encore de reprendre, chaque matin, le pire où on l'a laissé.

Moralité : il ne me déplaît pas qu'au vaisseau d'argent auquel Paris s'en remet de sa chance réponde, issant d'un château d'or, le dextrochère armé de Prague, et que la flamme tentatrice persiste à jaillir des mâts de l'une comme du glaive de l'autre. Cette lueur que la plupart disent funeste – annonciatrice de naufrage – mais que nous sommes quelques-uns à prendre pour guide, m'assure du moins d'une longue complicité dans le secret partagé.

*

Jorge Camacho me montrait dernièrement un projet pour la vitrine d'une exposition qu'il agence autour de thèmes empruntés aux *Impressions d'Afrique* de Raymond Roussel. Une suite de rébus et d'intuitions telles qu'en procure l'investigation de toute œuvre dont le sens ne s'affirme que pour mieux se dérober, l'avait amené à proposer le décor suivant : le fond de la vitrine serait tendu de rouge. On y lirait, en lettres capitales, le mot : *harr* – qui, au-delà de son application élémentaire à Roussel, récupérait aussi Arthur Rimbaud et ce Harrar où il avait admis de chercher l'or matériel. Sur ce sol noir, un tas de sel serait érigé devant un panneau vertical, sans doute de miroir, supportant une roue de bois. Cette roue, à six rayons, provenait telle quelle d'un rouet ancien ; elle formait avec le sel, le rébus du nom du poète à qui l'exposition se dédiait. Ainsi Camacho, à son insu, avait réalisé un paradigme alchimique complet. Non seulement les trois couleurs du *Dernier Œuvre* : le noir, le blanc, le rouge, s'y présentaient dans l'ordre et l'acceptation voulus : la première affectée au gîte chtonien de la décomposition fertile, la seconde comme médiat, la troisième en guise d'oriflamme du triomphe, mais en outre, l'accent mis sur la blancheur du sel en expresse relation avec la roue apportait une précision supplémentaire. On sait que dans l'œuvre alchimique, le Sel (*sal*) est pris comme emblème de l'agent qui permet et consacre le mariage philosophique de la Lune et du Soleil. Entendu cabalistiquement au sens de Scel (*sigillum*), il marque l'apparition de l'Étoile qui atteste, à la fin du premier ouvrage, la parfaite purification du Mercure. Cette purification s'obtient par circulation des éléments, selon un procédé secret communément désigné sous le nom de "feu de roue" : *solve et coagula* ; dissous et coagule ! Ainsi faisons-nous, sans trop le savoir, dans le cours ordinaire de la vie : l'eau (∇) devient l'air (🜁), l'air, feu (Δ), le feu, terre (🜃) par une suite de sublimations et de corporifications faite de jeters-de-lest et de renversements. Et le Tétramorphe invoqué au commencement de cet écrit s'organise en tourbillon : l'Homme se distille en Aigle, l'Aigle se sublime en Lion, lequel coagule en taureau et ainsi de suite… Nous sommes au sommet de la Tour, Tour de Saint-Jacques, Maître de Compostelle – soit du compost étoilé (*composstella*) – et le *Nu* remonte précipitamment l'escalier.

Le résultat de tout ce tintamarre, c'est le fruit du mariage philosophique : le "rebis", double-chose, en lequel s'unissent les quatre éléments et dont le symbole accoutumé est l'étoile à six branches (ou sceau de Salomon : ✡) faite des deux triangles enchevêtrés de l'eau et du feu, signe de la Matière Prochaine de l'Œuvre.

Ainsi la roue à six rayons, fortuitement élue par le peintre, assume-t-elle l'emblématique traditionnelle du moyen (feu-de-roue) et de la fin (union des contraires) de la chrysopée. En tant que roue de rouet, elle connote aussi la fileuse (jeu d'enfants, ouvrage de femme…) qui préside régulièrement à la coction du *rebis*. Sous son triple aspect, la roue est donc bien le *miroir* de l'œuvre.

Ne négligeons pas enfin l'inscription d'en-haut, dans le flamboiement du rouge émancipateur : *harr* ! Elle détient sans doute la clé spagyrique de l'ensemble, ne serait-ce que par l'initiale "h", qui est celle d'Hermès, ou l'injonction terminale "rr", soit : réitère, dissous et coagule, mais aussi par sa consonance tronquée avec ce *Sel Harmoniac* que les anciens chimistes tenaient pour un agent universel.

*

Une convergence aussi remarquable passe, à ce qui semble, les limites du plausible. Pourtant elle renvoie à la constatation déjà faite que les rêves et les phantasmes intimes retrouvent, dans leurs termes et dans les relations de ces termes entre eux, la symbolique traditionnelle (en Occident – et sans doute ailleurs – expérimentale, érotisée, cosmique, en un mot : alchimique) qui fait alors figure de *contenu latent.*

Force est de s'arrêter quelque peu à ce point : on a vu que les spiritualistes de tout poil ne s'étaient pas fait faute de saisir pareille aubaine pour tenter de faire valoir, sous divers noms d'emprunt tels qu'Archétypes ou Inconscient Collectif, leur pacotille fidéiste. Le Surréalisme, pour avoir élu, entre autres, certains phénomènes de hasard objectif qui laisseraient supposer, de la part du sujet, une information non-consciente mais décisive, n'en a pas toujours été quitte avec les suborneurs de la "Providence". L'une des réponses les plus claires qu'il ait faites à leurs piètres tentatives de séduction est le tract intitulé "À la niche les glapisseurs de dieu !" (1948). En fait, le prédicat matérialiste qui l'inspire ne saurait être mis en doute sans mauvaise foi. Mais le fait est que le matérialisme surréaliste – on nous passera le pléonasme – se laisse mal réduire à quelque infraphysique des besoins satisfaits, ou peu ou prou satisfaits, ou insatisfaits. C'est au-delà des rapports de production et de consommation, tenus – quel qu'en soit l'agencement social ou politique – pour aliénants ou limitatifs, que le Surréalisme revendique non pas une frange d'évasion ou de caprice – quelque "réserve indienne" en un mot – mais la pleine souveraineté de chaque homme. Remettre cette exigence à plus tard, prétendre dresser au préalable un calendrier des étapes prioritaires, c'est en quelque façon consentir à l'asservissement. En vérité, dans le légendaire surréaliste – car le Surréalisme est proprement *l'épique* de notre temps – le "héros" peut s'accommoder d'épreuves, non d'étapes : droit à l'inconcevable but, droit au secret, sans rien mériter – et que les murailles tombent ! Mais revenons à l'Alchimie.

Tout ce qui se dérobe à l'économie des échanges voués à la sécurité et à la perpétuation de l'espèce, tout ce qui, aux yeux de la nouvelle religion technocratique – et dès avant elle – doit être écarté en tant que "résidu", tout ce que Georges Bataille désignait, par antiphrase, comme la "part maudite" d'une économie générale, constitue précisément la matière dédaignée d'où l'homme peut extraire son ultime, son irréductible vérité. C'est dans ce déchet que se nourrit le goût d'un luxe aujourd'hui mal venu : celui de la liberté, qui n'est pas tellement bornée par celle du voisin que par un intolérable voisinage intérieur.

En s'en prenant à cet Autre abusif et à tout ce qui, dans l'ordre reçu, conspirait à l'alourdir, le Surréalisme a pu trouver dans la pensée dite traditionnelle – qui est tout aussi sauvage, soit tout aussi cohérente que la pensée primitive, l'élaboration onirique ou l'expression poétique – un miroir privilégié. Que la syntaxe et même le lexique propres à une telle pensée puissent rendre compte, comme on l'a vu, de toute entreprise inspirée ou, si l'on préfère, dégagée de la rationalité positive de l'Autre, serait pour convaincre qu'en deçà ou au-delà du langage accoutumé et des comportements reçus se tient, à toute époque et en tout lieu, un bien autre "discours". Ce pourrait être celui d'un Soi encore intact, nanti de tous ces pouvoirs qui étonnent chez les bêtes et nous induisent à en faire des anges, et lourdement subversif dans le plaisir qu'il se promet d'être quelque jour *au monde*. C'est encore un adage hermétique qui rend le mieux compte des propos de l'obscur témoin : *Tue le mort afin de ressusciter le vif !* Car c'est un des malheurs du siècle que ce soient les morts, autrement dit les vivants *différés*, qui aient le plus à compter avec le temps.

*

Ce qui vient d'être esquissé pourrait, à la rigueur, être défini comme "mouvement vers l'être". Bien que ce mouvement participe pleinement du Principe de Plaisir, il serait assez vain, en tout cas par trop simpliste, de lui opposer le Principe de Réalité. Quelque chose qui ne dit ni *je* ni *moi*, sans ignorer pour autant l'érotique du sujet et du complément, s'insurge, ordonne, prétend. L'élaboration du Principe de Réalité n'est que l'histoire de ses déconvenues. Mais ce "quelque chose" est en lui-même la réalité ; non subjective ni objective mais relationnelle et telle que l'intérieur et l'extérieur soient entre eux comme l'étaient l'eau et le feu des alchimistes.

Ce *beau-parleur*, maître de toute poésie, est aussi le "dissolvant universel" : il détruit et rend à leur verdeur première les substances déréalisées dont s'accommode la consommation courante du corps et de l'esprit. Façon de parler : il ne connaît ni corps ni esprit mais la seule oscillation sensible qui permet de nommer l'un et l'autre. Le plus souvent il ne se laisse deviner que par son ombre. Opaque, aux contours nets, liée aux horizons qui l'appliquent sur la plage des rêves, cette ombre est tenue pour délétère : on la nie, on s'en détourne. Il n'est pas de fête militaire ou civile qu'elle ne soit capable de ruiner pour peu qu'elle s'y étende : un rire sec secoue aussitôt les assistants et les organisateurs eux-mêmes ont peine à se contenir. C'est elle qu'allaitent les jeunes dactylographes, que leur clavier soudain fait rougir ; elle que les sorcières, ou plus simplement les vieilles, réduisent en cendres dans le louable dessein de se rajeunir ; elle aussi dont la bouche informait le proscrit – mais il n'a rien dit de ses dents ; elle surtout qui triche si bien au jeu de l'offre et de la demande et s'envole, un instant diaprée sous la lueur rasante du désir, dès qu'il est question de la faire servir.

Cette ombre pivotante, il appartenait, il appartient au Surréalisme, de s'y aventurer, de l'étendre, de l'épaissir – et de prouver que son tumulte est le gîte de toute véritable clarté.

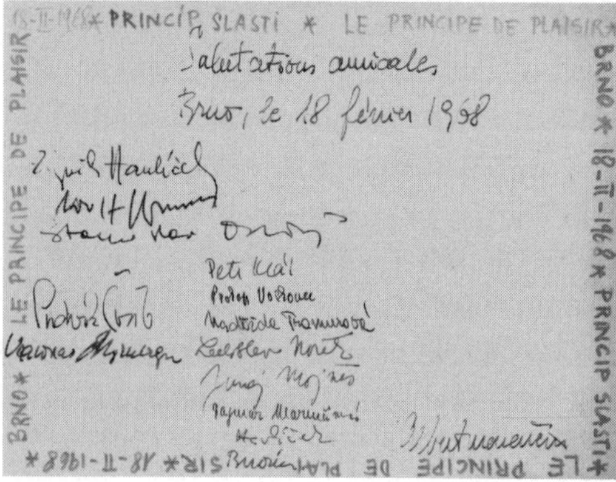

Carte postale envoyée de Brno aux surréalistes parisiens le jour de l'inauguration de l'exposition « Le principe de plaisir », le 18 février 1968. Les surréalistes de Prague et de Brno, ainsi qu'Albert Marenčin et Mojzis de Bratislava y ont porté leur signature. L'œuvre reproduite est un tableau de Marenčin.

José Pierre, "Sifflera bien mieux le merle moqueur".

Ô douleur ô douleur le Temps mange la vie,
Et l'obscur ennemi qui nous ronge le cœur
Du sang que nous perdons croît et se fortifie !
Charles Baudelaire, "L'ennemi".

Appliquant le premier à l'homme de la société occidentale actuelle les précieuses notions introduites naguère dans l'ethnographie par Marcel Mauss, Georges Bataille en venait à opposer systématiquement, à un "temps du travail" dont nul ne songe à nier l'existence, un "temps du sacré" beaucoup plus délicat à cerner. C'est en particulier la publication des fameux rapports Kinsey sur le comportement sexuel de l'homme et de la femme aux USA (traduits en français en 1948 et 1954) qui permettait à Bataille de conclure, chiffres à l'appui, que l'activité sexuelle de l'individu se trouvait d'autant plus réduite que le travail prenait de place dans la vie de celui-ci. Il écrivait : "Dans la mesure où l'homme s'est défini par le travail et la conscience, il dut non seulement modérer, mais méconnaître et parfois maudire en lui-même l'excès sexuel. En un sens, cette méconnaissance a détourné l'homme, sinon de la conscience des objets, du moins de la conscience de soi. Mais s'il n'était d'abord devenu conscient en travaillant, il n'aurait pas de connaissance du tout : il n'y aurait encore que la nuit animale." (*L'Érotisme*, Paris, 1957, II, I.)
Ce problème n'est donc pas réservé au représentant du monde capitaliste : appelé lui aussi, par le travail, à la conscience des choses et par conséquent à la compréhension relative de l'univers, faute de quoi la transformation ultérieure de celui-ci se révélerait impossible, l'homme des régimes collectivistes a dû, de la même manière, mettre un frein à ce que Bataille nomme "l'exubérance sexuelle" (et qui, soit dit en passant, ne se confond nullement avec l'animalité). "Aussi bien la collectivité humaine, en partie consacrée au travail, se définit-elle dans les *interdits*, sans lesquels elle ne serait pas devenue ce *monde du travail*,

qu'elle est essentiellement", ajoute Georges Bataille. Le "temps du travail" se fonde ainsi sur le respect des interdits qui visent avant tout, selon le même auteur, ces deux formes de la violence que constituent la sexualité débridée et l'instinct de meurtre. De cet état des choses, l'humaniste traditionnel et le psychologue de la vieille école, l'un et l'autre persuadés que tout ce qui restreint nos instincts et en capte l'énergie au bénéfice de la société ne saurait signifier qu'un heureux progrès, se réjouiraient naïvement. Ils auraient tort de se laisser aller à un tel optimisme. Les progrès accomplis par l'ethnographie dans l'étude des sociétés dites primitives d'une part, l'élaboration de notre individualité psychologique telle que l'a révélée la psychanalyse d'une autre part, encourageaient plutôt à tirer le signal d'alarme. En dépit de siècles, voire de millénaires, d'exercice des interdits précédemment évoqués, il y a péril, tant pour la santé individuelle des citoyens que pour l'équilibre collectif de la cité, à ignorer ou à minimiser la vitalité et la puissance des instincts contrariés. Autrement dit, le "temps du travail", afin de n'être point gravement perturbé, exige de se voir alterné avec son correctif : le "temps du sacré".

Ici commencent les difficultés. Il apparaît très vite, en effet, que ce "temps du sacré" ne peut s'accomplir qu'à condition que s'effondrent les barrières indispensables au bon fonctionnement du travail. Cette antithèse du travail, dont Roger Caillois, toujours en partant des suggestions de Marcel Mauss, a brillamment développé la théorie (*L'Homme et le sacré*, Paris, 1939, IV), c'est la "fête". Mais une "fête" dont Bataille et Caillois s'accordent à reconnaître le ressort fondamental dans la "transgression". Ce qui revient à dire non seulement la mise en oubli des interdits sans lesquels le travail ne pourrait imposer son rythme ni produire ses effets, mais plus généralement la violation de ce qui, en temps ordinaire, c'est-à-dire dans le "temps du travail", avait force de loi : autorité des gouvernements, respect des rites religieux, sens de la hiérarchie, dispositions réglant la vie quotidienne... Si l'on songe qu'à Paris cette "transgression" se limite aujourd'hui à la licence, prise par les automobilistes, lors des nuits de Noël et de la Saint-Sylvestre, de klaxonner à volonté et de ne pas respecter les feux rouges, on mesure assez bien de quelle profonde dégénérescence la "fête" se trouve marquée dans un pays qui se donne volontiers pour symbole de la liberté de pensée, de parole et d'action. Un peu mieux lotis, le carnaval de Rio et même celui de Cologne ne s'en trouvent pas moins à un très bas niveau, pour peu qu'on les compare à la fête des Fous au Moyen Âge, et à plus forte raison aux Sacées babyloniennes pendant lesquelles un esclave, le temps de la fête, "avait rempli dans la ville le rôle du roi, usant des concubines de celui-ci, donnant des ordres à sa place, montrant au peuple l'exemple de l'orgie et de la luxure" (R. Caillois). Cette anarchie sacrée, en tout cas tenue pour telle par les pouvoirs publics, de l'Amérique à l'Océanie en passant par l'Inde et la Chine, pendant des siècles, il n'est guère aujourd'hui d'homme d'État, quel que soit le régime et quelle que soit la nation, qui ne frémisse à son évocation et ne se félicite de la constater en voie de disparition.

C'est justement là ce qui autorise les pires réflexions, et en particulier les conclusions de Caillois selon lesquelles la structure des nations modernes, en entraînant l'extension considérable et le renforcement du "temps du travail" ne laisse pas d'autre issue que la guerre à l'expression des forces de "transgression". Conclusions réactionnaires dans la mesure où elles minimisent la dynamique et la malléabilité de l'esprit humain, parfaitement éclairées cependant par Freud dans l'étude du processus de "sublimation". Conclusions réactionnaires plus généralement parce que, en sacrifiant trop promptement au nihilisme intellectuel, elles font le jeu complaisant de tous les fascismes et de toutes les oppressions fondées sur le mépris de la vie humaine et de la dignité individuelle. À de telles conclusions s'oppose on ne peut plus clairement le : "Il faut repassionner la vie" que lançait André Breton au lendemain du dernier conflit mondial. "Repassionner la vie" pour éviter par exemple que le "temps du sacré" se confonde avec le règne de la mort industrialisée. "Repassionner la vie" en substituant le plus souvent possible le "principe du plaisir" au "principe de réalité". "Repassionner la vie", pourquoi pas ? En rendant à la "fête" une bonne partie de ses pouvoirs anciens. Et la capitulation vraiment trop hâtive du sociologue (datée de 1939, mais aggravée dix ans après dans un appendice, « Guerre et sacré ») s'excuse d'autant moins dans la dernière réédition, en 1963, qu'entre-temps un événement de première importance aurait dû retenir son attention : la réapparition spontanée de la "transgression" dans les manifestations non concertées des adolescents en plusieurs pays d'Europe occidentale. Ces jeunes gens subitement attroupés qui, en l'absence de toute nécessité idéologique (rien de commun par conséquent avec les soulèvements noirs aux USA), entreprennent systématiquement de détruire des biens (boutiques, automobiles, etc.) sans en retirer le moindre profit, de bafouer les représentants de la loi et de violer les interdits, en particulier les interdits sexuels, ne sont souvent pas des voyous et la plupart du temps ne sont pas non plus des révoltés, me semble-t-il. Tout simplement, ils redécouvrent la "fête", et ils la redécouvrent en ce renversement total mais provisoire des valeurs qui correspond à la "transgression". Resterait évidemment, de cette constatation, à tirer la signification révolutionnaire, et à se demander par exemple si la "fête" redécouverte, au lieu d'être seulement une survivance du "vieil homme", ne mettrait pas sur la voie de la véritable démarche révolutionnaire : celle qui serait (et pourquoi non ?) créatrice de joie à l'instant même où elle s'accomplit (et pas seulement attente des "lendemains qui chantent"). Sur cette pente on en viendrait dangereusement à s'interroger si ne sont pas plus près de l'essence de la révolution les peuples qui, grâce à un heureux privilège, ont su conserver cette joie justement, et le sens de la "fête"... Et à penser par contre que les tumultueux "gardes rouges" ne sont peut-être que des "hooligans" ou des "beatniks" sur lesquels on a adroitement greffé des pancartes, des drapeaux et des petits livres rouges...

Mais je ne suis pas, comme l'est Caillois, sociologue ; ni, comme le fut Bataille, passionné d'érotisme. Il me tarde seulement d'en venir à mon propos : la peinture surréaliste, qu'il m'est d'ailleurs assez difficile de considérer comme disjointe de la poésie. Si j'y viens par un détour, c'est qu'il m'importait de recueillir, de Georges Bataille, cette phrase capitale sur laquelle se clôt *L'Érotisme* : "Le sommet de l'être ne se révèle en son entier que dans le mouvement de transgression où la pensée fondée, par le travail, sur le développement de la conscience, dépasse à la fin le travail, sachant qu'elle ne peut s'y subordonner." Ces mots résument parfaitement à mes yeux l'acte créateur surréaliste, que celui-ci s'exprime par les moyens de l'écriture ou par ceux de la peinture. Et, ce disant, je n'ignore pas que peindre, qu'écrire un poème, en un sens c'est aussi travailler. Brodski avait bien raison d'affirmer devant le tribunal (un tribunal aussi compréhensif que celui qui jugea Baudelaire, que tous les tribunaux devant lesquels les poètes ont à comparaître) qu'écrire un poème, c'est aussi du travail. Mais cela n'était vrai que pour se faire entendre de son interlocuteur, de son juge (une dame, si je me souviens bien), cela n'avait de sens que pour répondre à des gens aux yeux desquels la poésie ou la peinture n'ont aucune existence sérieuse. En réalité, écrire un poème, peindre un tableau, sont des activités qui ne se justifient que si elles échappent au "temps du travail" pour s'inscrire dans le "temps du sacré". Seul le "temps du sacré" ne connaît point de rives, d'entraves d'aucune sorte, de limitations de pouvoirs. Seul il garantit à la peinture, à la poésie l'exercice total de la liberté. La poésie ? André Breton nous l'a dit : *Elle a l'espace qu'il lui faut. Elle a tout le temps devant elle.*
Et aussi, à la fin de ce même poème, "Sur la route de San Romano", pour lequel je donnerais des bibliothèques entières tant, par la grâce de sa merveilleuse simplicité, il contient de poèmes passés, présents et à venir :
L'étreinte poétique comme l'étreinte de chair
Tant qu'elle dure
Défend toute échappée sur la misère du monde.

Là est le point sur lequel la poésie et la peinture se séparent de la philosophie, laquelle, forcée pour y voir clair de se préserver des excès de l'émotion, demeure prisonnière, si ailée soit-elle parfois, du "temps du travail". Le seul travail à cesser de compter dans le monde du travail, la seule activité humaine à réinvestir le sacré demeure, dans les meilleurs cas, la création artistique. C'est donc en elle qu'il convient de saluer l'accomplissement dialectique de la pensée lorsque celle-ci, comme le disait Bataille, "dépasse à la fin le travail". Ce qui aura échappé à Caillois, trop souvent figé dans une attitude d'hostilité à l'égard des formes les plus libérées de l'inspiration, n'a pas échappé à Bataille, véritable poète : ce n'est pas dans la guerre moderne, parée en "fête" pour le plaisir des bellicistes de tout poil, que s'est incarnée aujourd'hui la "transgression", mais dans la poésie et dans l'art. Encore convient-il de préciser que le fabricant consciencieux de sonnets et autres poèmes réguliers relève bien, lui, du "temps du travail", de même que l'artiste académique qui peint la rentrée des moissons ou la cravate bien repassée du directeur d'usine. L'automatisme surréaliste, par contre, en portant le créateur à tenter de découvrir "le fonctionnement réel de la pensée", le place d'emblée dans une durée qui ne saurait se mesurer en heures d'horloges-pointeuses. Le "temps du sacré", qui dans la fête était celui du gaspillage et de la destruction des biens, ne saurait être celui de l'argent ; mais bien entendu la puissance corrosive du capitalisme n'a pas manqué dans un petit nombre de cas d'exercer là aussi ses ravages et de mesurer à l'aune d'argent du "temps du travail" des œuvres dont la naissance fut sans taches.

Et si nous tenions là le critère qui permet de distinguer des innombrables productions frauduleuses qui courent le monde les véritables créations surréalistes ? Là, je veux dire dans ce "mouvement de transgression" par lequel l'œuvre "dépasse à la fin le travail" et ses valeurs ? La diffusion internationale du surréalisme à partir de 1930 s'est souvent confondue avec un regain de la peinture fantastique, quelque temps éclipsée à la faveur des succès du cubisme et de l'abstraction naissante. Confusion à laquelle un Dalí apporta alors la plus dangereuse caution qui soit, puisque les fâcheuses conséquences s'en font sentir jusqu'à nos jours. Fondée sur l'effet à produire et le raffinement laborieux de l'exécution, notions qui relèvent entièrement du "métier" et par conséquent s'inscrivent dans le "temps du travail", la peinture de Salvador Dalí sacrifia très rapidement les impulsions véritablement scandaleuses qu'elle tenait également de l'automatisme et d'une réflexion personnelle (dite "méthode paranoïa-critique") sur la psychanalyse. À son exemple, trop de peintres de par le monde renoncèrent aux "montres molles" du "temps sacré" et, sous couleur de surréalisme, brossèrent le complaisant tableau de leurs troubles cénesthésiques ou de leurs petites infirmités sexuelles. Cela valut et vaut encore bon an mal an au surréalisme quelques tonnes de tableaux maladifs et repoussants qu'on attribue à son influence, bien qu'il n'en veuille à aucun prix ; d'autre part, un certain nombre d'artistes susceptibles d'apporter au surréalisme une contribution du plus haut intérêt s'en écartent en prétextant, non sans quelque raison, ces monceaux de peinture purulente et d'expectorations soigneusement vernies. Si ce pseudo-surréalisme fantastique hérité de celui qui se prétend le peintre le plus réactionnaire du monde a fait fortune en plus d'un endroit (c'est le cas par exemple de l'actuelle "école surréaliste" de Vienne dans sa totalité), je ne voudrais pas qu'il en soit ainsi dans la Tchécoslovaquie d'aujourd'hui.

Fort heureusement, si le regain du fantastique n'a pas épargné avant la deuxième guerre mondiale la peinture tchécoslovaque, Štyrský et Toyen s'inscrivent délibérément, avant même leur adhésion au surréalisme, dans une peinture onirique qui, dès 1926-1927, affirme sa vertu. Car, au niveau de l'expérience individuelle, le temps du rêve (comme aussi celui du désir) n'est pas autre que le "temps du sacré". Alors que l'art fantastique hérite de deux mille ans d'imprégnation chrétienne l'attitude la plus ambiguë à l'égard de la volupté charnelle et du corps humain (qu'il se complaît volontiers à considérer dans la putréfaction des chairs ou la difformité des appétits, tellement il est marqué en profondeur par l'idée du "péché") de même qu'à l'égard du rêve (dont il conteste les pouvoirs exaltants, préférant de beaucoup s'en tenir au cauchemar où se manifeste à plein, jusque dans le sommeil, le sens de la culpabilité), Toyen et Štyrský d'instinct accordent au rêve et à l'érotisme la première place. Leur œuvre se situe donc sans la moindre équivoque dans cette volonté, qu'est avant tout le surréalisme, d'imposer à la réalité contraignante les lois du "principe du plaisir". Autant dire que si elle est fidèle, non pas à la lettre mais à l'esprit de l'œuvre de ces deux pionniers, la nouvelle peinture surréaliste tchécoslovaque constituera la meilleure barrière contre les louches compromissions de l'art fantastique (ou, si l'on préfère, de l'art imaginiste).

La malédiction chrétienne, en même temps qu'elle avait flétri les plaisirs amoureux et la jouissance onirique (car, si l'homme et la femme trouvaient leur bonheur dans leur lit, quel besoin auraient-ils d'un autre Paradis ?), s'installait à son aise dans le "temps du travail". "Tu gagneras ton pain à la sueur de ton front." Le travail cette fois se trouvait dignifié non parce qu'il conduisait à la conscience du monde extérieur et au dessein de lui imposer la marque de l'homme (pour l'Église c'était au contraire la promesse de nouveaux dangers), mais surtout dans la mesure où il signifiait un moyen de contrainte sociale et économique, l'homme au travail c'est non seulement celui qui n'a point loisir de s'interroger sur tel point litigieux du dogme, mais celui qui, pour vivre, est assujetti à la pesante hiérarchie des puissants et des parasites. On bénit alors le travail comme on bénit le fouet (la "discipline") qui décourage la chair de s'abandonner à la tentation (la "concupiscence"). Aussi sommes-nous en droit de tenir pour complices de cette malédiction chrétienne les récentes formes artistiques qui empruntent au "temps du travail" tous ses éléments quotidiens. Lorsque, sans la moindre intention de les détourner de leurs fins usuelles, peintres et sculpteurs d'aujourd'hui nous assènent mille fois la boîte à soupe, le boulon ou la photo du journal, ils se font sans aucun doute les dociles serviteurs de la loi capitaliste. Je songe au Pop Art, je songe au Nouveau Réalisme, je songe à Pierre Restany. Celui-ci revendique "le droit à l'expression directe de tout un secteur organique de l'activité moderne, celui de la ville, de la rue, de l'usine, de la production en série". "Les nouveaux réalistes considèrent le Monde comme un Tableau, le Grand Œuvre fondamental dont ils s'approprient des fragments dotés d'universelle signifiance", dit-il encore. Qu'est-ce à dire ? Sinon qu'il invite les artistes à contresigner purement et simplement l'ordre social et économique *tel qu'il est* en donnant leur approbation à telle ou telle épave (déchets divers, ferraille, affiches lacérées, objets manufacturés) qui tombe entre leurs mains. L'admirable est que cette conception peut se transplanter dans n'importe quel pays du monde, quel que soit son régime politique et économique, et dans tous les cas transformer les artistes en auxiliaires zélés du pouvoir. S'il en naît de tels dans les pays

qui se réclament du socialisme (et pourquoi ceux-ci seraient-ils épargnés ?), je doute que l'on puisse compter sur eux pour passer au stade du communisme !
Je m'empresse d'ajouter que plusieurs artistes Pop et Nouveaux Réalistes sont loin, par leurs œuvres, de donner raison à Pierre Restany : Rosenquist et Niki de Saint-Phalle ont rendu au rêve ses pouvoirs explosifs, tandis que Jim Dine, Oldenburg ou Tinguely s'emploient diversement à jeter du sable dans les rouages de la machine à exploiter le travail humain. C'est que "la transgression" finalement a raison des systèmes les plus pernicieux et que les plus libres d'entre les artistes ne peuvent s'accommoder d'une règle qui ferait d'eux les ennemis des autres hommes. À ceux-là, il va sans dire que nous adressons un salut fraternel, quand bien même ils croiraient de bonne foi que leur route ne se confond pas avec la nôtre. Moins que jamais aujourd'hui, le surréalisme peut s'en tenir à un seul style, un seul mode d'intervention poétique ou une seule manière d'appréhender picturalement le monde. Sans rien renier bien au contraire de ses aspirations maîtresses ("Changer le monde", "Changer la vie") et sans oublier non plus qu'il a identifié une fois pour toutes le ressort fondamental de la création (qui est celui-là même qui décide aussi de la libération humaine) : l'automatisme, le surréalisme a le devoir aujourd'hui d'être le lieu de convergence des audaces révolutionnaires. Je me persuade même qu'il continuera d'être ce laboratoire aux dimensions de l'espérance où se vérifient d'ores et déjà quelques-uns des modes de vivre et de sentir qui seront monnaie courante, lorsque le "temps du travail" et le "temps du sacré" auront cessé d'être tenus pour des entités irréconciliables, dans la véritable société communiste de demain. »

ENRICO BAJ
JEAN BENOIT
JORGE CAMACHO
AUGUSTIN CARDENAS
ADRIEN DAX
FABIO DE SANCTIS
GABRIEL DER KEVORKIAN
HENRI GINET
KONRAD KLAPHECK
ROBERT LAGARDE
YVES LALOY
WIFREDO LAM
ROBERTO MATTA
JOAN MIRÓ
MIMI PARENTOVÁ
FRIEDRICH SCHRÖDER-SONNENSTERN
JEAN-CLAUDE SILBERMANN
HERVÉ TÉLÉMAQUE
JEAN TERROSSIAN
TOYEN

Výstava současné tvorby pařížské surrealistické skupiny na thema

PRINCIP SLASTI

Porušení zákona - Zákon noci - Automatická pravda - Hra

Zahájení v úterý 9. dubna 1968 v 17 hod. v nové galerii sbírek moderního umění v Městské knihovně magnetofonovým komentářem k jednotlivým thematickým částem výstavy.

Závěrečný večer ve čtvrtek 2. května 1968:
Journal parlé surréaliste,
pořad připravený pařížskou skupinou.

•

V souvislosti s výstavou pořádá v malém sále Městské knihovny Lidová universita v Praze každý čtvrtek od 7. 3. do 18. 4. přednáškový cyklus **Surrealismus a Umění,** zaměřený k současné surrealistické tvorbě.

Carton de l'exposition surréaliste à Prague, avec les noms de tous les artistes représentés.

Les surréalistes lors d'un enregistrement d'une émission radiophonique à Prague. De gauche à droite : deux journalistes, Vratislav Effenberger (avec les bras croisés), Adrien Dax, Claude Courtot, Georges Sebbag, Jean-Claude Silbermann (vu de dos).

Adrien Dax, qui faisait partie des surréalistes venus de France à Prague, propose dans *L'Archibras* n° 7 (mars 1969) un « Essai de reconstitution d'un trajet visuel associatif au cours d'une observation distraite de la place avoisinant la Vieille Horloge de Prague, le vendredi 12 avril 1968 vers 15 heures ». Il met en pratique son approche du phénomène visuel comme susceptible de révéler ce qu'il appelle « un réseau secret de convergences » (« Espace de l'événement »).

« LA PLATE-FORME DE PRAGUE »

Le 15 avril, les surréalistes vont visiter la stupéfiante chapelle de Kutna Hora entièrement décorée à l'aide d'ossements humains. Le soir même, au domicile de Vrastislav Effenberger, ils discutent et vraisemblablement ébauchent en commun les termes de cette plate-forme, qui constitue la formulation d'un programme couvrant tous les champs de l'activité surréaliste. En l'absence de documents originaux témoignant de la fabrique de ce texte, on s'en tiendra au témoignage de Jean Schuster reproduit dans le volume II des *Tracts surréalistes et déclarations collectives 1940-1969* présentés par José Pierre et paru en 1982 aux éditions Éric Losfeld : « Une première version, presque entièrement de ma main, avait été envoyée à Prague. Effenberger la retourna avec de nombreuses modifications. Bounoure établit la version définitive en y apportant des améliorations. » (Note de juin 1981.) Quels sont les grands axes de ce manifeste ? On en relève au moins sept : la liberté du langage, les alliances stratégiques avec des compagnons de route, la théorie et la pratique révolutionnaires dans ses rapports à l'héritage marxiste, l'usage de l'herméneutique psychanalytique, l'art engagé, le rôle du jeu, les organes d'expression du groupe. Rien n'était foncièrement nouveau dans les thèmes abordés ou dans les approches, mais l'importance de ce programme, au demeurant très efficace, tenait plutôt au fait qu'il scellait l'élargissement de la mise en commun de la pensée surréaliste. Au moment où la révolte de la jeunesse se manifestait à plusieurs endroits dans le monde en même temps, le surréalisme renouait concrètement avec l'internationalisme. Tout en exprimant son absence, le nom d'André Breton placé entre parenthèses à la fin de la plate-forme représentait le meilleur gage d'un renouveau, lui qui n'avait jamais révoqué sa « foi sans limite dans le génie de la jeunesse ». « La plate-forme de Prague » est publiée dans les dernières pages de *L'Archibras* hors série n° 5 sous-titré « Le surréalisme le 30 septembre 1968 ».

« **La présente déclaration**, soumise à la signature de tous nos amis, a été élaborée à Prague par les membres du groupe surréaliste constitué dans cette ville et par les surréalistes venus de France, entre les 5 et 18 avril 1968, pour participer à un cycle de manifestations organisé autour de l'exposition "Le principe de plaisir".

Les rédacteurs mettent d'abord l'accent sur l'exceptionnelle chaleur affective qui a marqué cette rencontre. Ils y voient l'un des facteurs déterminants, le résultat et la garantie de l'accord sans réserve qui a été réalisé à Prague :
quant aux perspectives générales du surréalisme dans l'immédiat et à long terme ;
quant à l'appréciation du système répressif, en 1968, dont il semble bien que les différences, selon les étiquettes politiques et institutionnelles qu'il emprunte, sont purement formelles ;
quant à la volonté d'opérer les réajustements théoriques indispensables, compte tenu de l'évolution de la répression, et de définir en commun les moyens stratégiques et tactiques pour la tenir en échec.

Nous sommes fermement décidés à agir dans le sens qu'indique cette plate-forme. Notre conviction est entière que le combat, collectivement, ne cessera jamais.

Cet accord témoigne de l'efficacité durable des méthodes surréalistes pour déjouer aussi bien les tentatives d'étouffement par la force que celles de récupération par la ruse. Il est certainement dû, pour une large part, au terrain même où il s'est concrétisé : l'activité surréaliste, dans sa triple fonction, collective, anticonfusionnelle et dirigée vers l'avenir, s'est manifestée en Tchécoslovaquie sans discontinuer depuis 1934 sur le plan créatif qu'avait défini Karel Teige.

La présente déclaration est une plate-forme théorique et pratique, dès ce jour, pour tous les pays où le surréalisme réunit des énergies suffisantes pour œuvrer à l'émancipation complète de l'homme. Nous attendons de la lucidité surréaliste qu'elle tire parti de cette plate-forme, non pas comme de thèses dogmatiques, mais pour lui donner tous les développements qu'appelleront la diversité des circonstances et leur évolution, pour l'enrichir en permanence par le jeu dialectique de la conscience et de la spontanéité.

1) Le système de la répression accapare le langage pour le restituer aux hommes, réduit à sa fonction utilitaire ou détourné à des fins de divertissement. Les hommes sont ainsi privés des pouvoirs réels de leur propre pensée, contraints, et ils en prennent bientôt l'habitude, de s'en remettre aux agents de la culture qui leur livrent des schémas de réflexion évidemment conformes au bon fonctionnement du système. Ils sont ainsi amenés à se détourner avec méfiance et mépris du domaine intérieur qui leur est le plus personnel, dans lequel est fixée leur identité et dont les forces surgissant dans leurs rêves ou dans l'affectivité ne les effraient que parce que les forces de répression y cèdent la place au principe de plaisir. Le langage vide ainsi

laissé aux hommes ne saurait formuler les images ardentes qui leur rendraient impérieuse la satisfaction de leurs désirs véritables. La responsabilité de cet état de fait incombe pour une part à l'art contemporain et aux sciences humaines qui, même dans des formules prétendues d'avant-garde, se bornent fréquemment à refléter passivement la dévaluation présente des signes et contribuent par là à l'obscurcissement de la pensée.
Le rôle du surréalisme est d'arracher le langage au système de la répression et d'en faire un instrument du désir. En ce sens, ce qui passe pour l'art surréaliste n'a d'autre objet que de libérer les mots, et plus généralement les signes, des codes de l'utilité ou du divertissement pour leur rendre leur destination de révélateurs de la réalité subjective et de l'intersubjectivité essentielle du désir reflété dans l'esprit public.
Car le surréalisme ne peut éluder la contrainte historique. Il est même particulièrement bien placé pour vérifier le caractère fallacieux du mythe du Progrès ou de l'irréversibilité historique ; ce qui l'oblige, simultanément, à opérer la révolution du langage, comme cela vient d'être indiqué, et à prendre acte de la terrible dévaluation accomplie dans ce domaine, non seulement par les régimes du « monde libre », mais, à une tout autre échelle, par le stalinisme. Il ne s'agit plus là d'une réduction à des fins de divertissement, mais de la corruption des idées elles-mêmes, car elle seule permet de couvrir la pire oppression des mots les plus exaltants qu'ait énoncés la conscience révolutionnaire. Si nous voulons parler en son nom, nous devons pour commencer rendre aux mots de l'exigence révolutionnaire leur plein sens. Toute réflexion théorique et toute action pratique sont aléatoires si ce fait brutal n'est pas admis : les mots de révolution, de communisme, d'internationalisme et même de liberté ont servi, dans de nombreux pays, dont la Tchécoslovaquie, continuent de servir ici et là de justification idéologique et morale à un appareil policier qui a régné, règne encore ou aspire à régner de nouveau en maître absolu. Nous ne pouvons ignorer cette vérité difficile : pour de nombreux peuples – renfermant un prolétariat et une intelligentsia en principe détenteurs de l'esprit révolutionnaire –, le mot révolution signifie crime politique, le mot communisme caste bureaucratique monopolisant le pouvoir et les privilèges, le mot internationalisme soumission aux impératifs de la politique russe et le mot liberté censure, torture, camps concentrationnaires. Nul ne peut se substituer, par une parole qui deviendrait abstraite, à ceux qui ont vécu, dans la chair et dans l'esprit, cet avilissement du langage, cette dissolution de la conscience. Mais la conscience révolutionnaire renoncerait à elle-même si elle était tentée de s'abandonner si peu que ce soit à ce courant, de renoncer à le remonter. Au contraire, les surréalistes mettront tout en œuvre pour redonner à ces mots toute leur force, dans leur rigoureuse signification intellectuelle et dans leur résonance affective. Ils se garderont, pourtant, d'en user comme des signes de vérités immuables. Ils ne cesseront de les interpréter au vu du contenu réel que leur prête l'histoire et les situeront dans le contexte de la pensée dialectique où les idées vivent par le jeu des constantes et des variables.

Le surréalisme est naturellement minoritaire. Plus qu'à l'originalité de sa conception du monde, cette condition – que nous constatons sans plaisir ni regret – tient à sa volonté de publier sa pensée dans son intégralité et sa rigueur, c'est-à-dire sans la moindre concession au didactisme.
Elle tient aussi à son refus d'admettre comme définitives les catégories de la réalité (réalité psychique, réalité sociale, réalité naturelle) ; la résignation à une réalité pétrifiée dans son morcellement conduirait à privilégier aux dépens des deux autres l'une quelconque de ces trois instances, la subjectivité, l'intersubjectivité, le monde objectif. L'effort surréaliste tend précisément à l'abolition de ces catégories, *ce qui implique la reconnaissance de leur nature transitoire.* Cette connaissance de l'état actuel et provisoire de la réalité – et, en corollaire, de la structure actuelle et provisoire de l'entendement – commande en profondeur la position anti-confusionnelle du surréalisme sur les rapports de l'art et de la révolution, problème qui sera ultérieurement abordé.
Notre condition minoritaire tient enfin à la résolution d'écarter de nos rangs actifs tout écrivain qui se réduit à son écriture, tout peintre qui se réduit à sa peinture. Minoritaire, le surréalisme, cependant, s'adresse à tous : en fin de compte son message ne sera reçu qu'en proportion de la révolte active de chacun.

2) La condition minoritaire du surréalisme est complexe : il ne s'agit pas d'une minorité opposée schématiquement à une majorité, mais du statut d'une idée à l'état naissant au milieu des idées reçues, d'une minorité agissant à l'intérieur d'un ensemble hétérogène, fait d'une majorité et de plusieurs minorités dont chacune se livre à une activité particulière de l'esprit. Parmi les accusations portées de mauvaise foi contre le surréalisme, l'une des plus graves et des plus fausses est celle qui le désigne comme une chapelle. Le passé et le présent témoignent de notre constante volonté d'ouverture. Il n'est pas de domaine où les surréalistes ne cherchent à s'allier, eu égard à leurs propres déterminations, à ceux qui leur paraissent détenir les forces vives du moment. Non seulement leur concours est sollicité pour nos revues et nos expositions mais très souvent les surréalistes s'y effacent devant des hommes avec lesquels l'accord à réaliser leur semble plus important que les désaccords constatés.
Dans les circonstances actuelles, au printemps 1968, les surréalistes souhaitent poursuivre et élargir le dialogue avec toute individualité et tout mouvement organisé qui mettent en échec les systèmes répressifs, refusent d'y prendre place parmi leurs engrenages et attaquent leurs innombrables ramifications, quelque pavillon qu'elles arborent sur le plan culturel ou politique.

3) La théorie et la pratique révolutionnaires sont à repenser de fond en comble. Le marxisme-léninisme est à désacraliser. Le marxisme peut redevenir une arme efficace au service de l'idéal communiste. Il faut cependant commencer par le débarrasser de la part de polémique, oblitérant l'idéologie elle-même,

qui résulte de la nécessité tactique dans laquelle Marx et Engels se sont trouvés de combattre des théoriciens de premier ordre comme Stirner, Proudhon et Bakounine et de rejeter, non sans déférence, les idées géniales de Charles Fourier. Il faut ensuite distinguer dans la pensée de Marx ce qui a autorisé le stalinisme de ce qui aurait dû le rendre impossible. Quant au léninisme, il y a lieu notamment de faire toutes réserves sur le principe communément admis du rôle dirigeant du parti, principe qui a déterminé la constitution de l'appareil stalinien. Nous pensons toutefois qu'il n'est pas évident que Lénine ait pu agir autrement, dans les circonstances précises qui conditionnaient son action. L'important n'est donc pas d'intenter un procès historique, mais de faire servir la tragique expérience de la déviation policière du bolchévisme à la vigilance révolutionnaire d'aujourd'hui.

Il faut enfin combattre l'économisme et principalement, lorsqu'il s'agit de l'économisme marxiste, rétablir la primauté absolue de la finalité révolutionnaire sur l'économie révolutionnaire. Dans sa phase actuelle, la pensée surréaliste fait toute confiance au dynamisme de l'esprit de révolte, qui ne met au premier rang ses objectifs économiques que pour abattre tous les économismes, qui n'attend de profonde et de réelle transformation que de la multiplication réciproque des processus intellectuels et émotionnels : leur développement dans le marxisme, dans la psychanalyse, la fécondation mutuelle de l'analogie et de la dialectique dont témoignent encore les sciences hermétiques libèrent les sources instinctives d'où procèdent les sociétés humaines. Par les désintégrations et réintégrations simultanées qu'engendre la lutte du principe de plaisir et du principe de réalité, ces formes historiques sont appelées à refléter les états nouveaux de la conscience, les étapes nouvelles de l'histoire de l'esprit, les victoires de la pensée sur sa mauvaise conscience, les imminents triomphes qu'elle emportera sur sa division constante. C'est en ce sens que la poésie constitue un détonateur grâce auquel la pensée de type scientifique ou philosophique peut faire éclater le face-à-face immobile de la critique classique et de la stagnation réactionnaire, au cours d'un conflit permanent qui embrase autant les institutions que les mentalités.

C'est pourquoi les surréalistes n'hésitent pas à mettre en avant l'exemple des révolutionnaires qui, comme Fourier, Marx, Engels, Lénine, Trotski ou Che Guevara, ont donné au dynamisme révolutionnaire son plus grand retentissement social. Ils soutiendront de tout leur pouvoir les mouvements nouveaux qui s'engagent dans la même direction, tel celui en tête duquel se trouve Rudi Dutschke. Et de même que l'économie révolutionnaire doit, selon nous, céder devant l'impératif de la finalité révolutionnaire, nous déclarons la primauté de l'activité révolutionnaire sur les résultats provisoires de cette activité, sur les réalisations dont la consolidation consacrerait l'immobilité ou conduit aux dommages les plus graves comme on l'a vu avec le stalinisme. Dans ces conditions, les forces de reconstitution doivent, selon nous, se rallier à l'idée de révolution permanente, géniale formule de

Marx, développée dans la suite par Trotski, dont le contenu actuel doit s'interpréter en fonction des formes nouvelles adoptées par les systèmes répressifs. Nous sommes convaincus, à cet égard, que l'état des réalisations politiques dans les pays où le socialisme est en voie de reconstruction (Cuba, Tchécoslovaquie) laisse intégralement ouvert leur avenir. Dans le processus qu'ils mettent en œuvre, nous voyons se dessiner authentiquement l'union du dynamisme révolutionnaire de l'esprit et de l'affranchissement objectif dans les conditions de vie. Aujourd'hui nous voyons dans Cuba et dans la Tchécoslovaquie les deux points du monde où sont réunies les premières conditions pour que se forme une nouvelle conscience humaine contre la répression de droite et de gauche, par contact direct et par union de la classe ouvrière et de l'intelligentsia, sans l'intermédiaire d'aucun appareil de parti, qui porte toujours avec lui le danger d'un stalinisme nouveau.

La situation contemporaine dans le monde permet d'espérer une régénérescence de l'idéologie révolutionnaire. Les attaques, en grande partie verbales, des dirigeants de Moscou et de Pékin contre l'impérialisme américain abusent de moins en moins ceux qui en sont les victimes les plus directes. La résistance du peuple vietnamien, la persistance de la guérilla en Amérique latine malgré la mort de Che Guevara, l'influence grandissante du Black Power aux USA mêmes, témoignent de la justesse des thèses adoptées à la conférence de l'OLAS à La Havane, en août 1967, en faveur de la lutte armée. Parallèlement, dans les nations où s'exerce son pouvoir, le centralisme autoritaire de Moscou est soumis à rude épreuve. Enfin, le mouvement de la jeunesse des universités polonaises, françaises et allemandes apporte de nouveaux ferments dans les concepts d'idéologie révolutionnaire.

Par-dessus tout, un phénomène nouveau – d'une considérable importance – dresse dans la plupart des pays la jeunesse contre toutes les formes de répression. Quels que soient les objectifs ouvertement déclarés de ces mouvements et leurs différences d'un pays à l'autre, ils ont en commun la violence et le refus intransigeant des institutions. Leur spontanéité n'est affectée d'aucun indice négatif, comme voudrait le faire croire une presse aux ordres, puisque à des degrés divers elle va de pair avec une prise de conscience des problèmes idéologiques fondamentaux. Les éléments de pointe de la jeunesse luttent contre un ordre technocratique qui tente d'installer sa domination mondiale en s'appuyant à la fois sur l'intimidation policière et sur l'attrait de la consommation. Il est nécessaire d'adapter le mot d'ordre "classe contre classe" qui, dans de nombreux pays, ne suffit pas à exprimer la réalité sociale d'aujourd'hui, au fait que les mécanismes de la civilisation moderne, par le "principe de rendement" (Marcuse) ont apporté dans cette lutte de nouvelles particularités. Or ce n'est certes pas parmi les apparatchiks des Partis communistes (notamment du PCF et du PCTch) dont le travail essentiel consiste à paralyser ou figer toute pensée révolutionnaire, qu'on trouvera l'expression d'un réel renouveau politique. C'est bien plutôt des minorités estudiantines qu'il faut attendre les impulsions décisives.

"Le surréalisme, écrit Breton, est né d'une affirmation de foi sans limite dans le *génie* de la jeunesse." Seul l'homme qui ne s'est pas encore rangé confortablement dans le monde est capable d'assumer les risques qu'entraînent la création et la révolte qui, pour nous, ne constituent qu'une même activité. C'est là, et là seulement, que le surréalisme doit mener son combat, car tout l'héritage intellectuel et idéologique est à apprécier sous l'angle de la transformation et du désir libérateurs ; nous en avons fini avec l'accumulation du savoir.

4) Les surréalistes croient que la pensée interprète le monde et contribue à sa transformation selon plusieurs voies, nullement exclusives des unes des autres.
La seule voie philosophique est, à leurs yeux – pour ce qui est de la pensée occidentale – transitoirement divisée en philosophie exotérique et en philosophie ésotérique. Quant à la première, ils s'appuient intégralement sur la dialectique hégélienne qu'ils reconnaissent comme organisatrice irréprochable des facultés évolutives de l'esprit. De la seconde, ils retiennent avant tout qu'elle offre à ce même esprit les clés indispensables à l'interprétation analogique des règnes de la nature dans leurs rapports réciproques et dans leur développement. Dialectique et analogie fondent une nouvelle théorie de la connaissance qui doit affranchir l'homme, non de ce qu'il y a de vital dans la raison, mais de ce qui paralyse celle-ci dans des systèmes aliénants : le principe de non-contradiction et le principe d'identité. Sans préjudice des problèmes scientifiques qui échappent en grande partie, et pour l'instant tout au moins, à leur compétence, et sans négliger les découvertes de la sociologie, de l'anthropologie et de l'ethnologie modernes, les surréalistes tiennent pour illimité le magnifique champ théorique et expérimental que Sigmund Freud a ouvert à l'activité de l'homme. L'interprétation des rêves embellit les rêves. La conscience de la nécessité de la fonction onirique dans la vie embellit la convergence entre la vie quotidienne et la vraie vie. De la réalisation du désir dans le rêve naît le courage d'assumer la pensée magique dans la vie humaine. La recherche de notre vérité la plus entière où coïncident nos énergies les plus profondes avec les lois les plus extensives de l'esprit est soumise à la loi d'or de la sexualité. Il dépend de l'exaltation sans fin du désir par la connaissance et de la stimulation sans fin de la connaissance par le désir que l'amour, l'amour charnel de l'homme et de la femme, triomphe, avec tout ce qu'il emporte de forces explosives de la sensibilité et de l'intelligence.
Or la criminelle hypocrisie de la civilisation donne sa pleine mesure avec la prétendue libération sexuelle. Il s'agit de rationaliser l'amour, de mettre en équation la fascination et le désir concentrés réciproquement sur un seul être, de dévier le principe de plaisir vers un hédonisme sans mystère et sans danger – si ce n'est même de l'utiliser à des fins mercantiles. Les surréalistes se soucient peu de passer, auprès de maniaques imbéciles du progrès, pour obscurantistes quand ils proclament qu'il n'y a pas d'amour sans mystère, qu'il n'y a pas en amour de physique sans métaphysique. La carrière à ouvrir aux forces

souterraines est intégralement vierge. Leur détournement dans les directions religieuses, leur perversion dans les fanatismes idéologiques de l'histoire récente nous prouve la nécessité de les rendre à leur innocence et de rendre au sacré l'espace libre où son déploiement emporte un ample bénéfice de lumière. Pour nous, surréalistes, il existe une pensée poétique au même titre qu'une pensée philosophique et qu'une pensée scientifique. Si, parfois, elle se distingue difficilement de la pensée philosophique, elle n'en a pas moins ses propres lois et, par là même, sa rigueur. Mais elle entretient des rapports libres avec le principe de réalité, alors que les pensées philosophiques et scientifiques les plus audacieuses lui sont soumises en permanence. La pensée poétique échappe au temps afin d'offrir à l'homme le pouvoir de prophétie. Elle est pensée – pensée pratique – dès lors que, formulant l'imaginaire, elle se donne pour fin de le transformer en réel. Car "toute la force créatrice..., menant à une nouvelle connaissance et à une nouvelle interprétation de l'univers, a sa source dans le mécontentement humain essentiel et irrévocable envers le royaume de la nécessité" (Teige).

5) La question des rapports de l'art (ou de la poésie, ou de la littérature) et de la révolution alimente une polémique de pure parade entre les partisans de solutions extrêmes qui, génération après génération, ne font que perfectionner leur vocabulaire pour essayer de rajeunir des idées mortes. Opposé à la théorie de l'art pour l'art, comme à la théorie de l'art engagé, le surréalisme réaffirme que dans l'état actuel d'une réalité dont les hommes n'ont qu'une perception fragmentée et aliénée, l'art, pour être révolutionnaire, ne peut chercher son bien que sur terrain inconnu, essentiellement dans les zones les plus obscures de la réalité psychique. Le subordonner à des fins immédiatement pratiques serait dévoyer son énergie et le plier à une contrainte extérieure qui le prive de toute vérité en ne lui attribuant qu'une efficacité fictive. La seule idéologie révolutionnaire qui pourrait englober la création artistique serait celle qui lui reconnaîtrait une autonomie immanente, notamment dans la détermination de sa sphère d'intervention. Une telle idéologie exigerait des artistes qu'ils accomplissent leur fonction spécifique : libérer les pouvoirs et les désirs immobilisés dans l'inconscient ; elle ruinerait, du même coup, l'autorité que peuvent encore détenir les prêtres de l'art pour l'art.

6) Sous le rapport de la mise en commun de la pensée, qui reste l'une de nos préoccupations spécifiques, la plus vive impulsion sera donnée, dans le surréalisme, aux activités ludiques et expérimentales. En l'une et l'autre, nous situons tous nos espoirs intellectuels. Animant la vie des groupes, exaltant l'amitié en l'intégrant aux échanges spirituels, elles établissent chaque esprit dans un état d'intersubjectivité où retentissent de manière consolante les faits de l'actualité et de l'histoire individuelle. Les jeux surréalistes sont une expression collective du principe de plaisir. Ils sont de plus en plus nécessaires puisque aussi bien l'oppression

technocratique et la civilisation des ordinateurs n'ont de cesse que d'accroître le poids du principe de réalité. Le sang intellectuel se régénère par l'activité expérimentale. Nous en appelons constamment aux initiatives individuelles pour proposer à tous des axes de recherche. Il sera rendu compte prochainement, dans nos revues, des travaux actuels sur les poèmes et objets transformés, sur l'observation arbitraire de certains lieux et sur les greffes de rêves entreprises entre Paris et Prague.

7) *L'Archibras* à Paris et *Aura*, qui paraîtra prochainement à Prague, sont non seulement les organes des groupes surréalistes constitués dans ces villes, mais surtout les expressions globales du mouvement surréaliste tel qu'il se définit aujourd'hui, sans préjudice des distances géographiques. Ces formes d'intervention restent, selon nous, insuffisantes, elles doivent être complétées dans chaque situation par des interventions adaptées au public à atteindre et au message à transmettre. Il appartient à la spontanéité surréaliste de suggérer ou de prendre en ce sens toute initiative qu'appellent les circonstances.
Nous saluons nos camarades isolés dans le monde, Franklin et Pénélope Rosemont qui publient à Chicago *Insurrection surréaliste*, Nicolas Calas à New York, Aldo Pellegrini à Buenos Aires, Georges Gronier à Bruxelles et nos camarades surréalistes de Cuba.

Le 9 avril 1935 paraissait à Prague le *Bulletin international du surréalisme.*

Le 9 avril 1968 s'ouvrait à Prague l'exposition surréaliste "Le principe de plaisir".

Les vases communiquent toujours.
(André Breton)

Prague-Paris – Avril 1968.

Philippe Audoin, Jean-Louis Bédouin, Robert Benayoun, Micheline et Vincent Bounoure, Guy Cabanel, Claude Courtot, Adrien Dax, Guy Flandre, Louis Gleize, Jean-Michel Goutier, Charles Jameux, Alain Joubert, Robert Lagarde, Annie Le Brun, Jean-Pierre Le Goff, Gérard Legrand, François Nebout, Nicole et José Pierre, Huguette et Jean Schuster, Georges Sebbag, Marijo et Jean-Claude Silbermann, François-René Simon, Élisabeth et Jean Terrossian. »

Jean Schuster avec son ami Dionys Mascolo, qui a accompagné les surréalistes à Prague en avril 1968. Ils ont donné une interview en commun au journal *Student*, qui sera publiée au mois de mai 1968 sous le titre : "Les surréalistes : le pouvoir révolutionnaire de l'imagination." Photographie extraite de la revue *Analogon* n° 1 (juin 1969).

NUMÉRO 5
HORS SÉRIE
PRIX : 2 F

TCHÉCOSLOVAQUIE

L'ARCHIBRAS

LE SURRÉALISME LE 30 SEPTEMBRE 1968

Réalité politique et réalité policière

On ne s'excusera pas de publier à nouveau hors série, un numéro politique. Tant que la politique était affaire de spécialistes, réglementée, à l'Ouest, soit par le cirque parlementaire, soit par la mégalomanie d'un seul (De Gaulle, Franco, Salazar), à l'Est par les castes bureaucratiques, il nous fallait, bien malgré nous, intervenir dans un cadre imposé et, par là, limiter nos interventions et refuser d'engager le surréalisme dans un combat partiel. Depuis mai, les forces sauvages du monde intérieur se sont emparées, par le fait et par le langage, de la réalité politique. Et la réalité politique est une et nouvelle, le mouvement d'émancipation du *réprimé* intérieur qui, s'émancipant individuellement, invente le destin collectif. (Ricanons, au passage, des analyses professionnelles qui pleuvent ces temps-ci : les vérités les plus relatives passent sèchement au travers de ces gouttes.)

Et face à cette réalité politique (embrasse ton amour sans lâcher ton fusil), il n'y a que la réalité policière. Deux langages : le langage politique et le langage policier. L'enjeu initial de la lutte est, par l'action et par la parole, de donner le premier au peuple, alors que partout dans le monde les pouvoirs, concurrents à peine déloyaux, lui imposent le second.

Aujourd'hui, les uniformes idéologiques des flics tombent en lambeaux. L'internationale policière est à poil, De Gaulle et Séguy, co-préfets de France, se ressemblent et ressemblent à Brejnev, préfet de Moscou et de Prague, qui ressemble à Johnson, préfet de Washington et de Saïgon. Vive la réalité politique du S.D.S., du Black Power, du Vietcong, des guerilleros américains et africains, des enragés de Nanterre, des ouvriers de Flins, du peuple tchécoslovaque !

Ce hors-série de *L'Archibras*, formellement semblable à celui que les surréalistes ont consacré aux événements de mai-juin 1968 en France, contient notamment « La plate-forme de Prague ».

« ON N'ARRÊTE PAS LE PRINTEMPS »

Daté du 12 septembre, ce texte a été rédigé par les surréalistes tchèques ayant quitté Prague le 30 août. Il est publié dans les premières pages du « hors-série » de *L'Archibras* n° 5 consacré à la Tchécoslovaquie. Après avoir tout tenté dans la rue, dans la mesure de leurs moyens, Stanislav et Ivana Dvorský, Petr Král, Prokop et Nadia Voskovec décident de prendre le chemin de l'exil. À leur arrivée à Paris, ils sont logés chez leurs amis surréalistes. Ces derniers mettent en place une collecte de fonds pour pourvoir à leur subsistance matérielle. Dans un courrier de Vincent Bounoure, José Pierre et Claude Courtot sollicitant l'aide d'éventuels donateurs, on peut prélever cette formule pleine d'inquiétude au sujet de leurs amis pragois temporairement installés à Paris : « La prudence leur commande d'y prolonger un séjour dont il est impossible actuellement de déterminer la durée. » Les rédacteurs de ce texte, où s'exprime un puissant désir de reconquête de la liberté violée de la Tchécoslovaquie, sont Stanislav Dvorský, Petr Král, Ludvík Šváb et Prokop Voskovec.

« **Il est curieux de voir** avec quelle régularité les années destinées à devenir la pâture des historiens sont terminées par 8. Dans l'histoire de la Tchécoslovaquie, le 8 signale tantôt la liberté, tantôt la répression et joue un rôle particulièrement fatal : 1918 (indépendance de la Tchécoslovaquie), 1938 (Munich), 1948 (le coup de Prague), 1968.

Dans la Cabale cubaine, le 8 signifie la mort. Le début de 1968 signifiait au contraire, en Tchécoslovaquie, la naissance ; la naissance d'espoirs en un "socialisme à visage humain" (Dubček).

Le fait qu'après des années d'oppression, cette tige fragile ait pu pousser entre les bottes staliniennes, implique deux conclusions :
1) Les germes d'espoir ont survécu malgré les tentatives de stérilisations du docteur Mengele de toutes sortes de fascismes, ces 30 dernières années.
2) Dans de pareilles bottes, les pieds trop longtemps engourdis ne pouvaient plus qu'être gangrenés.

Ainsi, pendant les journées d'août, ce qui se voulait martèlement violent ne fut en réalité que le piétinement du géant stalinien, vieilli et paralysé par son propre poids.
Certes, dans le Brobdingnag d'aujourd'hui, ce géant n'est pas le seul à souffrir d'un mauvais régime. Qu'ils souffrent d'ankylose ou de surmenage, les géants ont tous un trait commun : le sursaut violent devant tout ce qui menace de troubler les habitudes auxquelles ils prêtent une valeur définitive. La parenté entre les inscriptions pragoises d'août et la poésie des murs parisiens de mai, témoigne qu'il y a aussi une parenté des systèmes de répression. La tactique employée contre les rebelles, qui consiste à les rendre responsables d'une inévitable répression, n'est-elle pas aussi bien connue à Prague qu'à Paris ? La brutalité policière et militaire est d'autant plus barbare qu'elle est impuissante contre les idées qu'elle veut combattre. Ce n'est qu'une *ultima ratio regis* des systèmes qui sont en train de perdre leur efficacité idéologique. Aussi sont-ils contraints de recourir de plus en plus ouvertement à une politique de la force. Ainsi, Jean Schuster pouvait-il dire en avril, à Prague, qu'il fallait s'attendre à une vague de répression mondiale dans les jours à venir.

*

Novotny, certes, est tombé ; mais ce qui a suivi n'était pas un simple échange des *apparatchiky* dans le cadre d'un libéralisme superficiel et temporaire. L'invasion, décidée par la pentarchie de Varsovie elle-même, a prouvé à l'évidence que l'exigence "réformiste" et "libérale" peut prendre, dans les pays où on prétend la révolution accomplie, une signification plus fondamentale que dans les pays capitalistes où elle ne fait que paralyser les efforts authentiquement révolutionnaires. Il est vrai que le Printemps de Prague a succédé à une période de flottement idéologique, où les espoirs anachroniques de la bourgeoisie dépossédée se sont progressivement taris et où l'attitude pseudo-révolutionnaire de ceux pour qui le communisme ne consistait qu'à défiler en procession sous les icônes staliniennes n'avait pas encore trouvé de substitut viable. C'est précisément dans ce climat provisoire de vide et de désespoir que des gestes et des actes amoureux, comme il arrive si souvent, commençaient à s'esquisser, d'autant plus radicaux probablement qu'ils semblaient voués à l'échec. Lentement mais sûrement, le mot d'ordre des réformistes étroits : "Tu ne troueras pas un mur avec ta tête"[1] perdait de sa force.

Il serait utile d'avoir à portée de main une chronique détaillée du "processus de renaissance tchécoslovaque". Les faits, à eux seuls, pourraient prouver que ce processus a menacé les Soviétiques et leurs acolytes d'un danger beaucoup plus fondamental que n'aurait pu le faire "la contre-révolution d'une poignée d'intellectuels vendus" : le renouvellement d'activité et d'autorité des masses. Tout d'abord, on ne doit pas présenter comme la base de changements politiques et sociaux la réforme économique inspirée par Ota Sik : on ne saurait inverser le numérateur et le dénominateur. Janvier seul a ouvert la voie aux transformations essentielles ; rien ne caractérise avec plus de précision ce mouvement que le mot *ouverture.* C'est seulement alors en effet qu'a commencé la recherche véritable d'une *socialisation* des moyens de production (il ne s'agissait auparavant que d'une *étatisation*). Il est important de savoir que tout ce mouvement était dirigé contre le monstre bureaucratique. En ce sens, l'effort pour établir des conseils ouvriers répondait à l'exigence de la base qui tendait à assouplir le "centralisme démocratique" par l'exercice de la démocratie directe[2].

Il va sans dire qu'au cours des discussions sur les formes que devait revêtir ultérieurement la vie quotidienne en Tchécoslovaquie, on a entendu des voix stériles qui, en réclamant une direction de spécialistes et de managers, voulaient en fait remplacer le bonnet blanc de la démocratie par le blanc bonnet de la technocratie. On a beaucoup parlé de "dénivellement" social. Mais cette revendication avait plus d'un visage. Il y a eu affrontement entre deux tendances : l'une considérant le travail selon son "utilité sociale", l'autre n'attachant d'importance qu'au degré de qualification. La première voulait désormais consacrer le pouvoir de décider arbitrairement de ce qui est ou de ce qui n'est pas l'intérêt général, la seconde s'efforçait de rétablir la hiérarchie des responsabilités et, ainsi, de restaurer l'efficacité des anciens stimulants matériels. Mais d'autres projets sont apparus, qui mettaient l'accent sur les *besoins humains* et apportaient en ce conflit des éléments tout à fait nouveaux. Par exemple, les projets d'un "dénivellement" qui ne consisterait pas en une récompense *directe* du travail fourni,

1. Proverbe tchèque.

2. Un exemple intéressant dans le domaine syndical : « Le mouvement syndical révolutionnaire » est devenu, après 1948, une institution plus parfaite que l'appareil juridique de Kafka, vivant des cotisations des travailleurs comme une machine qui ne produirait que l'huile nécessaire à son entretien. Au printemps de cette année, de par la volonté des travailleurs des chemins de fer, une organisation syndicale indépendante est née, nommée « Fédération des Équipes de Cheminots », rassemblant environ 12 000 membres, dont l'appareil ne comportait que trois (*sic* !) fonctionnaires. Il est inutile de souligner qu'au contraire des syndicats officiels, cette organisation structurée au minimum a fonctionné avec beaucoup de souplesse, qu'elle a exprimé *directement* les intérêts des ouvriers et qu'elle a eu la chance de devenir un exemple contagieux.

mais en une distribution de biens (logements, loisirs, etc.) capables de satisfaire, dans un premier temps, les différentes exigences élémentaires de chacun. Si les récompenses *selon le mérite* et la satisfaction des *besoins de chacun* différencient socialisme et communisme, de semblables projets ont montré du moins que, dans la Tchécoslovaquie d'après janvier, le socialisme avait plus d'imagination que l'éclectisme yougoslave.

N'oublions pas que les années de stalinisme orthodoxe ou réformé ont taché de leurs empreintes tous les aspects de la vie. Certains réactionnaires ont même pu, un temps, faire illusion, parce qu'ils profitaient d'abord d'une lutte contre tout un passé d'obscurantisme qui portait l'étiquette "socialiste". Mais ils n'étaient point semblables aux djinns de la bouteille ; au contraire, la bouteille débouchée, ils n'apparaîtraient tôt ou tard que comme des bulles de gaz qui crèvent au contact de l'air. Évidemment, les tenants du "juste milieu" trouvaient audience auprès du plus grand nombre. Mais leur option "centriste" constituait plutôt un point de départ élémentaire qui n'excluait nullement une radicalisation ultérieure. Ainsi, le célèbre journal *Literární Listy* ne voulait d'abord être qu'une simple tribune libre ; il a pourtant été amené à publier toujours plus d'articles gauchistes. De même, les porte-parole des étudiants pragois qui, au printemps encore, n'avaient qu'un sourire indulgent pour un Rudi Dutschke, sont revenus en août du festival mondial de la jeunesse de Sofia remplis d'enthousiasme pour le SDS, car ils avaient pu constater que les liens qui les unissaient aux étudiants allemands – et français – étaient ceux d'un commun combat. Il y avait d'autres heureux auspices. Les ouvriers eux-mêmes étaient en train d'établir des "comités de défense pour la liberté de la presse", ce qui prouve que les mots de Marx sur "l'indivisibilité de la liberté" sont capables de pénétrer dans la conscience des masses. On a même pu entendre de nouveau la voix d'*autres* penseurs révolutionnaires, comme Trotski, ce qui était encore, il y a un an, inconcevable. Le premier pas important vers un assainissement de la vie politique, dans l'esprit d'une authentique tolérance, d'une "tolérance non-répressive" (Marcuse), consistait en un projet de nouveau statut du Parti, qui reconnaissait le droit des minorités. Il ne s'agissait pourtant que d'une superficielle fonte des glaces. L'iceberg était en réalité fissuré de toutes parts à la base ; le bruit de la rue faisait de plus en plus craquer les murs des salles de conférence.

*

Le nuage qui a, le 21 août, obscurci le ciel d'été, a sans doute mortellement menacé tout le bon grain qui, après le déluge de janvier, a surgi de plus en plus fièrement, au milieu de l'ivraie. Mais ceux qui ont souhaité qu'une grêle de plomb s'abattît sur la Tchécoslovaquie ne seront pas exaucés pour l'éternité. La colère qui congestionne les têtes des cinq pays du Pacte de Varsovie, si grande soit-elle, ne saurait masquer la réalité : le monstre du régime policier-bureaucratique régnant dans ces pays se tient debout sur des jambes de plus en plus faibles. Aussi, les nombreuses expressions de *véritable* solidarité fraternelle apportées au peuple tchécoslovaque ces jours derniers, à leurs risques et périls, par des simples citoyens des états occupants, confirment que la répression brutale du processus démocratique qui se développait en Tchécoslovaquie ne peut passer, au jugement de l'Histoire, que pour un entracte limité dans le temps.

Il ne faut pas trop surestimer par ailleurs le service que le Kremlin, par son agression fratricide, a rendu à la propagande anticommuniste. Les sourires électoraux des dirigeants américains sur les écrans de télévision ne peuvent pas faire oublier que le visage de loup-garou que les Soviétiques ont montré au monde ressemble comme un frère au visage impérialiste qui grimace au Vietnam. Le vrai mouvement révolutionnaire et communiste est ailleurs !

Il était par exemple, grâce à l'esprit de révolte que l'invasion alliée a réveillé, dans le Parti communiste tchécoslovaque – qui l'eût cru ? – qui n'a jamais manifesté tant de fierté, d'autonomie et d'invention que lors du congrès clandestin du 22 août. Au moment où le Parti, au cours de ce congrès, prenait radicalement ses distances à l'égard du dogmatisme de la plupart des partis-frères, la jeunesse de nouveau adhérait au Parti. Si on ne voit pas bien pour l'instant ce que cette adhésion peut apporter aux jeunes, on voit fort bien en revanche le bénéfice que peut en tirer le Parti : de même qu'en mai à Paris, en août en Tchécoslovaquie, c'est la jeunesse qui a imposé sa loi à la rue[3].

Les jeunes occupants eux-mêmes, armés jusqu'aux dents, se sont en vain défendus contre la contagion de la liberté qui opposait fièrement à leurs fusillades une simple phrase écrite sur les murs en lettres de sang : "Vous pouvez nous violer mais nous n'enfanterons pas !" Les soldats russes se sont en vain cachés derrière les immenses pages de la *Pravda*, ils ont en vain essayé de ne voir qu'un parfait défilé militaire dans les lignes du journal, ils ont en vain tenté d'ignorer la réalité qui les entourait et qui dynamitait chaque mot de l'agence Tass, avec une charge d'humour noir. Le soldat soviétique qui s'est suicidé devant le Comité central du Parti communiste à Prague n'a pas seulement retourné son arme contre lui-même, mais contre ceux qui l'ont envoyé en Tchécoslovaquie pour étrangler son propre désir.

Malgré les tanks avec lesquels ils n'ont pas hésité à enchaîner tout un pays pour mieux se l'attacher, les héritiers de Staline n'ont finalement gagné qu'un isolement plus grand encore dans leur tour d'ivoire fortifiée. Tandis qu'ils se bornent à y attendre sombrement que sonne un téléphone rouge de plus en plus écaillé, dans les régions souterraines où l'homme toujours se recrée, naissent des révoltes flamboyantes, rouges comme le sang dont le sol est imbibé. »

3. C'est seulement grâce à la collaboration des hippies pragois les plus connus que la police tchécoslovaque réussit à dissoudre très vite, par la seule persuasion, une manifestation visiblement organisée par des provocateurs au service des occupants.

PARIS, DÉCEMBRE 2007

entretien avec Prokop Voskovec

« Jérôme Duwa – Le groupe surréaliste de Prague sort de la clandestinité à la faveur d'un assouplissement du régime. Au moment où vous prenez contact avec les surréalistes réunis autour de Vratislav Effenberger, quelles préoccupations les animent ? Qu'est-ce qui fait la vie poétique et intellectuelle du groupe de Prague jusqu'en 1968 ? Vos réunions sont-elles quotidiennes ? Des activités collectives sont-elles mises en chantier ?

Prokop Voskovec – En 1959, j'ai monté mon deuxième spectacle – le premier, j'étais presque gosse et il a été interdit tout de suite –, déjà avec Petr Král ; c'était *Ubu roi* d'Alfred Jarry. Tout de suite, à Prague, cette représentation a été, grâce au bouche à oreille, très recherchée et on a réussi à faire une deuxième représentation, suivie d'une interdiction définitive. On était en plein stalinisme, le Printemps de Prague était encore loin ; c'était l'époque où le Parti communiste durcissait le ton et interdisait beaucoup de choses dans le domaine culturel. À la deuxième représentation sont venus des gens qui étaient déjà dans la clandestinité, c'est-à-dire qui écrivaient, qui peignaient des tableaux sans pouvoir publier ni exposer. Rapidement, grâce à Petr Král, j'ai été contacté par le groupe surréaliste, par Vratislav Effenberger. Le groupe surréaliste tchécoslovaque avait une longue tradition. Effenberger animait l'activité de ce groupe dans les années 1950, remplaçant Karel Teige, mort à Prague en 1951. Je connaissais déjà Effenberger comme poète. Le rapprochement du théâtre d'avant-garde avec le groupe surréaliste était naturel. J'étais admis à participer à des réunions qui se déroulaient assez régulièrement une fois par semaine, en principe dans l'appartement de Vratislav Effenberger parce qu'au café ce n'était pas suffisamment sûr. On n'était pas paranoïaques, mais la société était tellement fliquée par la police politique que c'était plus prudent. Il était de tradition dans l'activité de ce groupe surréaliste tchèque de ne pas se dire "surréaliste", tout en restant très lié avec le surréalisme. On a trouvé pour l'activité une abréviation : "UDS" qui, autant que je sache, ne signifiait rien, c'était une mystification. Moi à vrai dire j'étais très timide à cette époque-là, il n'était pas dans ma nature d'oser trop parler, j'écoutais. Naturellement, je connaissais certains textes traduits des surréalistes français, mais seulement ce qui était traduit. Effenberger a traduit par exemple Benjamin Péret. Benjamin Péret convenait à Vratislav, à sa façon d'écrire et de concevoir la poésie. Je ne pouvais pas lire les textes originaux, je n'étais pas doué pour les langues. Mais beaucoup de choses chères aux surréalistes étaient traduites déjà avant la guerre. Mon père avait traduit *Le Docteur Faustroll*, et *Ubu enchaîné* de Jarry. Et mon oncle qui était un grand acteur comique a participé à l'activité du poétisme (1923-1932) qui précède le surréalisme tchèque, traduit *Ubu roi* et joué avant la guerre.

Quant à l'activité du groupe, il faut dire qu'aux yeux de beaucoup qui le traversèrent, Effenberger passait pour une sorte de gourou, chef des surréalistes tchécoslovaques. Il était accepté comme tel, mais plusieurs personnalités, sans rompre complètement avec lui, ont fait un parcours artistique indépendamment d'une certaine rigueur de Vratislav. Pour moi, j'étais fasciné par cette personnalité. Plus tard j'ai suivi une psychanalyse. La psychanalyse m'avait toujours beaucoup intéressé. En 1973, ma femme Nadia s'est suicidée. J'étais désespéré, je me suis senti coupable. Je suis entré en psychanalyse, qui à l'époque en Tchécoslovaquie était aussi en semi-clandestinité. J'ai compris pendant l'analyse que mon admiration pour Vratislav à l'époque me figeait, j'étais comme une pierre ensorcelée. Je n'ai pas beaucoup participé à l'activité entre 1960 et 1966. Effenberger, avec des amis, rédigeait alors *L'Objet* – recueil d'essais, de poèmes, de dessins et de tableaux – je crois qu'il y en eut cinq, ce n'était pas régulier. C'était des gros bouquins tapés à la machine, c'était bien avant qu'on ait commencé à parler des *samizdats* des dissidents tchèques. On ne pouvait pas publier, alors on faisait cela. En Tchécoslovaquie stalinienne existait la toute-puissante Union des écrivains qui avait le monopole idéologique et financier pour toutes les publications. L'Union des écrivains était toujours dirigée par des gens du Parti qui contrôlaient et censuraient tout. Périodiquement, il y avait une réunion plénière de cette Union des écrivains et il y avait toujours quelqu'un pour protester contre la censure et en même temps contre le pouvoir abusif du Parti communiste. Mais la protestation était souvent étouffée : ce fut le cas de Jaroslav Seifert qui était avant la guerre très lié avec le poétisme. Ami de Nezval et de Karel Teige, il n'a pas participé aux activités du groupe surréaliste, même s'il en était très proche. C'est lui qui le premier a protesté. Après 1966, il y en eut d'autres, comme le très actif Václav Havel. Dans le cadre de cette Union des écrivains, ils créaient des revues qui commençaient à être indépendantes, publiant des auteurs et faisant connaître souvent des tableaux des peintres interdits. Le paradoxe est que Vratislav et ses amis n'étaient pas membres de cette Union des écrivains, donc ne pouvaient pas participer directement à ce mouvement de libéralisation. Mais Effenberger avait des amis dans ce mouvement. Il pensait légitimement que le groupe surréaliste méritait d'avoir sa propre revue et il ne voulait pas publier dans des revues littéraires qui souvent copiaient des choses à la mode à l'Ouest, mais qui aussi publiaient des choses intéressantes. Il a eu des amis parmi ces gens qui participaient au renouveau en 1965-1966 et on a publié pour la première fois des textes, comme on disait à l'époque (on ne disait pas des poèmes) dans la revue *Orientation.* On a obtenu une partie de la revue où il était précisé qu'elle était rédigée par le groupe surréaliste. Finalement en 1968, Vratislav et d'autres ont réussi à obtenir la possibilité de publier la revue *Analogon.* Le deuxième numéro, qui était déjà imprimé, ne put pas sortir, comme beaucoup de livres et revues détruits après l'occupation soviétique. Avant on a sorti aussi un recueil retraçant toutes les années de clandestinité et des textes inédits : tout ça a été possible jusqu'en 68. Et il y a eu aussi ce miracle. Le grand mérite en revient à Petr Král qui est allé en 1967 à Paris et a pris contact avec le groupe surréaliste parisien qui était alors compact. C'était après la mort de Breton. Il a participé aux réunions du café *La Promenade de Vénus.* Là-bas germait l'idée d'une exposition du groupe surréaliste à Prague en espérant qu'après réciproquement on allait faire la même chose à Paris. Cela s'est réalisé au printemps 68 à Prague, à Brno et à Bratislava, la capitale slovaque. Il y avait là une personnalité, Albert Marenčin, qui dirigeait le groupe surréaliste slovaque, très actif. Il y avait aussi des gens très intéressants comme Karol Baron.

J. D. – À l'occasion de l'organisation de l'exposition « Princip slasti », des rapports très cordiaux vous lient en effet aux surréalistes français. Cependant, la question politique est un point de résistance entre vous. Comment appréhendez-vous l'enthousiasme des surréalistes parisiens alors enflammés par le régime castriste ? Est-ce que pour vous il était envisageable d'être surréaliste sans plus croire à l'espérance d'une transformation radicale de la société ?

P. V. – Que les surréalistes disent toujours *nous* me gênait. Donc je vais parler de moi et pas des autres. Comment appréhender Cuba ? Le Printemps de Prague était fait par des communistes réformistes. Cela correspondait à quelque chose qui commençait aussi à apparaître en Italie : l'eurocommunisme. Le Parti communiste français n'était pas du tout dans ce courant. Le Printemps de Prague, de Dubček et de ses amis communistes réformistes, se préparait. On était assez jeune ; on était enfermé dans le pays, on ne pouvait pas voyager à l'Ouest ou presque pas ; des journaux, des revues, des bouquins étaient interdits ou n'étaient pas traduits. Je ne parlais pas de langues étrangères, alors j'étais vraiment isolé. Le Printemps de Prague était aussi une leçon politique et il était compréhensible que tout le monde se retourne vers la première République tchécoslovaque, qui était une démocratie qui fonctionnait assez bien, les femmes pouvaient voter, la sécurité sociale était exemplaire, etc. Bref, après des années de guerre et des années de stalinisme et de prétendue dictature du prolétariat, on était conscient que les dictatures ne peuvent pas permettre la moindre liberté de la presse, ou alors c'est tout de suite la mort de la dictature. Donc, quand on me demande s'il est envisageable d'être surréaliste sans plus croire à l'espérance de transformation radicale de la société, cela revient pour moi à demander si on peut rester communiste sans croire à la dictature du prolétariat. D'autres utopies étaient comme un rêve. Je l'ai souvent dit, l'éclatement du groupe surréaliste français quelques années après la mort de Breton, équivalait aux assassinats accompagnant toutes les révolutions, ici ce n'étaient heureusement que des "assassinats" au sens moral.

N'empêche que dès la première rencontre avec les surréalistes français à Prague, je fus fasciné par des personnalités dont la soif de liberté se traduisait par des actes poétiques, et cela l'emportait largement sur le malentendu idéologique.

J. D. – Comment réagissez-vous à la vague de manifestations parisiennes en Mai 68 ? Ces révoltes vous semblent-elles fort lointaines de vos aspirations d'alors ou y percevez-vous quand même un lien avec vos propres luttes ?

P. V. – Je n'étais pas à Paris en Mai 68. Après la visite de nos nouveaux amis – les surréalistes français – tout était prêt pour nous accueillir à Paris. Mais on a retardé le voyage pour rester à Prague et résister dans les rues avec les moyens qu'on avait contre l'occupation des armées du Pacte de Varsovie. Finalement on est parti en France quand il était clair que le Printemps de Prague était écrasé, au moment où Dubček a pleuré à la radio en signant la capitulation. Donc on est parti en France en septembre et nos amis nous ont accueillis comme des rois. Paris était pour nous un mythe et grâce à eux on a découvert beaucoup de ses secrets inattendus : des ateliers d'artistes, les meilleurs repas et les meilleurs vins. Après j'ai reçu une bourse et je suis resté en France huit mois. Pour ce qui concerne le Printemps de Prague et celui de Paris, c'était complètement différent. Cohn-Bendit séduisait beaucoup. On appréciait cette tendance de l'imagination au pouvoir, les inscriptions murales, la liberté des mœurs ; mais moi qui ai séjourné en France fin 68 et un peu en 1969, à l'Université de Nancy et à Lyon, j'ai eu l'occasion de discuter avec beaucoup de maoïstes et de jeunes gens qui voulaient créer des guérillas urbaines, des sections des armées rouges. J'étais opposé à tout cela ; j'étais allergique à ceux qui oubliaient l'imagination et la changeait contre une kalachnikov. On sait aujourd'hui qu'en Allemagne, en Italie, ces révolutionnaires étaient infiltrés par le KGB qui les soutenait. Ils étaient aussi infiltrés par la CIA, qui pensait : s'il y a une grande pagaille, même avec des morts, les Italiens vont commencer à voter à droite. Pour les Soviétiques, c'était clair (mais le raisonnement était inverse) : semer la pagaille pour que la gauche gagne, ce qui veut dire dictature du prolétariat, etc. Je ne pouvais pas cautionner cela.

J. D. – Votre travail s'est particulièrement développé dans le cadre théâtral. Quelles sont alors vos grandes orientations esthétiques ? En quoi votre façon d'aborder le théâtre est-elle surréaliste ?

P. V. – Durant l'année 1966, j'ai été admis à la faculté des lettres où j'ai étudié la théorie et l'histoire du théâtre. J'ai eu un professeur qui traduisait Artaud, qui m'a fait découvrir Gombrowicz, Witkiewicz et beaucoup d'autres auteurs et metteurs en scène intéressants. J'ai un peu abandonné la conception théâtrale que je partageais avec Petr Král dans les années 1960 lors de l'écriture de notre pièce commune. Petr a écrit à cette époque un manifeste – *La Scène poussière* – dont j'ai commencé un peu à m'éloigner durant les années 1970. D'ailleurs ma conférence sur le théâtre autour de l'exposition "Principe de plaisir" commençait par : "Le théâtre surréaliste n'existe pas". Sûrement, il existe certaines pièces qui sont considérées comme surréalistes, le livre de Behar sur le théâtre surréaliste en parle. Pour moi, le théâtre doit se jouer tous les soirs devant un public, même si c'est un théâtre de cinquante places. Si vous ne jouez pas tous les soirs, vous ne pouvez pas être bon acteur. Je suis persuadé de cela. Mes projets reposaient sur des acteurs "acrobates", des "jongleurs", jouant avec des objets et des sentiments, et faisant naître par-là des courts-circuits entre les rêves et la réalité : cela révèle souvent un humour latent.

J. D. – Pour vous et d'autres surréalistes pragois, 1968 est une année où l'histoire traverse violemment votre vie d'individu. Vous êtes confrontés à un choix, qui va d'ailleurs se présenter à nouveau après votre signature de la "Charte de 77" : rester ou s'exiler. Contrairement à Vratislav Effenberger, vous vous êtes établi en France, d'abord en tant que boursier puis comme réfugié politique : toute échappée poétique était-elle impossible après août 1968 en Tchécoslovaquie ?

P. V. – Je suis parti d'abord comme Dvorský, Král et Šváb avec nos compagnes, invités par des surréalistes français. Arrivé à Paris, j'ai pris contact avec le comité des étudiants tchécoslovaques et nous avons réussi à obtenir du gouvernement français une bourse pour huit mois. J'ai profité de cela, mais à l'époque je ne voulais pas émigrer et je suis revenu à Prague à l'automne 1969.

J'étais déjà exclu du groupe d'Effenberger après la lettre malheureuse et offensante qu'il nous a écrite quand nous sommes partis en France en 1968. Mais avec beaucoup d'autres, avec Petr Král qui est resté à Paris, avec Stanislav Dvorský nous avons eu des activités nombreuses et vivantes. J'ai signé la "Charte de 77", mais déjà avant, j'étais proscrit ; j'ai été viré en 1973 du théâtre où j'étais employé comme dramaturge et où on a essayé de réaliser avec de nouveaux amis nos conceptions théâtrales. La répression idéologique – la prétendue "normalisation" – nous en a empêchés.

Après mon accident en 1971, je pouvais faire beaucoup de choses, mais plus jouer au théâtre. Avec Stanislav Dvorský, on a rédigé quelques petits recueils, des traductions, comme par exemple des situationnistes français.

Après la signature de la "Charte de 77" – en 1979 – les autorités ont préféré se débarrasser des opposants et ils nous ont laissés partir – déchus de notre nationalité – sans possibilité de revenir. Depuis, je vis à Paris. »

L'arrivée à la gare de l'Est en septembre 1968 : Ivana Dvorský, Prokop Voskovec, Stanislav Dvorský, Nadia Voskovec, Ludvík Šváb (Photographie prise par Petr Král).

Le gant au mufle du chien qui revient à Prague

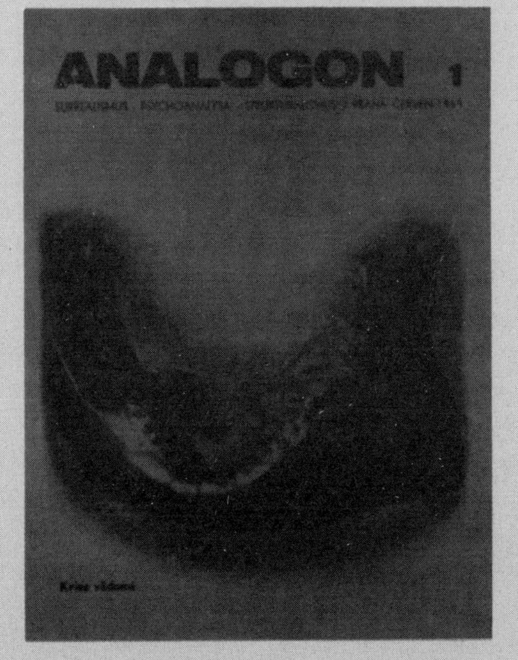

En juin dernier, les surréalistes tchécoslovaques ont publié le n° 1 de la revue *Analogon*, défi à la crapule stalinienne qui remet au point son dispositif de terreur contre-révolutionnaire

Encart publicitaire pour la revue surréaliste tchèque *Analogon*, paru en première page de *Coupure* n° 1, en octobre 1969 (revue dirigée par Gérard Legrand, José Pierre, Jean Schuster).

PARIS

PARIS

L'IMAGINATION NE PARDONNE PAS

Alors qu'ils sont à Prague, les surréalistes apprennent la tentative d'assassinat de Rudi Dutschke, le 11 avril 1968. Voilà ce qu'en mars de la même année, la rubrique *Ce qui est* de *L'Archibras* n° 3 (mars 1968) soulignait comme un fait *important* : « Naissance d'une extrême-gauche *violente et consciente* en Allemagne de l'Ouest : le mouvement étudiant animé par Rudi Dutschke. Rejet de l'attentisme préconisé par le Parti communiste clandestin (sous l'éternel prétexte de ne pas se couper des masses), adhésion aux thèses cubaines, manifestations dans la rue, création d'une université critique où les étudiants reprennent, pour les contester, les cours de l'enseignement officiel. »

Les trois balles qui traversent le crâne de Rudi Dutschke ne blessent pas seulement très grièvement le *leader* du SDS (*Sozialistischer Deutscher Studentenbund* [1]), elles vont précipiter un processus insurrectionnel qui va faire renaître parmi les Berlinois ce sentiment annonciateur de changement : la peur. En Allemagne fédérale, la presse d'Axel Springer, le sénat et le maire SPD (*Sozialdemokratische Partei Deutschlands* [2]) de Berlin se sont chargés de désigner à la population l'origine de la peur qu'elle sent monter en elle : l'étudiant de gauche. Cette peur est au fond légitime, car Rudi Dutschke a travaillé en effet à développer parmi les étudiants une prise de conscience de plus en plus forte, laquelle repose sur une politisation accrue. Anti-impérialiste, pro-cubain,

1. Union socialiste allemande des étudiants.

2. Parti social-démocrate d'Allemagne.

sensible au développement du Black power, Rudi Dutschke ne pouvait que séduire les surréalistes français. Dans un de ses textes traduits dès 1968 en français aux éditions Christian Bourgois, on pouvait lire une remarque tout à fait significative de la perspicacité de son diagnostic politique par-delà même la conjoncture allemande : « La machine de force de l'État, la bureaucratie et le pouvoir exécutif sont les gardiens naturels de l'ordre, du calme et de la sécurité de la société actuelle. Chaque mouvement de groupes politiques qui n'acceptent plus les règles du jeu d'urgence d'un ordre dément est considéré par celui-ci comme une atteinte directe à l'ordre existant et c'est vrai. Nous le remarquons quotidiennement à Berlin à présent et cependant, nous sommes assez désillusionnés pour nous rendre compte que nous ne pouvons atteindre rien d'autre dans un proche avenir qu'un accroissement du camp anti-autoritaire et réellement démocratique à l'intérieur et à l'extérieur de l'Université. Cela serait d'ailleurs déjà beaucoup. Nous voyons combien les gens au pouvoir commencent à trembler pour leur sécurité[3]. »

Parmi les surréalistes qui composent le groupe aux lendemains de la mort de Breton, beaucoup ont contribué activement au combat anti-autoritaire donc anti-gaulliste qui dure depuis le coup d'État de 1958 et s'est prolongé durant toute la guerre d'Algérie. Mais surtout, pour ces hommes et ces femmes qui se reconnaissent surréalistes en 1968, participer aux événements signifie forcément y apporter la mémoire d'un mouvement qui est passé par plus de quarante ans d'histoire poétique et politique.

L'anti-autoritarisme qui s'incarne en Mai et dont parle Rudi Dutschke a déjà un visage familier pour les surréalistes : ce n'est cependant pas celui de Marx, mais plutôt celui de Fourier. « Lorsque je fis la connaissance de Breton, se souvient Charles Duits, il était sur le point de découvrir Fourier, de qui le surréalisme devait se réclamer beaucoup plus sûrement que de Marx[4]. » Depuis sa redécouverte par Breton durant son exil américain, l'œuvre du socialiste utopique a en quelque sorte supplanté la référence dominante à Marx. La raison ne tient pas tant à l'œuvre de Marx elle-même qu'au dévoiement dont elle

3. Rudi Dutschke, *Écrits politiques*, Paris, Christian Bourgois éditeur, 1968, p. 68-69.

4. Charles Duits, *André Breton a-t-il dit passe*, Paris, Maurice Nadeau, 1991, p. 128.

a été la victime. « Ne consommons pas Marx », prévenait une inscription de Mai 68 relevée sur les murs de Censier[5]. Marx appartient trop à l'héritage revendiqué du Parti communiste pour que les surréalistes puissent efficacement se l'approprier. Par souci de clarté, l'anti-stalinisme qu'ils ont défendu ouvertement depuis 1935 au moment de leur rupture définitive avec le PCF exigeait une remise en question du panthéon des communistes orthodoxes. Marx en fit les frais, sans qu'on puisse parler de rupture avec sa pensée, puisque la recherche d'une synthèse entre Marx et Freud entreprise par Breton au moment des *Vases communicants* (1932) se trouve en quelque sorte prolongée, sans solution de continuité, par l'intérêt qu'il porte à l'œuvre surprenante de Charles Fourier à partir de la fin de la guerre, en 1944. En prenant en compte les passions et l'état réel de la société, Charles Fourier offre même de manière anticipée la synthèse la plus réussie des deux mots d'ordre que le surréalisme veut maintenir liés : changer la vie et transformer le monde. Les situationnistes, qui rétablissent sur son socle une réplique de la statue de Charles Fourier sur la place Clichy le lundi 10 mars 1969, paraissent être arrivés à la même conclusion, ce qui démontre certainement qu'à cet égard ils sont des lecteurs vigilants d'André Breton. Une plaque gravée portait ces mots : « En hommage à Charles Fourier, les barricadiers de la rue Gay-Lussac[6]. »

Pourquoi donc le fouriérisme en temps de détresse ? C'est un moyen de renverser la vapeur politique, tout autant que poétique, suivant en cela la méthode présentée dans le préliminaire à *La Théorie des quatre mouvements* : « l'écart absolu ». Sur un mur de la salle C20 de l'université de Nanterre, on pouvait lire les derniers mots de l'*Ode à Charles Fourier* de Breton : « Au grand scandale des uns sous l'œil à peine moins sévère des autres soulevant son poids d'ailes ta liberté. »

Les réponses que Breton apporte au jeu « Ouvrez-vous ? », auquel les surréalistes s'adonnent en 1953, offrent un premier éclairage sur l'importance de Fourier aux yeux des surréalistes ; si Marx se présentait à sa porte, Breton répondrait : « Non, par fatigue. » En revanche, si le visiteur s'appelait Charles Fourier, Breton se montrerait beaucoup plus hospitalier : « Oui, captivé. »

Réplique en plâtre de la statue de Charles Fourier fondue par l'occupant allemand et replacée temporairement sur son socle de la place Clichy par des situationnistes.

Les affinités fouriéristes des surréalistes les ont rendus très attentifs au texte de l'utopiste exhumé des Archives par Simone Debout et publié en 1967 chez Anthropos, après de longues décennies d'un oubli favorisé par des phalanstériens effarouchés par les audaces de leur propre maître à penser : ce livre scandaleux s'intitule *Le Nouveau monde amoureux*. De la présentation qu'en donne en 1975 le théoricien communiste libertaire Daniel Guérin (1904-1988), on peut retenir ces mots : « Le plus sûr titre de gloire de Fourier, c'est probablement d'avoir entrevu, avant tout autre et comme nul autre, un nouvel "équilibre" érotique, lié à la "chute" de l'ordre social actuel. » (Charles Fourier, *Vers la liberté en Amour*, textes choisis et présentés par Daniel Guérin, Gallimard, 1975).

5. *Les murs ont la parole. Journal mural de Mai 68. Sorbonne Odéon Nanterre etc.* Citations recueillies par Julien Besançon, Paris, Tchou, éditeur, 1968, p. 161.

6. Voir *Internationale Situationniste* n° 12, septembre 1969, Librairie Arthème Fayard, 1997, p. 665.

Portrait harmonique de Charles Fourier par Pierre Faucheux en couverture du catalogue de la XIe Exposition internationale du surréalisme organisée à la galerie de L'Œil en décembre 1965.

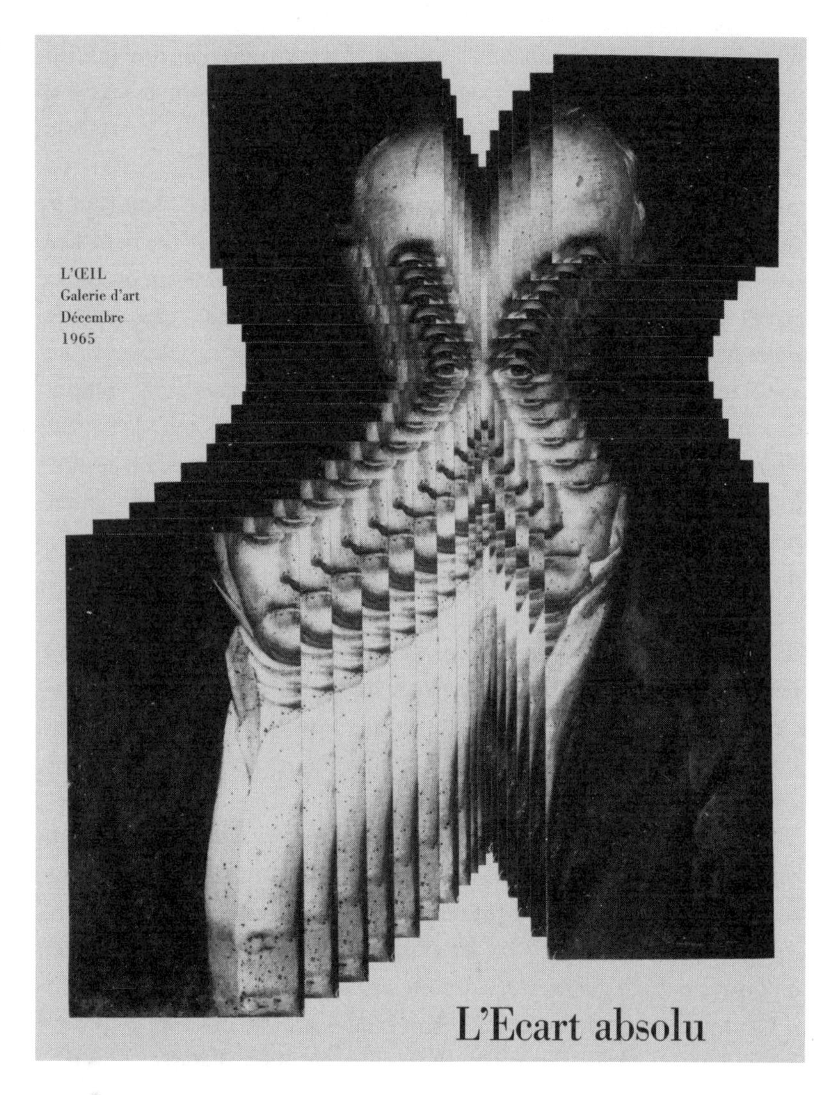

Dans le cadre du même jeu « Ouvrez-vous ? », la réponse de Jean Schuster est également significative ; si Marx venait à frapper à sa porte, il ne lui barrerait pas le passage comme Breton, mais il lui poserait toutefois cette question pour le moins gênante : « Où en est-on avec le temps ? » Cela revient à contester d'emblée toute prétention à transformer Marx en un dogme marxiste. Le marxisme est à retremper dans le flux du temps. Or, ce que le temps apprend de plus en plus aux observateurs politiques vigilants que sont les surréalistes, c'est la dégénérescence des Partis communistes plus épris de domination que de ces libertés, commodément appelées formelles.

Dans le contexte très particulier de Cuba, le 11 août 1967, Jean Schuster estime dans sa conférence à La Havane que « le socialisme utopique de Fourier et le socialisme scientifique de Marx pourraient bien ne pas être contradictoires[7] ».

Tout en ne négligeant aucun détail d'organisation du Phalanstère, Charles Fourier se montre également très attentif à ménager les libertés individuelles, jusqu'à privilégier la plus grande diversité des êtres ; ainsi, « les qualités réputées vicieuses ou inutiles en civilisation » représentent à ses yeux un gage de réussite pour une association harmonieuse. Fourier préconise même de « rechercher les caractères titrés de bizarrerie[8] ».

Dans la préface qu'il donne en 1965 à la réédition de *La parole est à Péret* et au *Déshonneur des poètes* pour les éditions Jean-Jacques Pauvert, Jean Schuster précise encore le rôle assigné par les surréalistes à Fourier par rapport au développement historique qu'a connu la pensée de Marx : « Marx dresse froidement le plan d'une société nouvelle. Pour donner conscience au prolétariat de sa condition, de son nombre, de sa force, il n'aura de cesse que son langage, langage de la raison dialectique, prévale aux dépens du langage passionnel et visionnaire. Dans le processus d'émancipation ainsi engagé, la part de l'imaginaire sera, au départ, circonscrite. Aujourd'hui, nous sommes en mesure d'évaluer la gravité du préjudice. Par un phénomène courant de réciprocité entre les causes et les effets, la réduction des facultés imaginatives dans la formation de la conscience de classe favorisera la dégradation du marxisme et c'est le marxisme définitivement dégradé

7. Jean Schuster, « Les bases théoriques du surréalisme », dans *Archives 57 / 68. Batailles pour le surréalisme*, Paris, Éric Losfeld, 1969, p. 159.

8. Charles Fourier, « Le phalanstère », dans *Saint-Simon. Proudhon. Fourier (extraits)*, Beyrouth, Les Lettres Françaises, coll. « Philosophes du XIXe siècle », 1944, p. 39-40.

qui promulguera l'interdit contre l'esprit créateur. Face à cet interdit et face à la soumission qu'il engendre, la pensée révolutionnaire ne saurait, par définition, s'en tenir passivement au dogme : elle ne peut concevoir d'autre projet que celui de réintégrer l'imagination dans le parti pris de construire une société sans classe, sans chef et sans dieu[9]. »

Même si Marx et Engels ont rendu hommage à Fourier, comme le rappelle Breton dans sa notice de l'*Anthologie de l'humour noir*, il n'en reste pas moins vrai que le principe essentiel de la lutte des classes n'appartient pas au fouriérisme. Ce concept mis hors jeu, on voit mal quelle conciliation pourrait s'envisager avec la pensée de Marx. Peut-être que l'impossible marxisme des surréalistes trouve là un de ses signes révélateurs ; mais la force d'attraction du marxisme, de l'après-guerre jusqu'à la fin du groupe en 1969, est si puissante pour quelque mouvement émancipateur que ce soit qu'il paraît difficile pour les surréalistes de se défaire tout à fait d'une telle référence, alors qu'on peut soulever la question de sa légitimité.

L'*Anti-Dühring* (1878) de Friedrich Engels marquait du reste nettement la différence entre socialisme utopique et socialisme scientifique. Des trois grands utopistes, Saint-Simon, Fourier, Owen, il écrit : « Comme les philosophes de l'ère des Lumières, ils veulent affranchir non une classe déterminée, mais l'humanité entière[10]. » Il semble bien que le surréalisme ne s'attache pas non plus de manière exclusive au prolétariat et qu'il veuille rejouer la carte de l'utopie quand celle du marxisme anti-humaniste leur paraît déjà totalement discréditée. Cela ne signifie pas cependant que les surréalistes ne partageaient pas l'espoir de transformation sociale exprimé notamment par une bonne moitié des quelque 350 affiches de l'Atelier populaire des Beaux-Arts fondées sur l'« exaltation de la lutte ouvrière[11] ».

Les surréalistes misaient toutefois davantage sur la révolte de la jeunesse que sur la possibilité d'une révolution prolétarienne dans le contexte de la France où le parti des travailleurs se montrait si peu disposé à favoriser la pratique révolutionnaire. C'est « l'automatisme » de la révolte que salue le tract surréaliste du 5 mai qui épingle au passage l'article de Georges Marchais paru deux jours plus tôt dans *L'Humanité* :

9. Jean Schuster, « Péret de profil », dans *Archives 57 / 68. Batailles pour le surréalisme*, Éric Losfeld, 1969, p. 59-60.

10. Marx et Engels, *Études philosophiques*, Paris, Éditions sociales, 1977, p. 164.

11. Alain Schnapp et Pierre Vidal-Naquet, *Journal de la commune étudiante. Texte et documents. Novembre 1967 – juin 1968*, Paris, Seuil, 1988, p. 549.

ce terme d'automatisme n'est naturellement pas à prendre comme un mouvement mécanique, mais comme l'expression d'une spontanéité faisant éclater d'un coup tout le carcan répressif qui désenchante si efficacement la vie.

Pour les surréalistes comme pour les étudiants, révolte signifie d'évidence s'en prendre au système gaulliste. Cet anti-gaullisme constitue d'ailleurs l'autre source privilégiée de la production d'affiches réalisées par l'Atelier populaire de l'école des Beaux-Arts. Les surréalistes pouvaient enfin voir exposé en pleine rue ce qu'ils dénonçaient de manière souvent très confidentielle depuis exactement dix ans, c'est-à-dire depuis la fondation du journal anti-gaulliste *Le 14 juillet*.

Maurice Blanchot a exprimé fortement en quel sens la rue était revenue à la vie durant ce mois de Mai 68 et comment De Gaulle a ensuite voulu la bâillonner. Dans un texte du 17 juillet 1968 publié anonymement dans *Comité*, il écrit : « Depuis mai, la rue s'est réveillée : elle parle. C'est là l'un des changements décisifs. Elle est redevenue vivante, puissante, souveraine : le lieu de toute liberté possible. C'est contre cette parole souveraine de la rue que, menaçant tout le monde, a été mis en place le plus dangereux dispositif de répression sournoise et de force brutale [12]. » Attenter à la rue ne saurait laisser indifférents les surréalistes qui en ont fait le lieu sacré d'où peut surgir la rupture salutaire du cours tranquille des choses. Décréter que plus rien ne s'y passe revient à tenter d'extirper l'imagination de l'homme. Il y a un droit de la rue, ajoutait encore Blanchot : un droit « à pouvoir faire en sorte qu'il s'y passe quelque chose [13] ».

Et que se passe-t-il en mai dans la rue, sinon cette expérience impossible pour le pouvoir qui est celle de l'égalité ? L'égalité n'est d'ailleurs pas faite pour prendre le pouvoir. L'historienne Kristin Ross reconnaît en Mai 68 « une crise du fonctionnalisme » et un ensemble de « tentatives de déclassification [14] ». La rue est le lieu d'expression de cet enjeu égalitaire, finalement beaucoup plus réel et beaucoup plus menaçant qu'une hypothétique prise de pouvoir, qui représente en vérité le récit écran élaboré par l'autorité en place pour masquer ce qui est plus profond dans les événements de ce mois de révolte.

| Le tract *Pas de pasteurs pour cette rage*, conservé dans le fonds d'archives Claude Courtot de l'Imec, est présenté p. 194-195. Claude Courtot se souvient que Jean Schuster s'était isolé un bref moment dans une pièce de son appartement du 28, rue de Douai pour écrire le texte de ce tract avant de le soumettre à ses amis surréalistes qui se trouvaient là réunis.

12. Maurice Blanchot, « *Comité* », *Lignes* n° 33, 1998, p. 144.

13. *Ibid.*

14. Kristin Ross, *Mai 68 et ses vies ultérieures*, Éditions Complexe, 2005, p. 32.

| *L'Archibras* hors série n° 5 reproduit p. 156 comporte sur sa page de couverture un tampon vert indiquant « Tchécoslovaquie ». Comme pour la brochure n° 4 de juin 1968, les auteurs ont signé en dernière page ; en l'occurrence, il s'agit de Philippe Audoin, Vincent Bounoure, Claude Courtot, Marguerite Duras, José Pierre, Jean Schuster et leurs camarades tchèques présents à Paris.

Comprendre Mai 68 à ce niveau permet aussi de saisir à quel point le surréalisme pouvait s'y sentir de plain-pied.

La « haine de la spécialisation[15] » caractérisant les surréalistes et que Dionys Mascolo saluait avec admiration dans un livre publié en 1957 aux Éditions de Minuit est revendiquée avec fougue en 1968. Dans le numéro 5 de *L'Archibras* de septembre 1968, on relève cette mise au point dès l'ouverture : « On ne s'excusera pas de publier à nouveau, hors série, un numéro politique. Tant que la politique était affaire de spécialistes, réglementée, à l'Ouest, soit par le cirque parlementaire, soit par la mégalomanie d'un seul (De Gaulle, Franco, Salazar), à l'Est par les castes bureaucratiques, il nous fallait, bien malgré nous, intervenir dans un cadre imposé et, par là, limiter nos interventions et refuser d'engager le surréalisme dans un combat partiel. » Depuis mai, la politique recouvre un engagement devenu global, en sorte que faire œuvre politique revient à ce moment précis à rechercher « par le fait et par le langage » l'unité des facultés humaines que l'organisation de la société fondée sur la division du travail avait jusqu'alors réprimée.

Les numéros 4 et 5 de *L'Archibras* semblent alors représenter les efforts les plus développés et les plus virulents[16] dans le sens d'une réalisation à sens unique du surréalisme dans l'aventure politique. Le choix est simple. « Réalité politique ou réalité policière », prévient *L'Archibras* n° 5.

Pour indiscutable que soit ce choix, une question ne manque pas cependant de se poser une fois exclue la « réalité policière » : est-ce que le surréalisme peut s'estimer satisfait d'opter pour la seule « réalité politique » ? Le choix de la réalité politique va certes de soi, mais résume-t-il adéquatement toute l'aspiration du surréalisme qui ne fait en l'occurrence que redoubler celle de la rue, dont il est par instinct solidaire ? Une lettre de Gérard Legrand adressée à Jean Schuster le 1er septembre 1968 est à cet égard très significative : « Je me permets de demander qu'en même temps qu'on fera ce numéro (*L'Archibras*

15. Dionys Mascolo, « Lettre polonaise sur la misère intellectuelle en France », dans *À la recherche d'un communisme de pensée*, Paris, Fourbis, 1993, p. 85.

16. Cette virulence est honorée par une triple poursuite judiciaire consécutive à la diffusion du numéro 4 de *L'Archibras* pour offense au président de la République, apologie du crime de meurtre et diffamation envers la police. Dans « Leiris est un autre », Jean Schuster raconte comment attendant la livraison de *L'Archibras* n° 4 fin mai 1968, il rencontre par hasard Leiris qui se porte volontaire pour l'aider à décharger les numéros de ce « véritable brûlot anti-France, dans le droit fil du banquet Saint-Pol Roux » (*Le Magazine littéraire*, 1992).

nº 5, spécial Tchécoslovaquie), on veuille bien songer à un numéro plus étendu (32 pages) qu'il ne faudrait pas trop remettre si, comme je l'espère, nous ne voulons pas nous dissoudre dans l'actualité politique, concernât-elle directement (c'est le cas) l'activité surréaliste[17]. »

Du point de vue de Dionys Mascolo ou même de Blanchot, cette dissolution dans le politique constitue certainement la suprême réalisation du surréalisme. « L'exigence politique ne fut jamais pour lui qu'une autre expression de l'exigence poétique[18] », écrit Dionys Mascolo en 1966 pour évoquer Breton. Si ces deux exigences ont toujours été en effet tenues à égalité par les surréalistes, n'y a-t-il pas de plus en plus le risque, après la mort de Breton, que l'exigence poétique soit cependant dévorée par l'exigence politique ?

Dans une lettre que Maurice Blanchot adresse à Jean Schuster le 17 mai 1968, il évoque longuement la nécessité d'une forme d'écriture « non-personnelle », « plurielle » ou « fragmentaire » pour répondre à la situation. Pour Maurice Blanchot, cette exigence de donner congé au moi est on ne peut plus exigible en matière de prise de parole politique. Le contre-exemple à ses yeux est Sartre. Le désir de Maurice Blanchot, largement informé par la tentative heideggerienne de déconstruction du *logos*, est de trouver une manière de dire « problématique », où l'affirmation serait en quelque sorte une « sur-affirmation » qui permettrait de maintenir au-delà de l'unité la présence de la différence. Les termes dans lesquels Maurice Blanchot s'adresse à Schuster sont très voisins de ceux qu'il utilise dans des notes esquissant la revue *Comité* qui voit le jour, pour un numéro seulement, en octobre 1968. Rappelons les caractères de cette publication : textes anonymes, fragmentaires, sans valorisation particulière des productions inédites, contenant des prélèvements d'informations brutes et laissant une place aux non-écrivains. L'irrégularité et la discontinuité sont en somme érigées en loi, afin de « maintenir le travail d'une interrogation incessante[19] ». Plusieurs traits de ce projet s'harmonisent naturellement avec l'héritage surréaliste et expliquent notamment la participation de Jean Schuster.

La communauté d'esprit entre *L'Archibras* et certains projets mûris par l'amitié de Maurice Blanchot et Dionys Mascolo est du reste si évidente que ce dernier publie par exemple *Fragment d'utopie* dans

| La revue *Comité*, dont la couverture est reproduite p. 216, manifeste une exigence, celle de l'amitié, qui aux yeux de Maurice Blanchot était difficile à tenir dans le contexte de Mai 68. Dans « Pour l'amitié », qui préface *À la recherche d'un communisme de pensée* de Dionys Mascolo, il écrit : « [...] nous étions devenus un groupe d'amis, unis jusque dans nos désaccords (lesquels? je les ai oubliés). Or, dans les Comités d'action de Mai 68, aussi bien que dans les manifestations, il n'y avait pas d'amis, mais des camarades qui se tutoyaient aussitôt et n'admettaient ni différence d'âge ni reconnaissance d'une renommée préalable (Sartre s'en rendit compte très vite) ».

17. Archives Jean Schuster / IMEC.

18. Dionys Mascolo, « Pour saluer André Breton », dans *À la recherche d'un communisme de pensée*, *op. cit.*, p. 219.

19. Ces notes de Maurice Blanchot ont été publiées dans *Lignes* nº 33, mars 1998, p. 132-133.

Juste avant un entretien de Schuster et Duras, figure dans ce numéro de *L'Archibras* le texte de Mascolo intitulé « Fragment d'utopie ». Né du spectacle d'une fête dans un hôpital psychiatrique, cette méditation sur l'« égalité poétique » entre fous aboutit à cette question : « Utopie. Comment imaginer que la société future n'emprunte de ses traits à cette fête de malades? »

le n° 2 de la revue surréaliste[20], alors qu'il était initialement destiné à la *Revue internationale* qui n'a jamais vu le jour.

Cependant si Maurice Blanchot et Dionys Mascolo d'une part et les surréalistes d'autre part paraissent poursuivre le même projet d'abolition du moi, on peut se demander s'il n'y a pas malentendu à les confondre totalement.

Pour Maurice Blanchot, l'expérience fondamentale est celle du néant, abouchée à celle de la vie elle-même, l'instant de sa mort déjà vécu. Une des figures les plus modernes de cette expérience, parce que née de la catastrophe de la guerre, figure paradoxalement effacée, c'est incontestablement celle que Robert Antelme cherche dans le *Revier* évoqué dans *L'Espèce humaine* : « Où est K ? », interroge-t-il, alors qu'il est précisément *là*[21], sous son regard incapable de le reconnaître.

Lorsque Breton évoque l'écriture automatique dans « Alouette du parloir » (octobre 1953) sa rêverie, souvent troublée par Garo, le lecteur assidu du journal, fait paraître Titania. Le chemin de la vraie vie des choses ne passe pas alors par une expérience de la mort dans la vie ; même si c'est une expérience qui a ses dangers, elle n'est pas essentiellement vécue comme une menace : « C'est une pente irrésistible, c'est le talus semé de fleurs médiévales devant lequel je suis sûr de te trouver à toute heure du jour[22] », dit le Moi à Titania.

Que penser aussi, du point de vue surréaliste, de telle déclaration de Maurice Blanchot dans *Comité* qui va jusqu'à s'exalter de la fin nécessaire du *livre*, forme culturelle de « l'achèvement », de « l'accomplissement », devenue à ses yeux contradictoire avec le mouvement de rupture qui a cours depuis Mai ? La vie révolutionnaire rend scandaleux le retrait nécessaire pour l'écriture du livre, lequel « même ouvert tend à la clôture, forme raffinée de répression ». Maurice Blanchot affirme encore : « Plus de livre, plus jamais de livre, aussi longtemps que nous serons en rapport avec l'ébranlement de la rupture[23]. » À la place, une écriture dans l'instant, vouée à la disparition, tout le contraire d'une

20. Dans la même livraison, Jean Schuster s'entretient avec Marguerite Duras pour la rubrique « Voix off » (*L'Archibras*, octobre 1967, n° 2). Le texte « Fragment d'utopie » a été repris dans le volume *À la recherche d'un communisme de pensée*, Paris, Fourbis, 1993.

21. En novembre 1993, évoquant pour *Lignes* (n° 21, janvier 1994, p. 127 à 131) son ami Robert Antelme, Maurice Blanchot choisit précisément ce passage de *L'Espèce humaine.*

22. André Breton, Lise Deharme, Julien Gracq, Jean Tardieu, *Farouche à quatre feuilles*, Paris, Grasset, coll. « Les Cahiers rouges », 1954, p. 24.

23. Voir *Lignes*, n° 33, mars 1998, p. 154.

œuvre : tracts, affiches, bulletins, slogans sur les murs. Cela signifie que dans l'expérience révolutionnaire, la seule voix anonyme qui a le droit de parler est celle, en temps normal introuvable, du *peuple.* Cette voix étoufferait donc la création individuelle qui n'aurait plus lieu d'être ? N'aboutissons-nous pas finalement à ce que Jean Schuster a pu dénoncer comme une forme de « censure de la voix intérieure[24] » ?

À seulement esquisser cette comparaison sur le rôle de l'écrivain révolutionnaire, on saisit qu'il ne faut pas confondre ce que Dionys Mascolo appelle le « communisme de pensée » avec une unanimité sans différences.

Dans « Opéra 68[25] », Claude Courtot évoque sa participation au Comité d'action étudiants-écrivains : « l'ivresse éprouvée » à être devenu alors un « opéra fabuleux » (Rimbaud) ne peut être *rejouée* par aucune écriture. Restent de bien dérisoires archives. Une de ces pièces à conviction sert justement de clôture à « Opéra 68 ». Il s'agit d'un article tiré d'*Action* et portant le titre : « Écrivains : pas d'autopsie » (1er juillet 1968). Il y est question d'un débat organisé par les étudiants de la faculté de Médecine, où plusieurs écrivains étaient invités à discuter sur le thème « Littérature et Révolution ». Clara Malraux, d'Astier de la Vigerie, Armand Lanoux, Bernard et Maurice Clavel conduisent un « débat morose ». C'est alors qu'intervient le porte-parole du Comité d'action étudiants-écrivains : « Le moment n'est pas à faire l'autopsie de la Révolution, ni à disserter sur la littérature : le moment est à s'engager concrètement dans l'action révolutionnaire au même titre que tout travailleur », résume le rédacteur d'*Action.* La discussion, changeant d'amphithéâtre – on passe ironiquement du patronage de Che Guevara à celui de Boris Vian –, met en évidence que « les écrivains comme les étudiants éprouvent de grandes difficultés à sortir du domaine littéraire, auquel les étudiants surtout semblent très attachés ». Finalement, ce sont les écrivains qui défendent devant les étudiants l'idée de la nécessaire Révolution... Force est alors

| « Opéra 68 » repris intégralement plus loin (p. 230-235) revient avec précision sur ce que Claude Courtot avait déjà esquissé dans un texte de juin 1970 paru dans le recueil intitulé *Carrefour des errances* aux éditions Losfeld (collection « Le désordre »). Voilà ce qu'on peut lire dans « L'attentat » : « En Mai 1968, j'étais dans la rue très naturellement, très sainement, parce que j'avais envie d'y être, parce que j'y trouvais mon plaisir. » Et plus loin, évoquant la possibilité de dresser un bilan de sa vie juste avant de mourir, il note encore : « [...] entre deux ou trois aventures intimes, je réserverai dans mon souvenir agonisant, une place au mois de mai 1968, comme au seul vrai printemps de ma vie. "En mai, fais ce qu'il te plaît". Je n'aurai pas au moins, démenti le proverbe populaire ! »

24. Jean Schuster, « Détours », dans *Archives 57 / 68*, Éric Losfeld, 1969, p. 179. Notons encore que dans *Comité* même, le « Plus de livre ! » de Blanchot a suscité des commentaires contradictoires. Pourquoi le livre serait-il nécessairement coupable ? Ne l'est-il pas surtout pour celui qui comme dans le poème de Mallarmé a lu tous les livres ? Un anonyme de *Comité* défend ainsi l'idée que des « millions de gens n'ont pas eu encore assez de livres ». Plutôt que d'exécuter le livre, le même anonyme milite pour « sa sortie de l'espace sacré ». (*Lignes* n° 33, op. cit., p. 155).

25. Claude Courtot, « Opéra 68 », *Bonjour monsieur Courtot !*, Paris, Ellebore, 1984, p. 61 à 67.

de reconnaître qu'au sein du Comité d'action étudiants-écrivains la communion pourtant essentielle entre écrivains et étudiants paraît assez peu solide.

Le malaise sur le rôle de l'écrivain dans les événements est souligné par Leiris dans une page de son *Journal*: « [...] je me sens plus près des "22 Mars" de l'origine et des situationnistes que des Jeunesses communistes ou des pro-Chinois. "Soutenir envers et contre tout", c'est-à-dire faire en sorte que cet esprit-là ne soit pas perdu. Bien entendu, ne pas user de ces grands principes pour donner des leçons de révolution (ridicule de Mascolo, Blanchot, Schuster, etc.)[26]. »

C'est une lettre que Dionys Mascolo adresse le 13 février 1969 au Comité qui signale que le « dernier acte » est joué. Le Comité se cherchant des ennemis en son sein, Mascolo estime qu'il est temps en ce nouveau creux de la vague d'en envisager la dissolution. Et il ajoute : « M. Blanchot, S. et G. Goldfayn, R. Antelme, H. et J. Schuster, M. Duras notamment sont arrivés (quelques-uns avant moi) aux mêmes conclusions[27]. » Le Comité ayant dégénéré en une sorte de famille, « c'est-à-dire n'ayant plus en commun que du linge sale », il va de soi que l'utopie communiste qui l'animait l'a quitté. Évoquant cette même période, Maurice Blanchot y voit la lutte inégale entre la camaraderie dominante et l'amitié, cette dernière ayant dû finalement en rabattre sur ses exigences.

Pour Jean Schuster et ses amis, l'échec du Comité se double de l'épuisement du surréalisme qui survient peu après, en 1969, comme si la fin du « communisme de pensée » se devait d'être deux fois confirmée, tant il est difficile d'en faire le deuil.

26. Michel Leiris, *Journal (1922-1989)*, Paris, Gallimard, 1992, p. 628. Leiris semble faire écho à une déclaration du Comité : « tout doit être fait pour préserver le sens de ce soulèvement », qui se trouve reproduite le 18 juin 1968 dans *Le Monde* après avoir été exprimée dans un tract (Voir *Lignes* n° 33, *op. cit.*, p. 111 et 122).

27. Voir *Lignes* n° 33, *op. cit.*, p. 175-176.

Un gouvernement ne gouverne qu'avec la confiance publique.

Un gouvernement ne gouverne, sans la confiance publique, que par la force.

Il est clair que la confiance publique a été trahie dans les négociations du Châtelet.

Il est clair que le gouvernement ne peut plus gouverner sans le spectre de la guerre civile.

Il est clair que le gouvernement n'étant plus un interlocuteur, mais rien d'autre que le détenteur des forces de répression, **doit se démettre**.

COMITÉ D'ACTION ÉTUDIANTS - ÉCRIVAINS

CENTRE CENSIER

13, Rue de Santeuil, PARIS-5, Salle 343

Ce tract réagit aux négociations du 27 mai qui ont eu lieu à l'Hôtel du Châtelet et qu'on retient désormais sous le nom d'accords de Grenelle.

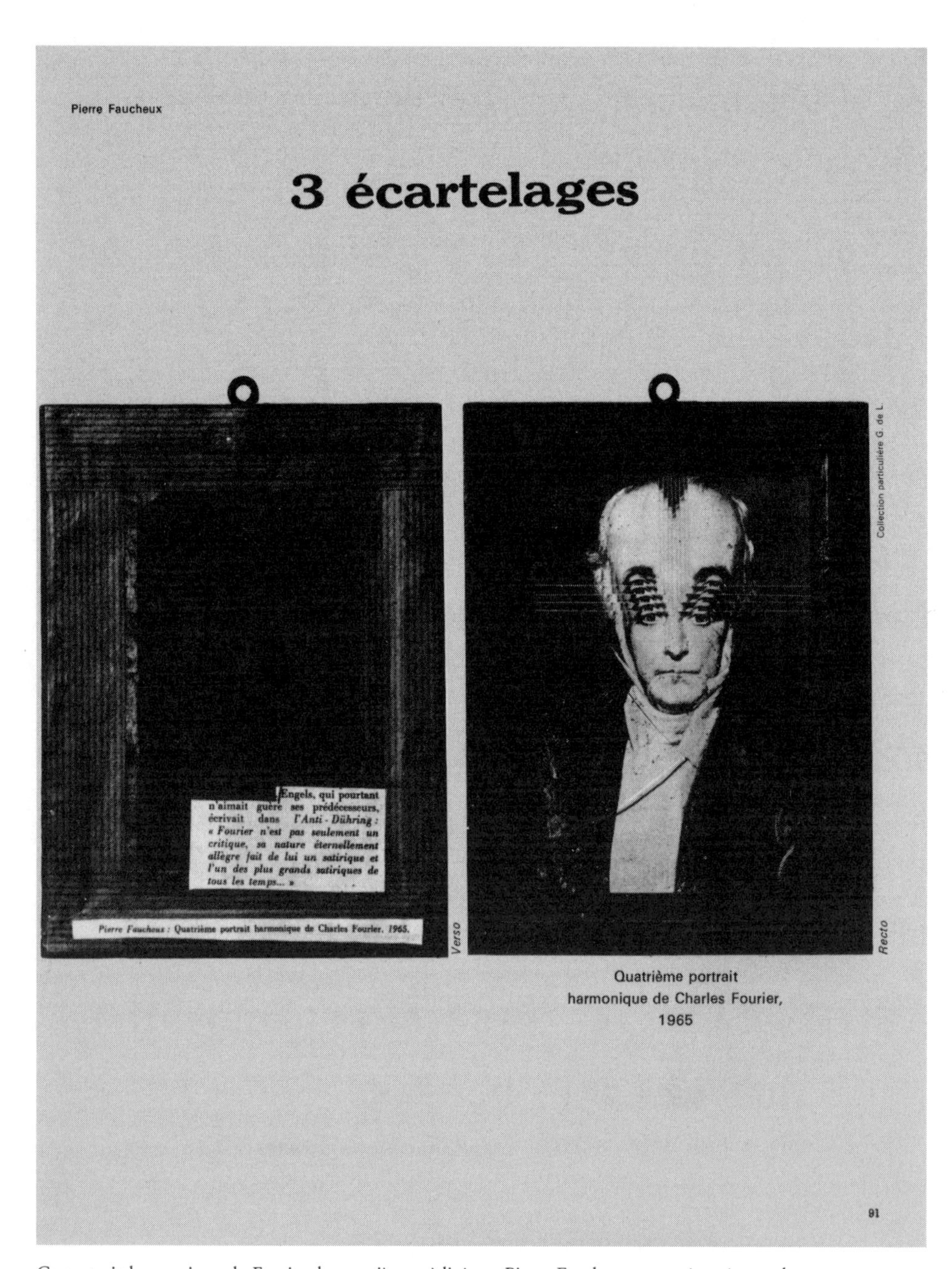

Pierre Faucheux

3 écartelages

Engels, qui pourtant n'aimait guère ses prédécesseurs, écrivait dans *l'Anti-Dühring* : « *Fourier n'est pas seulement un critique, sa nature éternellement allègre fait de lui un satirique et l'un des plus grands satiriques de tous les temps...* »

Pierre Faucheux : Quatrième portrait harmonique de Charles Fourier, *1965.*

Verso

Recto

Collection particulière G. de L.

Quatrième portrait harmonique de Charles Fourier, 1965

91

Ce portrait harmonique de Fourier, le quatrième réalisé par Pierre Faucheux, est présenté avec deux autres œuvres, sous le titre « 3 écartelages » dans *L'Archibras* n° 3 de mars 1968.

« LE TIREUR D'ÉPINES »

Cet article de Philippe Audoin (1924-1985) paraît dans *Le Monde* du 18 mai 1967. Auteur d'essais sur André Breton (1970), Georges Bataille (1984), Joris-Karl Huysmans (1985), Maurice Fourré (1978) ou sur les surréalistes (1973), fortement intéressé par l'hermétisme (*Bourges, cité première*, 1972), Philippe Audoin participe aux activités du groupe à partir de 1962. Lorsque survient la mort de Breton, c'est d'abord à lui que s'impose l'évidence de la formule « Je cherche l'or du temps », extraite de l'« Introduction au discours sur le peu de réalité » (1925).

Le titre « Le tireur d'épines » renvoie ici à un vers de Breton de l'« Ode à Charles Fourier » (1947) : « Comme toi Fourier / Toi tout debout parmi les grands visionnaires / Qui crus avoir raison de la routine et du malheur / Ou encore comme toi dans la pose immortelle / Du tireur d'épine. » Si une gravure ancienne de Fourier le représente en effet dans la pose de la statue du Vatican, cette expression désigne aussi l'utopiste comme celui qui est le plus à même de libérer l'homme de ses contradictions et de son malheur.

« **Plus encore** que celui dont se scandalisait Fourier, le monde présent, où s'intensifie *la guerre du riche contre le pauvre*, où le génocide est le garant d'une satiété maussade, est à nos yeux un objet de scandale ; et les spéculations "philosophiques" qui prétendent l'interpréter, l'amender ou le justifier, ne nous paraissent pas moins vaines qu'autrefois.

Avant tout autre Fourier – sans céder aux tentations pastorales – a rejeté en bloc ces incohérences et ces mystifications. Ce que la société mercantile et manufacturière portait en germe en fait d'oppression et de crimes – et l'on sait quels fruits ces germes ont portés – il a su le voir avec une incomparable lucidité que n'offusquait pas même la poudre-aux-yeux d'un essor industriel *ainsi conduit.* Essor industriel tant qu'on voudra, mais à condition que se substitue :

– Au morcellement, l'unité : l'*unitéisme*, treizième passion, se subordonne les douze autres – c'est toujours la première... ; elle sous-tend l'universelle analogie.

– À la répression, l'attraction : l'univers est régi "*par attraction et non par contrainte*" et le ressort de l'attraction n'est autre que la volupté.

– À la pauvreté hypocritement valorisée, l'innocence d'une richesse illimitée : "*nous désirons encore le luxe externe ou richesse, qui garantit l'essor libre des sens.*"

– À l'humanisme crypto-chrétien du bien et du mal, la restitution de toutes les passions dans la conscience et dans l'action d'un sujet résolu à s'accomplir : "*car le vrai bonheur ne consiste qu'à satisfaire toutes ses passions.*"

Cinquante ans avant Marx, Fourier a contesté que la "civilisation" pût satisfaire une minorité nantie dans un monde voué à la famine – et affirmé *de surcroît* que l'homme disposait de l'Histoire et non l'inverse.

Cent ans avant Freud, il a opposé la sublimation au refoulement – et posé *de surcroît*, comme condition au bonheur de l'homme, l'émancipation amoureuse de la femme.

Toute son œuvre, en même temps qu'une protestation exemplaire, développe – selon le mode envahissant, luxueux et péremptoire de l'art brut l'intarissable métaphore du désir. Fou ? Il fallait que son génie fût bien grand pour que cette folie s'exprimât dans les termes d'une apocalypse propre à renverser les malédictions de Patmos !

Le surréalisme, pareillement issu d'un sursaut de rage et d'indignation devant l'absurdité du monde comme-il-est et du temps comme-il-vient, ne pouvait manquer de saluer en Fourier l'un de ses plus évidents devanciers.

André Breton, alors qu'en 1945 il était l'hôte de tribus indiennes préservées de l'anéantissement, sinon de la misère, a dédié à Fourier, sous réserve de quelques "corrections d'angle", l'*Ode* toute de ferveur que méritait sa mémoire décriée. Depuis, il n'est guère de publication ou de manifestation surréaliste qui ne s'en soit directement réclamée.

C'est encore en hommage à Fourier qu'une nouvelle revue surréaliste, dont la première livraison vient de paraître, a pris pour titre : *L'Archibras.*

Ce membre emblématique, dont Fourier, à l'universelle et durable risée des imbéciles, assurait que les humains seraient dotés "en harmonie", peut en effet figurer l'une des ambitions permanentes du surréalisme : libérer et mettre en œuvre, au service du désir, la toute-puissance de l'imagination. »

DÉCAMÉRÊVE

POUR UNE REFONTE DES HUMANITÉS

1) L'entreprise du rêve est la conservation des droits naturels et imprescriptibles de l'homme : ces droits sont la liberté et la résistance aux obligations auxquelles la vie t'astreint.

2) Le droit du rêve est celui qui appartient à tout citoyen de jouir et de disposer de ses nuits à sa guise, du fruit de ses rapports sexuels et de son industrie.

3) Toute personne, aussi bien seule qu'en collectivité a le droit de rêver, au grand jour, pendant son travail, à l'usine ou au bureau, nue ou habillée.

4) Nul ne peut être arbitrairement privé de son droit de rêver, même si c'est pour lui occasion de festins mystérieux et publics.

5) Ne tolère que l'on t'éveille que si tes plaisirs trouvent dans cet acte sacrilège la condition d'une juste indemnité.

6) Le rêve étant un lieu de confluence des rayons rouges du soleil et du sang constamment renouvelés et confondus, il dénonce avec précision le front d'où il est issu.

7) La femme s'acquitte de sa contribution en veillant, la tête sur la clé des songes. Elle prélève sur la bouche, les seins, les cuisses dont elle a l'administration et l'homme la jouissance, de quoi ravir la langue et distraire le regard.

8) Amour normal, amour forcé procèdent des voies respiratoires qui conduisent au rêve et des vaisseaux sanguins qui conduisent au loin.

9) Prends toujours le parti du diable. Cesse d'être partie pour juger. Scie la branche sur laquelle tu reposes. Dors nulle part. Rêve n'importe où. Puis reviens. C'est encore toi. Les tabous sexuels, une fois usés, ne devront jamais resservir.

10) Marche ou rêve : le but du rêve est toujours à atteindre.

Le groupe *L'Ekart*

IBL

Affiche du *Décamérêve* (1967).

Robert Guyon dans un cimetière, *Le Décamérêve* contre la croix.

« LETTRE DE ROBERT GUYON »

Publiée dans *L'Archibras* n° 2 (octobre 1967), cette lettre de Robert Guyon (du 18 avril 1967) et surtout l'affiche *Décamérêve* qu'elle introduit, font figure de signes précurseurs de ce que Mai 68 va rendre largement public. Cette déclaration sur le droit à rêver s'inscrit du reste totalement dans le programme initial des surréalistes : « Il faut aboutir à une nouvelle déclaration des droits de l'homme. » (*La Révolution surréaliste,* 1er décembre 1924.) Ce droit sur lequel il est impossible de transiger, c'est bien sûr celui de l'imagination directement reliée au vaste terrain de jeu de la sexualité. Le christianisme s'étant arrogé en la matière le pouvoir arbitraire de dire ce qui est permis et ce qui est interdit, il est logiquement désigné comme l'ennemi principal. On comprend alors que Robert Guyon ou Bernard Caburet, les deux personnalités essentielles composant le groupe L'Ekart à Lyon, aient eu le désir de placarder le *Décamérêve* « au cœur même de la pieuvre qui étreint encore l'univers » (Breton). « La grande affaire de ce temps pourrait bien être de passer du "C'est oracle, ce que je dis" au "C'est oracle, ce que je fais". » Citant ce propos de Robert Guyon, Vincent Bounoure ajoutait dans son essai sur *L'Événement surréaliste* : « À l'intemporalité prophétique répondrait alors l'instant seul, l'instant de l'action, lui qui paraît coupé de l'histoire comme il nous coupe le souffle, comblant tous nos vœux et formulant dans leur réalisation même ceux que nous n'avions pas eu la témérité d'affirmer au grand jour. » (*L'Archibras* n° 3, mars 1968.)

« **Les murs.** “Naguère, souligne Jean Schuster, s’y plantaient les drapeaux des nations.” C’était aussi un temps où les têtes tombaient sitôt accusées de n’être pas à la hauteur de certaines prémisses révolutionnaires.

Aujourd’hui, on affiche plus d’assurance. Le maintien se conforme à mesure qu’on voit la flamme dévastatrice hésiter devant la société capitaliste pour retourner à ses tristes couvaisons sous la cendre. Ah ! on est bien persuadé que le mécanisme n’est pas près de s’arrêter qui engrange les produits de consommation pour la satisfaction des esprits et des ventres boulimiques ! Tourne à belle allure le circuit infernal d’offres et de demandes en vue de rassasier des goûts de pourceaux ! Mais attention, tant roulent les têtes dans le tourment des jérémiades publicitaires qu’elles pourraient bien n’être pas tellement mieux assurées sur leurs épaules.

Le rêve. Son exaltation ne devrait éveiller chez nos contemporains rien que de très connu. Fasse que toutes les initiatives passées, visant à scalper le public de son bonnet d’âne, lui aient mérité de tels lauriers que notre génération puisse se contenter d’y écouter bruire le vent. Mais je n’aperçois pas les coiffes sous lesquelles s’éclôt l’empire du rêve, nul porte-parole de bonne foi dressé devant nous pour taxer notre entreprise d’inutilité. Depuis que la révolution psychanalytique nous a enseigné que tout se passait autrement que dans le navrant “rêve à guillotine”, tout ce que l’opinion semble avoir retenu c’est qu’elle pouvait à nouveau entonner son cantique idiot “ce n’était qu’un songe”, et induire subtilement que si la tête, désormais sans menace, était bien pleine, l’escarcelle devait l’être pareillement, sans comprendre que la première s’allégeait de son poids même de rêves.

Dans ces conditions, il s’agit pour nous d’entretenir l’idée que la pente grossière où s’incline le désir humain, dans les instances incroyables de la publicité, ne lui est aucunement naturelle. Nous entendons peser de tout notre poids au sommet de cette pente jusqu’à ce que nos contemporains s’avisent que la direction prescrite lui est infiniment plus instinctive.

L’œil. Ce niveau d’eau passif, il nous plaît de lui faire enregistrer une des plus belles dénivellations où il lui sera loisible de regarder prendre son élan l’oiseau de sollicitudes.

Dans le vieux mur paranoïaque, nous voulons croire que ce que Vinci s’absorbait à contempler, tard à la lumière de sa lampe à huile, ce n’était pas le visage de sa mère ou autre platitude insupportable, mais un langage sacré, que, tout génie de déchiffrement mis à part, nous ne croyons pas très éloigné de celui que nous tenons aujourd’hui.

Le mur absurde des HLM volera en éclats pour retrouver un peu de la conscience de l’ancien :

Pour une fin de la publicité profane.

18 avril 1967. »

Pour Bernard Caburet, *Le Décamérêve* est la seule confession acceptable.

La révolte ne s'apprend pas.
Elle s'organise en révolution, à partir de la spontanéité de la jeunesse.
C'est la jeunesse qui détient aujourd'hui la conscience et l'énergie révolutionnaire.
Cette jeunesse n'attend de leçon de personne ni d'aucune institution ni d'aucun appareil
Elle s'apprête à liquider toutes les institutions, tous les appareils, d'une civilisation d'ores et déjà passée par profits et pertes.
En France, la bourgeoisie traditionnelle, assoupie par la tranquillité que lui laisse le parti communiste, retrouve ses réflexes répressifs.
Bien plus le Parti communiste et l'UEC réalisent avec les paras d'Occident, les gorilles de De Gaulle et les épiciers lecteurs de l'Aurore, l'unité de la répression contre la jeunesse révolutionnaire
après l'article de Marchais, dans l'Humanité du 3 mai, il est clair que l'exigence révolutionnaire, pour tous les ouvriers et étudiants communistes, pour tous intellectuels qui entendent répondre à la même espérance passe par la destruction simultanée des structures bourgeoises et des pseudo communistes parfaitement imbriqués
Le mouvement surréaliste est, à la disposition des étudiants pour toute action pratique destinée à créer une situation révolutionnaire dans ce pays.

Le Mouvement Surréaliste
Paris, le 5 Mai 1968

Manuscrit du tract « Pas de pasteurs pour cette rage ».

pas de pasteurs pour cette rage !

La révolte ne s'apprend pas.

Elle s'organise en révolution, à partir de la spontanéité de la jeunesse.

C'est la jeunesse qui détient aujourd'hui la conscience et l'énergie révolutionnaires.

Cette jeunesse n'attend de leçon de personne ni d'aucune institution ni d'aucun appareil.

Elle s'apprête à liquider toutes les institutions, tous les appareils d'une civilisation d'ores et déjà passée par profits et pertes.

En France, la bourgeoisie traditionnelle, assoupie par la tranquillité que lui laisse le parti communiste, retrouve ses réflexes répressifs.

Bien plus, le parti communiste et l'U.E.C. réalisent avec les paras **d'Occident,** les gorilles de de Gaulle et les épiciers lecteurs de **l'Aurore,** l'unité de la répression contre la jeunesse révolutionnaire.

Après l'article de Marchais, dans **l'Humanité** du 3 Mai, il est clair que l'exigence révolutionnaire, pour tous les ouvriers et étudiants communistes, pour tous les intellectuels qui entendent répondre à la même espérance, passe par la destruction simultanée des structures bourgeoises et pseudo-communistes parfaitement imbriquées.

Le mouvement surréaliste est à la disposition des étudiants pour toute action pratique destinée à créer une situation révolutionnaire dans ce pays.

Le mouvement surréaliste.
Paris, le 5 mai 1968.

Ce tract a été rédigé par Jean Schuster au domicile parisien de son ami Claude Courtot. Il constitue, deux jours après la manifestation inaugurale des étudiants au Quartier latin, la première réaction d'un collectif d'avant-garde contre la répression.

« SUR CHAMP DE FEU, DÉFI À LA SERVITUDE DIPLÔMÉE »

Cette déclaration du groupe L'Ekart, au sujet de l'Université, est un tract diffusé à Lyon le 15 mai 1968. Elle a été ensuite publiée dans *L'Archibras* hors série n° 4 (18 juin 1968). Ce texte entend hériter de l'esprit de révolte à l'égard de l'Université et des professeurs qui animait déjà René Crevel dans *Le Clavecin de Diderot* (1932). Dans le chapitre « La République des professeurs » de ce pamphlet réédité en 1966 par les éditions Jean-Jacques Pauvert, avec une présentation de Claude Courtot, on peut prélever cette phrase toujours d'actualité en 1968 : « Cravates de commandeur, robes universitaires, uniformes académiques, tous ces oripeaux dont la troisième République n'a même pas le mérite de les avoir inventés, bien que, depuis belle lurette, les mites s'y soient mises, au conformisme de la majorité des intellectuels, ils n'ont cessé de signifier un ordre, dont ces messieurs sont les serveurs. »

« **Ceux d'entre les étudiants** qui entendent poursuivre le gigantesque mouvement de contestation sorti – beau comme le dégel de l'intelligence – des barricades de la nuit de vendredi, et le faire tourner à la confusion et à la déroute de l'Université bourgeoise, doivent aspirer consciemment à renverser de fond en comble le système universitaire et académique.

C'est trop peu, Camarades, que de caractériser le bénéfice des récentes manifestations en jetant le discrédit sur quelques ministres, un préfet, un recteur et trois ou quatre bataillons de flics. Vous êtes-vous interrogés sur le rôle, à tous égards bien davantage néfaste, de cette autre catégorie de flics qui se targuent d'être vos maîtres, d'exercer un contrôle sur vos aptitudes en fonction de droits et de devoirs de l'esprit parfaitement caducs ?

C'est sur eux aussi, ne l'oubliez pas, qu'il vous appartient de passer condamnation.

Étudiants, vous l'êtes d'un monde qui est tout entier à refaire. À quelque service d'un prétendu état d'esprit de gauche que vous songiez à vous mettre, il serait consternant que vous consentiez à passer pour de simples réformateurs d'un système qui – quelque profond bouleversement que vous lui feriez subir – se réconciliera toujours, par-dessus vos têtes, avec la bourgeoisie.

Université critique ? Allons donc ! Jamais l'enseignement que vous assènent des gens en place ne fera cas de ce que vous escomptez lui opposer de plus contradictoire au plus éclatant de votre jeunesse et de vos désirs. Il est de la nature de cet enseignement de se donner pour péremptoire puisqu'il est le lourd appareillage grâce à quoi de purs crétins élèvent (ce n'est pas le mot juste !) qui bon leur semble, renvoient dans l'ombre les meilleurs, dans les yeux desquels ils ont vu leur étoile pâlir. Ne forment-ils pas une joyeuse corporation ces argonautes de l'esprit en cale sèche dont l'entreprise se borne à camoufler l'indigence de leurs moyens et la précarité de leurs vues sous les élucubrations de démiurgies masturbatoires pompeusement appelées thèses, cette corporation qui, on ne peut mieux à l'image du mercantilisme, vous paie aux points, vous récompense aux diplômes.

Camarades parisiens ! On dit que le calme est revenu au Quartier latin, que la brume de cendres qui montait de la rue ce samedi matin sera à nouveau déchirée à grands coups de férule prédicante. On dit que vous êtes prêts à reprendre place dans les amphithéâtres sans plus vous soucier des profondes lézardes creusées dans l'édifice. Sûrement, la presse, la radio vous calomnient !

Dites-vous bien que ceux qui, de guerre lasse, vous incitent à parlementer avec eux afin de promouvoir une université nouvelle, n'ont rien de plus pressé que de sauver les apparences, de restaurer – à moindre frais – les murs de leur Sorbonne, "ce musée Dupuytren des gloires séniles", comme la désignait le poète René Crevel. Soyez sûrs qu'ils s'y sont taillé une carrière bien trop enviable (aux yeux des affairistes) pour écouter de bonne foi vos doléances. Les murs de la Sorbonne, en ce mois d'examens, parions qu'ils regrettent amèrement de n'avoir pu vous les tendre

à lécher comme des chiens pantelants en vous jetant cet os à ronger, la liste bi-annuelle des grâces et des disgrâces.
De quelle somme imposante de sagesse pourrait donc se prévaloir "la maturité vaticinante", prix Nobel en tête ? Alors que sa mission était d'éclairer votre lanterne aux bifurcations de votre ligne de vie, elle se montre surtout impatiente de vous passer au cou sa guirlande de brevets puis de vous faire couler à pic dans une société de répression qui professe le plus souverain mépris des efforts que vous ferez pour surnager et tenter individuellement votre chance.
Aussi, avant de vous asseoir à la table de conférence avec ceux qui se dressaient naguère parmi vos censeurs et – merveilleuse volte-face ! – s'improvisent tout à coup vos interlocuteurs, gardez en mémoire ces quelques propositions :
1) La crise actuelle ne saurait se réduire au sein de l'Université. Elle est d'une espèce autrement générale et sérieuse. Elle réside en ce fait qu'aujourd'hui, panorama fait des connaissances de notre temps, il s'agit de passer de la certitude et du confort moral et matériel au doute actif puis à la négation absolue en vue d'une refonte totale de l'Entendement humain.

2) L'ampleur de ce qui se passe à Paris n'a de sens que si la volonté de refus manifestée prend effet dans l'audace d'une *insurrection permanente contre tout principe d'un enseignement officiel.*

3) La capacité dévorante de refus, de contestation de la jeunesse a trouvé moyen de se configurer. Rien ne saurait la prendre au dépourvu. Elle ne peut que grandir et se fortifier dans un sentiment de révolte qui lui est aussi naturel que d'aimer avec fureur et de respirer.

4) Nous convions tous les étudiants qui ne sont pas possédés de l'hystérie des études à se fédérer. Ne reprenez pas le chemin d'une Sorbonne où on espère bien vous renfourner du même pas soumis que vos aînés. Cette Université, il est moins urgent de la transformer que de créer une *agitation sans précédent dans les esprits.*

À dater de ce printemps, vous ne vous humilierez plus jamais devant les officiants de la parole poncive, cocardés de palmes académiques, qui s'y sont fait si désastreusement entendre. »

Pendu en effigie, un CRS monté sur un vélo. Les masques ensanglantés symbolisent le 11 mai. On reconnait dans ce tableau la « patte » des élèves des Beaux-Arts.

Le journaliste de *Paris-Match* fait erreur : il s'agit en fait de la "patte" des surréalistes. Pour la grande manifestation du 13 mai, les surréalistes sont partis vers 14 heures de chez Jean-Claude Silbermann – place Franz Liszt – où ils s'étaient réunis avec ce mannequin de CRS pendu haut et court, réalisé par Jean Benoît. Ils ont ensuite gagné la manifestation par la gare de l'Est. Le personnage masqué de droite est vraisemblablement Jean-Claude Silbermann et, derrière lui, avec des lunettes noires, se tient Claude Courtot.
Photographie parue dans *Paris Match* n° 998, 15-22 juin 1968, p. 59, reportage signé Philippe Decaux.

« VIVENT LES AVENTURISQUES ! »

L'Archibras n° 4. Le surréalisme le 18 juin 1968 (extraits)

Le texte intitulé « Vivent les aventurisques » et les deux suivants se trouvent dans *L'Archibras* n° 4 sous-titré *Le surréalisme le 18 juin 1968*. Les articles de ce numéro hors série ne sont pas signés. Cependant, à la dernière page de la brochure, les auteurs ont décliné leur identité : « Ce numéro hors série de *L'Archibras* a été conçu, rédigé et réalisé par Vincent Bounoure, Claude Courtot, Annie Le Brun, Gérard Legrand, José Pierre, Jean Schuster, Georges Sebbag et Jean-Claude Silbermann. » La revue s'est vue poursuivie pour offenses au président de la République, apologie du crime de meurtre et diffamation envers la police.

Le préambule de la brochure indique :

« Depuis que ces textes ont été écrits, la voix sénile qui exprime l'abdomen national a chevroté ses injures et ses menaces. Tantôt haineuse, tantôt faussement bonhomme. Il n'en fallait pas plus pour que la masse viscérale emplisse les beaux quartiers ; pour que les barbouzes et les activistes réconciliés s'apprêtent à fournir à la police l'appoint "politique" auquel elle aspire.

Cette voix n'a pas craint de souiller ce qui, dans ce pays qu'on proclamait, qu'on voulait avachi, s'est affirmé de jeune, de généreux, d'inspiré ; elle a clairement désigné son ennemi : « l'Espoir ».

Que le sang qu'elle appelle à verser rentre dans cette gorge ! Que la souillure submerge le pourrisseur !

Les jeunes énergies qu'on prétend briser n'auront que plus de force de s'être lovées, quelque temps, dans l'ombre : *car la nuit sera rouge et noire !* »

« Vivent les aventurisques !

Le 30 mai 1968 tous les vieillards de 70 à 18 ans se sont donné la main, et ce fut non seulement ridicule, comme on l'avait prévu, mais aussi terrifiant comme des milliers de couvents, de casernes, de prisons en marche, arborant dans la respectabilité de leurs limites la scandaleuse violence d'un monde de la ségrégation, du sauve-qui-peut de la ruse et de la lâcheté. On assista à la riposte imbécile, peureuse et soi-disant pacifique d'une société qui venait de recevoir en plein visage la plus belle gifle qu'on ait vue ce dernier temps : celle d'un enfant à son père endormi après un trop bon repas.

Avant qu'il ne soit trop tard, des milliers de jeunes gens ont quitté un monde, claquant les portes derrière eux, allumant le plus grand nombre de brasiers pour répondre enfin aux injures sans merci faites à la spontanéité, à l'unique de chaque individu, suivant la technique bien connue : "Il faut battre le fer quand il est chaud". Vous aviez oublié, Messieurs, l'incandescence du fer rouge, trop pressés de le replonger dans les eaux glaciales du temps qui passe, du monde comme il va. Alors ne vous étonnez plus de l'apparente disproportion entre la cause et l'effet. L'éclat de certains regards, la couleur de certaines nuits, vous ont échappé, vous échapperont toujours. C'est dans cette frange d'indétermination de toute vie quotidienne que la violence nécessaire a puisé son énergie, c'est grâce à cette puissance de refus qui répond à tous vos interdits que l'on a pris la force d'écrire *réellement* sur les pages enfin neuves des rues, ne fût-ce que pour un instant : En mai, fais ce qu'il te plaît. Une traînée de poudre que vous avez nommée dans votre vocabulaire usé indifféremment folie, frénésie, délire, embrasa l'anonymat du nombre. Et le nombre se mit à vivre, à détruire individu par individu, le mythe de son inertie abstraite. Vos chiens de garde, sociologues, psychiatres, professeurs, politiciens (pendant que vous lâchiez vos meutes spécialisées pour une sinistre chasse à l'adolescent), s'interrogèrent fébrilement sur la disparité d'âge, de classe de ceux qui prirent la rue : les blousons noirs, les ouvriers, les étudiants, les filles outrageusement fardées descendues des Portes avec autour de la taille des chaînes qui n'avaient plus rien à voir avec les garde-fous, répondirent à un *incontrôlable* (puisque le mot est actuel non sans raison) *vive qui veut*, avec tous les risques que cela suppose, avec l'extrême violence de l'affirmation du désir muselé par le coude des panses de cinquante millions de Français bien français, paralysé par toutes les mains jointes du monde en prière, enfin savamment réprimé par les morales pseudo-socialistes qui appartiennent à la même famille.

Le vent échappa à la spéculation météorologique des week-ends pour servir une immense respiration collective. Je ne parle ni d'une fraternisation dérisoire de type boy-scout toujours prêt à faire comme les autres, ni d'une solidarité de la peur bassement humaine de genre humaniste. Il ne s'agissait pas, mais pas du tout, de donner à voir, mais d'inviter à vivre. Pour la première fois depuis longtemps dans les rues les gens étaient beaux, parce que passionnés. On parla d'un débordement des organisations politiques parce que pour la

première fois depuis longtemps, on ne parlait plus raison mais passion. La misère des rapports humains qui assure votre lamentable sécurité était soudain démasquée. Le bruit courut que tout était possible, parce que des milliers d'hommes n'étaient plus séparés les uns des autres, mais surtout parce que chacun n'était plus séparé de lui-même. La spontanéité allant et venant du jeu passionné à l'extrême sérieux, de l'humour le plus libre au risque de mort, alors les forces répressives passèrent hors de chacun. L'irrationnel échappé de ses chasses gardées, la poésie, la peinture, l'art… dépouillé par la spontanéité collective de son déguisement de rigueur, reconnu ici ou là par vous de temps en temps, et sans risques, comme génial, réduisit à rien la distance habituellement payante entre le signifiant et le signifié, sabota le réseau de contre-espionnage de l'individualisme bourgeois.
Mais rien n'est encore joué, Messieurs, rien ne se perd et tout se crée.
Nous avons des provisions de rêves.
Nous avons des munitions de trouvailles.
Les désirs sont les seules choses qui ne meurent pas.

Lettre ouverte à un adjoint de Malraux

Au cours d'une réunion de peintres, destinée à mettre au point une déclaration signifiant à M. Anthonioz (inspecteur en chef de la Création artistique au ministère des Affaires culturelles) qui cherchait à les rencontrer, le refus des artistes d'avoir quelque rapport que ce soit avec le Pouvoir, fut proposée et repoussée la lettre ouverte suivante :

"Monsieur,
Il existe, dans les rues de Stockholm, des panneaux sur lesquels chacun peut tracer les graffiti qu'il veut. Nous voyons dans ces panneaux le symbole des tentatives que vous faites pour vous concilier nos faveurs. Nous entendons désormais inscrire notre rage sur les murs mêmes, les murs d'ennui, que vous cherchez ainsi à protéger.
La *vocation parasitaire* qui est la nôtre se moque de votre bonne volonté et de votre 'compétence'. Toutefois, à titre indicatif et non limitatif, nous ne sommes pas fâchés de vous faire connaître le petit nombre de nos revendications immédiates et lointaines qui, satisfaites, rendraient exaltant ce rien-du-tout que l'on appelle 'la vie'.
Nous demandons :
L'abolition de la propriété privée ou étatique des moyens de production et de biens ;
La répartition, à l'échelle de la planète, du petit nombre d'heures de travail nécessaires, dans les industries indispensables, pour assurer la subsistance de tous ;
L'abolition de l'argent, c'est-à-dire la gratuité des services publics ou privés et de tous les produits, naturels et industriels ;
Le droit de cité pour toutes les passions, y compris les plus décriées, la mise en commun et l'exaltation collective de leur énergie ;
L'instauration de la citoyenneté mondiale ;
L'ouverture des prisons et des maisons dites de redressement ;
La libération immédiate des 'fous', dangereux ou non, qui en savent plus long que quiconque sur la vie et dont la critique est le seul jugement que nous puissions respecter ;

Le libre usage des drogues et stupéfiants ;
La transformation, non seulement des Musées d'Art moderne et Maisons de la culture, mais aussi des jardins publics et des rues en Champs de Créativité permanente et, dans l'immédiat, la mise à la retraite de Malraux et votre désertion du poste que vous occupez ;
Nous demandons enfin l'élaboration d'une Constitution mondiale qui, considérant le caractère coercitif de toutes les hiérarchies (familles, universités, églises, armées, polices, entreprises, appareils politiques, etc.), annoncerait leur dissolution et mettrait en œuvre les moyens de coordination permettant le libre exercice des activités humaines.

Sauf accord, veuillez agréer, etc."

À bas la France !

Il faut en finir une fois pour toutes avec ceux qui arborent des décorations à la boutonnière. Ce pays est transformé en étable modèle ; il est tout à fait intolérable de vivre au milieu de porcs primés à divers titres : le porc ancien combattant, le porc sportif, le porc travailleur, le porc reproducteur, le porc littéraire, etc. Lorsqu'on fait mine de vouloir nettoyer leurs écuelles, tous ces pourceaux crient "Vive la France" et, devant le danger, forment l'union sacrée des groins tricolores.
Dans la rue, dans le métro, partout, insultons systématiquement, sans nous préoccuper de savoir si on a affaire à un membre du Parti communiste ou à un gaulliste, tous les amateurs de galons, tous les enrubannés, les porteurs de croix, les médaillés et autres palmipèdes, jusqu'à ce qu'ils nous foutent la paix avec leurs exploits de sous-préfecture, leur flamme du souvenir, leur héroïsme prudhommesque et leur morale d'arrière-boutique. Jusqu'à ce qu'ils aient enfin honte d'être inscrits au tableau d'honneur d'une société pourrie.
Continuons de souiller tous les monuments aux morts pour en faire des monuments d'ingratitude. (Avouons que seule une nation de porcs peut avoir eu l'idée d'honorer le soldat inconnu – un déserteur allemand, souhaitons-le ! – en plaçant sa tombe sous un arc de triomphe grotesque qui, avec ses quatre pattes écartées, semble conchier le pauvre bougre que, pour la ligne bleue des Vosges, un jour blanc de neige, on envoya répandre son sang rouge.) Nous ne devons rien à personne. Quiconque aujourd'hui pense avoir droit au respect a bien mérité sa paire de gifles. Voici enfin venu le temps de l'insolence.
À bas les héritages ; et d'abord, à bas l'héritage national ! À bas le patrimoine patriotard et patronal ! Si le drapeau tricolore est celui de la Révolution française, il est aussi celui de Louis Philippe Ier, roi des Français, et du sinistre Monsieur Thiers, il est aussi le symbole de la France coloniale – pendant plus de 150 ans, les bourreaux du peuple algérien n'ont pas brandi d'autre emblème –, il est surtout le paravent du fascisme gaullien et, à ce seul titre, mérite d'être lacéré. Nous ne nous ferons pas tuer, au nom de l'Histoire, au nom de quelques pages d'anthologie révolutionnaire, au nom du *passé* pour récupérer l'étendard

présent des paras et des CRS. Le drapeau français n'est bon désormais qu'à servir de linceul à la bourgeoisie qui a su l'utiliser à son seul profit.
Finissons-en avec la duperie de l'unité nationale, avec les procédures de réconciliation, avec la bave des propos raisonnables et constructifs qui tournent tous à l'avantage de ceux qui les écoutent *assis* : dans des fauteuils présidentiels, sur les bancs de l'Assemblée nationale, sur des sièges d'automobiles ou des pliants de pique-nique durant le week-end familial, sur les gradins du stade et de tous les cirques où ceux qui ont du pain reposent leur cul des coups de pieds quotidiens.
Non à la participation, non aux arrangements à l'amiable, non à la chienlit électorale, non à la complicité du maître et de l'esclave : nous ne reconnaissons pas un peuple d'affranchis, nous voulons un peuple de citoyens libres.
La guerre civile est la seule guerre juste parce qu'on sait pourquoi on tue son ennemi.
Français, Françaises, nous faisons appel à votre mauvaise volonté.

8 juin 1968. »

SLOGANS SURRÉALISTES

Conservés dans les papiers de José Pierre confiés à l'Imec par sa compagne Nicole, ces slogans sont datés du mois de juin. Il s'agit vraisemblablement de recherches de formules à inscrire sur les murs de Paris. Certaines étaient soulignées sur le manuscrit. S'y repèrent aisément des thématiques qui en constituent indubitablement la signature surréaliste : érotisme, athéisme, anticléricalisme, anarchisme. « Rends Violette pour Violette » est-il une allusion à Violette Nozières (1915-1966), la belle empoisonneuse, toujours prête à tuer père et mère ? Ne faut-il pas voir aussi dans certains de ces slogans les plus elliptiques de purs résultats de l'automatisme de la pensée que les journées de Mai et Juin étaient tout à fait de nature à fertiliser ? Oui, « Le quartier est dans ses beaux draps », parce que « La poésie se fait dans un lit comme l'amour » (André Breton, *Sur la route de San Romano*, 1948).

« Les plus beaux baisers sur les banderoles.

Le mois de juin
n'a qu'une seule cloche.

La rivière est nomade.

Toute la crasse vient de Dieu.

Le sommeil est l'ennemi
des bavards.

Le velours est plus doux que le ciel.

Théâtre parfumé ? première extase.

La nubilité
de mai.

Avidité nappée de sauce.

L'avoine est la soie du pendu.

La merise consacre l'alambic.

Les frasques des bisons.

Le rot perd ses pots.

Les lits sentent.

Rien n'est beau
que le foutre.

Le chardon me donne un baiser.

Hormis la raclée, pas de seins.

L'écran gâteux attire les mites.

L'étendard du fagot.

Le vent n'a pas de perles.

Au centre est la sciure.

L'hostile ? C'est l'âme.

User l'ulcère.

Tu te suis, hideux ?

Rends violette pour violette.

La vallée des verrues.

Tes sauts te hissent chez les putains.

Une serre à Paris rue Le Nôtre.

Les pois sont sur les astres.

Une vis qui cherche son trou.

Là où tout se passe,
rien ne se passe.

Un coussin doux, une seule aile.

L'eau livrée, l'hiver se brise.

**Les chevelures poussent
sur les pavés.**

Si le raisin brille, c'est pour ta fille !

Nagez dans la rue.

Une goutte d'eau dans l'œil.

Les mouches se posent
sur les homards.

Les grands hommes
ont de grands pieds.

Déchausse ton sexe au pied de la mosquée.

Le caprice a des
cheveux blonds.

Le hasard est une grande hache.

Les genoux du printemps.

Les nuages montent aux lèvres.

Une barricade en forme de braguette.

La promenade parmi les grenadiers.

Vos cuisses claquent comme
des drapeaux noirs.

Une feuille suffit
à emplir le boulevard.

Le quartier
est dans ses
beaux draps.

**Si tu veux jouir,
couche avec la révolte. »**

Seul, après toutes les tentatives faites en ce sens, le soulèvement des étudiants a été capable de frapper, de façon peut-être décisive, le système qui règne sur le pays. Seul, et ce résultat est d'une importance capitale, il a été capable d'ébranler les appareils des formations politiques et syndicales.

Tout doit être fait pour préserver la vérité politique de ce mouvement, l'originalité de son action, la liberté nouvelle qu'il a d'ores et déjà conquise pour tous. Aucune organisation ne saurait prétendre aujourd'hui représenter seule l'exigence ~~communiste~~ révolutionnaire.

Afin de soutenir, par les moyens qui nous sont propres, l'immense mouvement des travailleurs ~~qui se déclenche, et~~ qui réalise concrètement l'unité, ~~porte en lui la richesse de la pluralité, bien plus que les risques de la division~~, et pour empêcher toute tentation idéologique ou pratique qui viserait à séparer le combat des ouvriers et le combat des étudiants, nous décidons de ~~nous~~ constituer ~~un~~ Comité ~~d'action~~ des intellectuels pour le soutien et la poursuite du Mouvement du 3 Mai. ~~Par les moyens qui nous sont propres,~~ Réaffirmant l'exigence ~~communiste~~ révolutionnaire qui est la nôtre, nous déclarons ici notre lien essentiel avec l'ensemble du mouvement, et nous engageons à le soutenir en toutes circonstances et par tous moyens.

~~Descamps~~

~~Blot~~

Blanchot Maurice
~~Blanchot~~
Antelme Robert
Nadeau Maurice
Mascolo D.
Duvignaud Jean
Maurice Roche
Guy Dumur
~~Alain Jouffroy~~
Bernard Pingaud
Claude Lefort
Vincent Bounoure
Marc Pierret

Jean Schuster
Alain Jouffroy
José Pierre
~~6 rue de Verneuil Bab 85.53~~
Jacques Favrel
M. Duras
Georges Sebbag
Philippe Boyer
Georges Lapassade
J.P. Sartre

~~Sylvain Micheaux~~
Michel Ligny
Jean-Claude Silbermann
Claude Courtot
J.P. Faye
Olivier de Magny

Les archives Dionys Mascolo conservent ce document fondateur témoignant d'une des premières séances de travail du Comité, qui ne porte pas encore son nom définitif.

LES SURRÉALISTES ET LE COMITÉ D'ACTION ÉTUDIANTS-ÉCRIVAINS

Les événements de Mai 68 marquent de fait le début de l'éclatement du groupe surréaliste parisien. Le groupe doit-il agir en tant que tel ou doit-il accompagner le mouvement en s'associant à des organisations plus larges ? Le choix de certains surréalistes de former un Comité d'Action d'accord notamment avec le groupe de la rue Saint-Benoît n'a rien de surprenant, puisqu'une déjà longue amitié unit par exemple Jean Schuster ou Gérard Legrand à Dionys Mascolo, Robert Antelme, Marguerite Duras, Louis-René des Forêts ou Maurice Blanchot. Dans son texte sur la naissance de ce Comité[1], Marguerite Duras parle de hasard pour expliquer sa composition. Il n'en est rien : se reconstitue en réalité l'alliance déjà éprouvée en 1958 avec le journal *Le 14 Juillet* au moment du coup d'État de De Gaulle, et en 1960 pour le Manifeste dit des 121. Le Comité, qui compte une soixantaine d'écrivains à sa fondation, se réunit quotidiennement d'abord à la Sorbonne, puis à Censier. L'endurance de ses membres se trouve rapidement mise à rude épreuve et notamment celle des surréalistes, à l'exception probable de Jean Schuster et d'un ou deux autres.

Les quelques documents publiés dans cette section sont loin de rendre compte de manière suffisamment précise des activités des surréalistes au sein de ce Comité entre le 3 mai et la fin juin 1968. Les rendez-vous du Comité n'ont pas pris la relève de ceux du café surréaliste, parce que l'attraction de la rue était plus forte que tout. Cependant, il importait de montrer concrètement par la présentation de traces documentaires de diverses natures (brouillon de texte, coupure de presse, tract, affiche) que la signature surréaliste contribuait aussi à donner de son éclat insurrectionnel à ces journées d'exception.

1. Marguerite Duras, « 20 mai 1968 : texte politique sur la naissance du Comité d'action étudiants-écrivains », *Les Yeux verts*, Paris, La petite bibliothèque des Cahiers du cinéma, 1996, p. 62.

« La faillite de l'Université[1] ne résulte pas seulement de son incapacité à remplir le rôle dont elle est chargée pour assurer le fonctionnement ultérieur des sociétés actuelles. L'Université, en devenant ici l'un des instruments de répression du régime gaulliste, justifie clairement les analyses qu'elle a suscitées à Berlin, à Nanterre, à Varsovie.
Le monde dont nous ne voulons plus, le monde dont les étudiants ne veulent plus, c'est celui que l'Université tente aujourd'hui encore de perpétuer en fournissant la mécanique sociale de nouveaux esclaves propres à tourner toutes les roues d'un système d'exploitation plus retors que jamais. Cette Université, ce monde qui cherchent à se survivre ne changent pas de nature quand ils font appel aux matraqueurs ou aux manipulateurs ignobles de la haine des pères contre les fils. Instrument au service de la technocratie contemporaine, l'Université n'en satisfait que les objectifs particuliers. Nous constatons qu'elle est déchue de ses prétentions à sauvegarder un savoir universel. Une critique de l'Université doit s'instituer au plus vite dans l'Université même. Elle seule peut lui rendre l'autorité morale et intellectuelle qu'elle a abdiquée en se mettant au service de l'économie. Nous déclarons légitimes les revendications des étudiants et créatrice leur révolte. Nous appelons tous les intellectuels à leur apporter un soutien inconditionnel en vue de démanteler le système qui se dissimule sous le masque humaniste de la civilisation.

Claude Roy, Vincent Bounoure,
Dionys Mascolo, Jean Schuster, Michel Pierson,
Philippe Audoin.

Constitution du Comité d'intellectuels pour le soutien et pour la poursuite du Mouvement du 3 mai[2].

Seul, après toutes les tentatives faites en ce sens, le soulèvement des étudiants a été capable de frapper, de façon peut-être décisive, le système qui règne sur le pays. Seul, et ce résultat est d'une importance capitale, il a été capable d'ébranler les appareils de formations politiques et syndicales.
Tout doit être fait pour préserver la vérité politique de ce mouvement, l'originalité de son action, la liberté nouvelle qu'il a d'ores et déjà conquise pour tous. Aucune organisation ne saurait prétendre aujourd'hui représenter seule l'exigence révolutionnaire.
Afin de soutenir, par les moyens qui nous sont propres, l'immense mouvement des travailleurs qui réalise concrètement l'unité,

1. Ce texte est soit un tract soumis au Comité et refusé, soit un texte qui précède quelque peu la naissance du Comité. Il n'a pas été publié dans le numéro de référence de la revue *Lignes* (n° 33, mars 1998). L'importance quantitative des signatures surréalistes le désignait particulièrement à notre attention pour qu'il soit retenu dans cette anthologie. Ce sont du reste les pièces d'archives signalant l'investissement des surréalistes dans ce Comité, ainsi que leur caractère de nouveauté par rapport aux textes déjà disponibles, qui ont guidé notre choix.

2. Ce texte a déjà été publié dans la revue *Lignes* (n° 33, 1998, p. 111-112), mais sans les noms des signataires. Il permet de mesurer l'implication réelle des surréalistes dans le Comité naissant. Tout le groupe surréaliste ne va pas participer à ce Comité ; certains choisiront d'autres formes de participation aux événements, soit à titre individuel, soit dans le cadre d'autres organisations. On relève ici les noms de Vincent Bounoure, Claude Courtot, José Pierre, Jean Schuster, Georges Sebbag et Jean-Claude Silbermann. Signalons que l'unité initiale entre ces écrivains va être mise à mal par la décision de certains d'entre eux, notamment Jean-Pierre Faye et Alain Jouffroy, d'investir le 21 mai la Société des gens de lettres sise à l'Hôtel de Massa pour y proclamer l'Union des écrivains. Commentaire de Marguerite Duras repris dans *Les Yeux verts* : « Ce départ, capital, sépare les écrivains des écrivains. » (*op.cit.* p. 61).

et pour empêcher toute tentative idéologique ou pratique qui viserait à séparer le combat des ouvriers et le combat des étudiants, nous décidons de constituer un *Comité des intellectuels pour le soutien et la poursuite du Mouvement du 3 mai.* Réaffirmant l'exigence révolutionnaire qui est la nôtre, nous déclarons ici notre lien essentiel avec l'ensemble du mouvement, et nous engageons à le soutenir en toutes circonstances et par tous moyens.

Maurice Blanchot, Robert Antelme, Maurice Nadeau, Dionys Mascolo, Jean Duvignaud, Maurice Roche, Guy Dumur, Bernard Pingaud, Claude Lefort, Vincent Bounoure, Marc Pierret, Jean Schuster, Alain Jouffroy, José Pierre, Jacques Favrel, Marguerite Duras, Georges Sebbag, Philippe Boyer, Georges Lapassade, Jean-Paul Sartre, Michel Ligny, Jean-Claude Silbermann, Claude Courtot, Jean-Pierre Faye, Olivier de Magny.

Les organisations dissoutes : 180 écrivains et artistes se tiennent pour responsables des actions incriminées[3].

Par le pouvoir du refus qu'il détient et par un mouvement incessant de lutte en rapport d'étroite solidarité avec l'ensemble des travailleurs, le soulèvement des étudiants a frappé d'une façon décisive le système d'exploitation et d'oppression qui régit le pays. Par ce même mouvement, il a contribué, d'une façon décisive, à nous retirer de la mort politique, allant jusqu'à ébranler les appareils des formations et des partis traditionnels.

Tout doit donc être fait pour préserver le sens de ce soulèvement, l'originalité de l'action qui s'y désigne, la liberté nouvelle qu'il a d'ores et déjà conquise pour tous. Aucune organisation ne saurait aujourd'hui prétendre représenter seule l'exigence révolutionnaire. C'est pourquoi, au moment où le pouvoir gouvernemental, par des mesures au reste sans justification légale, fondées sur des arguments diffamatoires et telles qu'elles pourraient aussi bien frapper d'interdit toute formation d'opposition, cherche à rendre plus difficile le combat des étudiants aux côtés des travailleurs, les signataires de ce texte déclarent que toute poursuite engagée contre les membres des organisations visées par le décret de dissolution devrait être également engagée contre eux qui se tiennent pour responsables des agissements incriminés. Ils soutiendront par tous les moyens en leur pouvoir les personnes poursuivies.

Robert Abirached, Dominique d'Acher, Sylviane Agacinski, Albicoco, Suzanne Allen, René Allio, Robert Antelme, François Arnal, Alexandre Astruc, Philippe Audoin, Colette Audry, Jacqueline Audry, Hugues Autexier,

3. Imprimée sur fond jaune vif, cette déclaration sous forme d'affiche rallie un grand nombre de signatures de surréalistes qui ne sont pas forcément partie prenante des autres actions du Comité. La raison d'être de ce texte est le décret du président de la République décidant la dissolution d'organisations gauchistes le 12 juin 1968. Les organisations concernées sont notamment : Les Jeunesses communistes révolutionnaires (JCR) ; Voix ouvrière ; les Groupes Révoltes ; la Fédération des étudiants révolutionnaires (FER) ; le Comité de liaison des étudiants révolutionnaires (CLER) ; l'Union des jeunesses communistes marxistes-léninistes (UJCml) ; le Parti communiste international (PCI) ; le Parti communiste marxiste-léniniste de France (PCMLF) ; la Fédération de la jeunesse révolutionnaire ; l'Organisation communiste internationale (OCI) ; le Mouvement du 22 mars.

Catherine Backès, Jacques Baratier, Nadine Basile, Simone de Beauvoir, Jean-Louis Bédouin, Jacques Bellefroid, Claude Bellegarde, Loleh Bellon, Mathieu Bénézet, Denis Berger, Maurice Blanchot, Roger Blin, Vincent Bounoure, Roger Boussinot, Roger Bordier, Jean-Louis Bory, Jean Brassat, Robert Bresson, Jean-Claude Brialy, Françoise Brion, Philippe de Broca, Yves Buin, Jean-Pierre Burgart, Anne Capelle, Juliette Caputo, Solange Certain, Michel Ciment, Max Clarac-Sérou, Maurice Clavel, Danielle Collobert, Michel Cournot, Claude Courtot, Jean Criton, Jean Degottex, Germain Delbat, Danielle Delorme, Robert Destanque, Jacques Doniol-Valcrose, Bernard Dort, Jacques Dupin, Marguerite Duras, Jean Duvignaud, René Duvillier, Françoise d'Eaubonne, Robert Enrico, Marcel Escofier. Nicole Espagnol, Yvette Etievant, Françoise Fabian, Jacques Favrel, Jean-Pierre Faye, Dominique Fernandez, Anouk Ferjak, Jean Ferrat, Guy Flandre, Maurice Fleuret, Suzanne Flon, Louis-René des Forêts, Sami Frey, P.-A. Gette, Alain Gheerbrant, Anne Godard, Jean-Luc Godard, André Gorz, Juliette Greco, Daniel Guérin, Guy Hallard, Jean-Edern Hallier, Roger Hanin, Bernard Heidsieck, Jean Hélion, Maurice Henry, Huguette Hue, Ipousteguy, Françoise Janicot, Blandine Jeanson, Alain Joubert, Alain Jouffroy, Jean-Pierre Kalfon, Pierre Kast, Valérie Lagrange, Jean-Clarence Lambert, Monique Lange, Claude Lanzmann, Jean Laplanche, Robert Lapoujade, Gilles Lapouge, Gérard Lartigau, Gilbert Lascault, Laudryc, Annie Le Brun, Jean-Pierre Le Goff, Gérard Legrand, Michel Leiris, M. Lelong, Jean-Pierre Lemee, Daniel Leveugle, Michel Ligny, Françoise Lugagne, Olivier de Magny, Charles Malamud, Louis Malle, Michèle Manceaux, Maud Mannoni, O. Mannoni, Marcel Marnat, Jean Martinelli, Dionys Mascolo, Jean Messagier, Lionel Mirish, Michel Muller, Maurice Nadeau, Jacques Narden, Françoise Nebout, Dominique Nores, Marc Ogeret, Paul Paviot, Jérôme Peignot, François Périer, Michel Piccoli, Nicole Pierre, José Pierre, Marc Pierret, Michèle Pierret, Daniel Pollet, J.-B. Pontalis, Max Poppart, Michèle Presle, Alain Resnais, Jacques Rivette, Christiane Rochefort, Bernard Roger, Henri Ronse, Michèle Rosier, Pierre Roudy, Raymond Rouleau, Claude Roy, Jacques Rozier. Nathalie Sarraute, Jean-Paul Sartre, Jean Schuster, Laurent Schwartz, Georges Sebbag, Catherine Sellers, Jean-Marie Serreau, Delphine Seyrig, Jean-Claude Silbermann, Siné, Pierre Soulages, Gaby Sylvia, Pierre Tabard, Jean Terrossian, Jean-Louis Thamin, Françoise Thieck, Bernard Thomas, Michel Thurlotte, Olivier Todd, Roland Topor, Pierre Trotignon, François Truffaut, Jean-Louis Verdier, Pierre Vidal-Naquet, Michel Vitold, Teddy Vrignault, Jean-Noël Vuarnet, Monique Wittig, Christian Zervos. »

Il est capital que le mouvement des étudiants oppose et maintienne une puissance de refus

déclarent MM. Jean-Paul Sartre, Henri Lefebvre et un groupe d'écrivains et de philosophes

Un certain nombre d'écrivains et philosophes ont rendu publique la déclaration suivante :

« *La solidarité que nous affirmons ici avec le mouvement des étudiants dans le monde — ce mouvement qui vient brusquement, en des heures éclatantes, d'ébranler la société dite de bien-être parfaitement incarnée dans le monde français — est d'abord une réponse aux mensonges par lesquels toutes les institutions et les formations politiques (à peu d'exceptions près), tous les organes de presse et de communication (presque sans exceptions) cherchent depuis des mois à altérer ce mouvement, à en pervertir le sens ou même à tenter de le rendre dérisoire.*

» *Il est scandaleux de ne pas reconnaître dans ce mouvement ce qui s'y cherche et ce qui y est en jeu : la volonté d'échapper, par tous moyens, à un ordre aliéné, mais si fortement structuré et intégré que la simple contestation risque toujours d'être mise à son service. Et il est scandaleux de ne pas comprendre que la violence que l'on reproche à certaines formes de ce mouvement est la réplique à la violence immense à l'abri de laquelle se préservent la plupart des sociétés contemporaines et dont la sauvagerie policière n'est que la divulgation.*

» *C'est ce scandale que nous tenons à dénoncer sans plus tarder, et nous tenons à affirmer en même temps que, face au système établi, il est d'une importance capitale, peut-être décisive, que le mouvement des étudiants, sans faire de promesse et au contraire en repoussant toute affirmation prématurée, oppose et maintienne une puissance de refus capable, croyons-nous, d'ouvrir un avenir.* »

[Ce texte est signé de Mmes et MM. Robert Antelme, Maurice Blanchet, Maurice Nadeau, Louis-René des Forêts, Marguerite Duras, Jean Schuster, Michel Leiris, Claude Roy, Dionys Mascolo, Jean-Marc Lambert, Jérôme Peignot, Vincent Bounoure, Pierre Klossowski, Nathalie Sarraute, Monique Wittig, Georges Michel, Jean-Louis Bédouin, Guy Cabanel, Adrien Dax, Jean Ricardou, André Gorz, Jean-Paul Sartre, Jacques Lacan, Roger Blin, André Pieyre de Mandiargues, Marthe Robert, Michel de M'Uzan, Monique Lange, Guy Dumur, François Chatelet, Max-Pol Fouchet, Henri Lefebvre, François Erval, Geneviève Serreau, Pierre Bernard.]

Cette déclaration a paru dans le journal *Le Monde* daté du 9 mai et dans *Combat* un jour plus tard. Comme pour le « Manifeste des 121 », c'est le nom de Sartre, en rien rédacteur du texte, qui sert dans *Le Monde* et dans *Combat* de faire-valoir journalistique.

comité

OCTOBRE 1968 PRIX: 2 F.

NUMÉRO 1 Bulletin publié par le Comité d'Action étudiants - écrivains au service du Mouvement.

Unique numéro de la revue *Comité* qui devait donner un prolongement au travail collectif maintenu depuis le début du mois de mai 1968. Marguerite Duras note en conclusion de son texte repris dans *Les Yeux verts* : "Nous avons décidé, à la majorité, de publier un bulletin qui reflétera, nous l'espérons, l'expérience. Nous ne savons pas si le Comité résistera à cette épreuve."

COMITÉ N° 1
(EXTRAITS)

Nous publions le seul texte d'un surréaliste assurément identifié qui a trouvé place dans la revue *Comité* (octobre 1968). Initialement, aucun texte n'était signé, mais Dionys Mascolo en 1993 puis Maurice Blanchot en 1998 ont renoncé à ce principe et autorisé la publication de leur propre texte sous leur nom. Il n'est pas très surprenant que ce soit Jean Schuster, ami proche de Dionys Mascolo, qui s'exprime ici à propos de Cuba. Cet extrait de *Comité* rend compte en outre de la volonté de cette revue de mettre en œuvre, non pas une ligne, mais une confrontation libre de la parole. Tous les surréalistes ayant participé à la fondation du Comité ont dû recevoir la lettre datée du 26 août 1968 que Claude Courtot a conservée dans ses archives. « Le Comité projette la publication d'un bulletin. Il s'agit d'une publication collective, anonyme, à laquelle participent tous les membres du Comité d'action aussi bien pour la rédaction que pour la mise en page. C'est le comité dans son ensemble qui décidera de la forme définitive du bulletin. Une réunion du comité sur cet ordre du jour est fixée au 9 septembre, 18 h 30, 13 rue Pascal, 5ᵉ. Un certain nombre de textes sont déjà réunis mais il est souhaitable, pour préparer cette réunion, que le plus grand nombre de textes soient rassemblés. Celui qui désire se joindre à cette publication doit adresser (le plus tôt sera le mieux) un ou plusieurs textes (de préférence en trois exemplaires) à l'adresse suivante : Catherine Bellefroid, 10 rue des Trois-Portes, Paris 5ᵉ. »

« **Réserves sur certaines remontrances à Fidel Castro**

– Approuver l'intervention des Russes à Prague n'est certainement pas une joie : on ne fait pas très belle figure sur la sublime scène internationale, peuplée de séraphins ; et ce qui est plus grave, on risque de troubler de bons militants révolutionnaires, au Brésil ou en Grèce par exemple. Trois dirigeants révolutionnaires ont pourtant commis cette approbation ; ceux dont les peuples (Cuba, R.D.V., Corée du Nord), sont directement aux prises avec les armes de l'impérialisme et dépendent vitalement des Russes. "Qu'il mourût !", c'est fort bien à dire, en mots. Qu'il mourût pour crier en clair, et en pure perte, cette banalité ? On peut "permettre" de chercher une autre solution, où les apparences seraient sacrifiées mais pas la vérité révolutionnaire. Et s'il a choisi délibérément, ce dirigeant révolutionnaire de Cuba, dans le but de garder son peuple en vie et sa révolution en marche, d'exprimer la même chose, en moins clair – car enfin, c'est ce qu'il a fait, l'approbation est presque de pure forme, et, en fait, est immédiatement utilisée comme occasion, comme tremplin pour une attaque et une mise en demeure qu'une condamnation eût rendue impossible – mise en demeure peut-être pas si inefficace à long terme qu'il y paraît d'abord. C'était peut-être à tenter. Une pensée plus profonde, la conscience de ne pas en réalité s'écarter de la vérité révolutionnaire, de la retrouver mieux ainsi, a peut-être commandé ce choix plutôt que l'autre. C'en est assez pour, même si on a une analyse différente, passer l'envie de s'ériger en juge.

Christiane Rochefort

À propos des réserves qui précèdent

– C'est dans le moment historique où la Révolution française se comprend elle-même comme nécessité de détruire physiquement le Père – et toutes ses hypostases – par une violence exemplaire, qu'elle désigne le pouvoir comme terrain privilégié de la corruption. C'est donc le pouvoir révolutionnaire (l'autre ne posant aucun problème que celui de son élimination) qui devient l'objet premier de la vigilance révolutionnaire de chacun. Ainsi, croire que nous ne puissions discerner, d'où et comme nous sommes, dans la position castriste sur la Tchécoslovaquie, une pensée plus profonde qu'une simple "tactique", c'est, bien plus que nous déclarer prêts à accepter un nouveau stalinisme, renoncer vraiment à construire le communisme en nous-mêmes.

Jean Schuster. »

« SINGES DE NATURE »

Daté du 31 août 1968, ce texte de Philippe Audoin est publié dans *L'Archibras* n° 6 (décembre 1968) et se présente comme une méditation sur l'homme et la nature dans la lumière des événements de Mai. L'auteur y convoque Jean-Jacques Rousseau, Herbert Marcuse et Raoul Vaneigem pour constater les mutations du sentiment de la nature, et même sa renaissance à la faveur de la mise à jour de la plage sous les pavés ou du spectacle d'une voiture en flammes.

« Nous ne haïssons pas la nature. Mais la quête forcenée dont elle est l'objet ne doit pas faire illusion. L'histoire récente des relations de l'homme avec cette entité, qui pourrait bien n'être qu'un fantasme issu de son inquiétude, se réduit à une suite de paradoxes et de déboires.

Il est insensé, philosophiquement parlant, d'opposer nature et culture. Cela s'entend en gros. Mais dans le champ du regard humain le plus "primitif", la nature, qu'on l'envisage comme principe, processus ou spectacle, est prise d'emblée à la glu des concepts qui l'ordonnent et la constituent. Fût-ce dans la terreur ou l'émerveillement, elle naît "culturalisée". Inversement, l'homme se découvre volontiers immanent à cette nature dont il ne saurait s'exclure ni comme objet, ni comme sujet. Il s'arrache à la nature pour la reconnaître, la reconnaît en tant que totalité, et s'y perd. Il n'est pas d'issue logique à ce piège, sauf à l'ignorer au profit de l'effusion dont la réalité vécue pose une inconcevable dualité qu'elle prétend abolir.

Il est remarquable que ce problème ne se soit guère posé du temps que les productions naturelles n'étaient reçues qu'autant que l'art de vivre ou l'intention apologétique en avaient annulé la sauvagerie. Le Verger de Déduit est un lieu industriellement aménagé. Il perdure jusque dans les jardins de la préciosité.

Tout change avec Rousseau. La nature prend alors ses distances avec l'homme et c'est de ces distances mêmes qu'il paraît s'enchanter. Il n'est plus de nature que sauvage ; le paysage rêvé tourne au "désert" où rien, en montrant la main de l'homme, n'annonce la servitude et la domination. C'est le moment où Rousseau échappe au "cortège des méchants" et cette intention avouée revient évidemment à nier la méchanceté dont le promeneur serait lui-même infecté par contamination – ou parce qu'il est homme et ne se pardonne pas de l'être. Dans cette perspective, la déception de Rousseau découvrant une fabrique de bas à proximité d'un réduit si caché qu'il n'avait vu de sa vie un aspect plus sauvage, prend un sens qui passe l'humour de l'anecdote. Ce goût singulier de la terre vierge, de la broussaille inviolée, naît en effet dans le temps que la révolution industrielle assure davantage la prise de l'homme sur la nature. Les transformations qu'il lui impose, le savoir par lequel il la réduit, sont dès ce temps ressentis comme autant de souillures, et devant le spectacle de la nature souillée à son profit, l'homme s'indigne et se fait son propre accusateur. La désacralisation positive du domaine naturel a, pour contrepartie, une "sursacralisation" imaginaire qui, sans doute, vient de loin – et parler de la *profanation* d'un site, comme on le fait machinalement de nos jours, est davantage qu'une façon de dire.

Sans aller plus avant dans le sens de ce retournement, on peut relever maints indices contemporains qui permettent d'affirmer qu'à travers des préoccupations différentes, la même malédiction demeure et aussi la même hantise d'un *réel* qui non seulement ne doive rien à l'interprète mais soit encore de force à le rendre à lui-même. C'est ainsi qu'Herbert Marcuse évoque, en termes idylliques, une promenade en forêt. "Bientôt – ajoute-t-il – le sentier tourne et se termine sur l'autoroute.

Me voilà à nouveau parmi les affiches, les stations-service, les motels et les auberges. J'étais dans un Parc national et je sais maintenant que ce que j'ai vu *n'était pas vrai.* C'était une *réserve naturelle,* quelque chose que l'on préserve comme une espèce mourante..." On s'étonnerait : ces arbres, ces oiseaux dont notre philosophe vient de s'émerveiller, poussaient et chantaient librement ; d'où vient donc que la contiguïté d'un autre monde, humanisé à l'excès, suffit à les frapper ainsi d'irréalité ? C'est que le pèlerin est exigeant : ce n'est pas assez que la nature soit ce qu'elle est selon la saison, il faut encore qu'elle assume un *réel* qui ferait défaut aux entreprises humaines et aux hommes qui y sont engagés. Cette attitude "naïve" trahit un malaise que Raoul Vaneigem décrit avec précision lorsqu'il observe qu' "à force d'être saisi par des médiations aliénées (outil, pensée, besoins falsifiés), le monde objectif (ou la nature, comme on veut) a fini par s'entourer d'une sorte d'écran qui le rend paradoxalement étranger à l'homme à mesure que l'homme le transforme et se transforme. Le voile des rapports sociaux enveloppe inextricablement le domaine naturel."

Jamais peut-être autant que de nos jours l'homme ne s'est plus résolument défini comme *antiphysis,* ennemi acharné de la nature dont l'insécurité, la souffrance, la mort sont alors les aspects compétitifs ; en ce sens la nature n'est plus que l'empire de la nécessité, une nuit où se perdre, un guet-apens généralisé. Mais jamais aussi il n'a eu autant de raisons de se concevoir comme agent naturel parmi d'autres, comme objet et sujet d'une nature séduisante qui le dépasse et l'inclut, constitue sa vérité profonde et cautionne tout projet de liberté. En conséquence de ce déchirement, jamais l'homme n'a autant salopé et vénéré la nature – notamment en lui-même.

Ce n'est pas le tout que de fouler des prairies, des éboulis, des grèves fraîchement découvertes et de se colérer si les fervents de la veille y ont semé des détritus ou construit des usines : à notre personne la plus secrète, celle à qui nous disputons l'usage du *je,* nous accordons le même statut qu'à la nature chérie et violée de nos escapades périodiques. Nous convenons en somme que la malice des hommes a corrompu les accès de l'antre sauvage dont nous sommes dépositaires, de même que les fabriques de bas gâtaient par leurs cliquetis les déserts où Rousseau pensait s'être fourvoyé – et sauvé. De sorte que c'est au nom de la nature extérieure et intérieure que nous revendiquons l'Innocence en ce monde, c'est-à-dire la liberté de tout penser, de tout dire et de tout faire, après deux millénaires de culpabilité.

De ce point de vue, la vogue de la psychanalyse et de l'ethnologie a pour répondant naïf celle du camping, de l'alpinisme et de la voile. On en dirait autant du goût curieusement moderne des quartiers insalubres et des objets anciens qu'un équivalent d'érosion rapproche des sites et des productions naturels. Nous n'aimons plus trop "les belles choses neuves" car elles se chargent, hélas ! des signes de la domination cauteleuse et des mythes aliénants. Si bien que le sens global de cette hantise du naturel revient à quelque projet confus de surmonter la servitude d'être homme et de devoir, *nolens volens*, participer à la mise en place d'un monde tellement humain ou, comme on voudra, si peu naturel, que ses gestionnaires eux-mêmes s'effraient, mais du bout des dents, de son "inhumanité". Si cela est, les paradoxes et les déboires inhérents à l'idée que les hommes se font d'une nature en danger d'être perdue, pourraient secrètement contribuer à la généralisation d'une conscience révolutionnaire nouvelle – et d'autant plus explosive qu'elle n'intéresserait pas seulement les groupes les plus défavorisés, mais serait sous-jacente à la vie de chacun. Il convient assurément de se garder d'hypostasier la nature, comme on est aussi tenté de le faire pour l'Inconscient. Seul le langage sépare et, à sa façon, mystifie. Toute proposition supposant un débat entre l'homme et la nature doit être reçue comme conventionnelle ; toute gnose tentée à partir de telles prémisses a pour matière première et dernière la réalité du sujet, que rien du reste ne s'oppose à tenir pour identique à une réalité globale ou absolue. Plus modestement, on peut aussi se proposer de déchiffrer la nature à la façon dont on décrypte un rêve : en s'en enchantant, et la concevoir, à la limite, comme un Inconscient généralisé.

J'ai conduit ces propos inactuels dans ce qui m'est resté de la lumière de Mai. Depuis Rousseau, certains lieux urbains ont empiété sur la juridiction naturelle. Les rues de Restif, de Chateaubriand, de Hugo et de Nerval, préludent à cette annexion en volutes. En dépit des méchants, le hasard a fait le reste : c'est par sa grâce, toute de lapsus et de faux-pas, que la rue se retourne sur elle-même et, dévorant sa queue de dragon, dissipe les significations répressives qui lui étaient imparties (circuler, distribuer, évacuer, isoler...) pour se muer à son tour en un lieu innommé, ouvert à toutes les provocations dont se recommande la nature. Temple, alcôve, creuset, champ-clos, les débris de rêve n'y appartiennent à personne. On s'en détourne tant il y en a : autant de coquelicots à ne pas cueillir, ils se fanent si vite, vous savez !

Cette "vacance" se porte aisément aux extrêmes. *Sous le pavé il y a la plage.*

Durant les nuits d'émeute la fascination qu'exerçait la rue s'apparentait à celle dont on crédite les grands spectacles naturels. Qu'on m'entende : je n'ai pas seulement en vue les cañons, les caps dévorés par le ressac, mais aussi le silence poignant des sous-bois, l'orgasme muet des sources, ce qu'on découvre dans une fondrière : un nid de bêtes blanches. J'ai regardé avec exaltation, presque avec orgueil, flamber des automobiles. Symboliquement, la résolution du paradoxe sur lequel j'ai pris mon thème, s'esquissait et s'épuisait dans ce sacrifice démesuré d'engins qui réunissaient la triple qualité d'être un comble d'artifice, de permettre l'approche de la nature et de la souiller, ne serait-ce que par le reflet adipeux qu'en retiennent les portières. Tout ceci, qui est vrai au plan sociologique, est aussi probable dans l'espace intérieur. On peut voir brûler sans déplaisir une voiture parce qu'on entretient en soi un maître évasif mais pressant, qui fonctionne comme une voiture, mais ne brûle pas.

Ce retour inopiné d'un *potlatch* dans lequel les sacrificateurs n'étaient pas là, à proprement parler, les détenteurs de richesses mais leurs enfants, sourdement impulsés par la délectation morose des pères, conséquemment leurs délégués, préfigure-t-il l'émergence d'un type nouveau de société dont la "consumation" serait alors le principe actif et donnerait le sens ? Je n'aurai garde de m'en plaindre, quand bien même j'incline à prêter à la divinité destinataire de ces *auto-da-fé* d'un nouveau genre, les traits de la Déesse aztèque du Maïs, ses emblèmes germinatifs et sa riante tête-de-mort. N'est-ce pas toujours la nature, ses papillons malades, ses promeneurs soudain détournés de froisser sous leur nez la marjolaine et la sauge des bois, évasifs, attendris, comblés ? C'est leur propre mort qu'ils portent en eux, tentante comme un nid frangé d'ailes. Croyons-en les thaumaturges du Pacifique, habiles à déjouer la police des esprits malfaisants : pas un homme qui ne meure assassiné…

On m'objectera qu'au moment où j'écris, la crapule stalinienne souille sans mesure les paysages de Bohême et les espoirs qui les fleurissaient, que la mort y prend le visage sanieux de la police politique, et qu'il n'est donc pas urgent de s'interroger sur les démêlés de l'homme et de la nature. Aussi répéterai-je que ce contentieux me paraît décidément impliqué dans toute ambition révolutionnaire. Vaneigem affirme que "la quête de la vraie nature, de la vie naturelle opposée brutalement au mensonge de l'idéologie, représente une des naïvetés les plus touchantes d'une bonne partie du prolétariat révolutionnaire". Touchante, en effet : si peu de choses nous touchent dans les formes qu'on prétend imposer à l'émancipation des hommes !

Que le socialisme scientifique (au lieu de scientifique, lisez ce qu'il vous plaira) n'ait pas réussi à étouffer complètement les rêves champêtres de Babeuf et de Fourier, je serai certes le dernier à m'en plaindre. Aux abominations qui se réclament aujourd'hui du marxisme-léninisme et de l'internationalisme prolétarien, il est permis, à travers les contre-analyses et les malédictions, d'opposer l'inoubliable luxuriance du Temps des Cerises – et du Printemps de Prague.

Quant à la suite, je m'en remettrais de bon cœur à Marcuse lorsqu'il avance que : "… les évolutions possibles différentes ont cessé d'avoir un caractère utopique – même si c'est la réalité établie qui est devenue avant tout utopique". Mais c'est faire trop d'honneur à la réalité établie dont on dirait plutôt qu'elle est gâteuse, impossible, impensable. L'utopie, sauf erreur, c'est l'île heureuse, la nature sous le vent tumultueux des charmes, en un mot, le possible. »

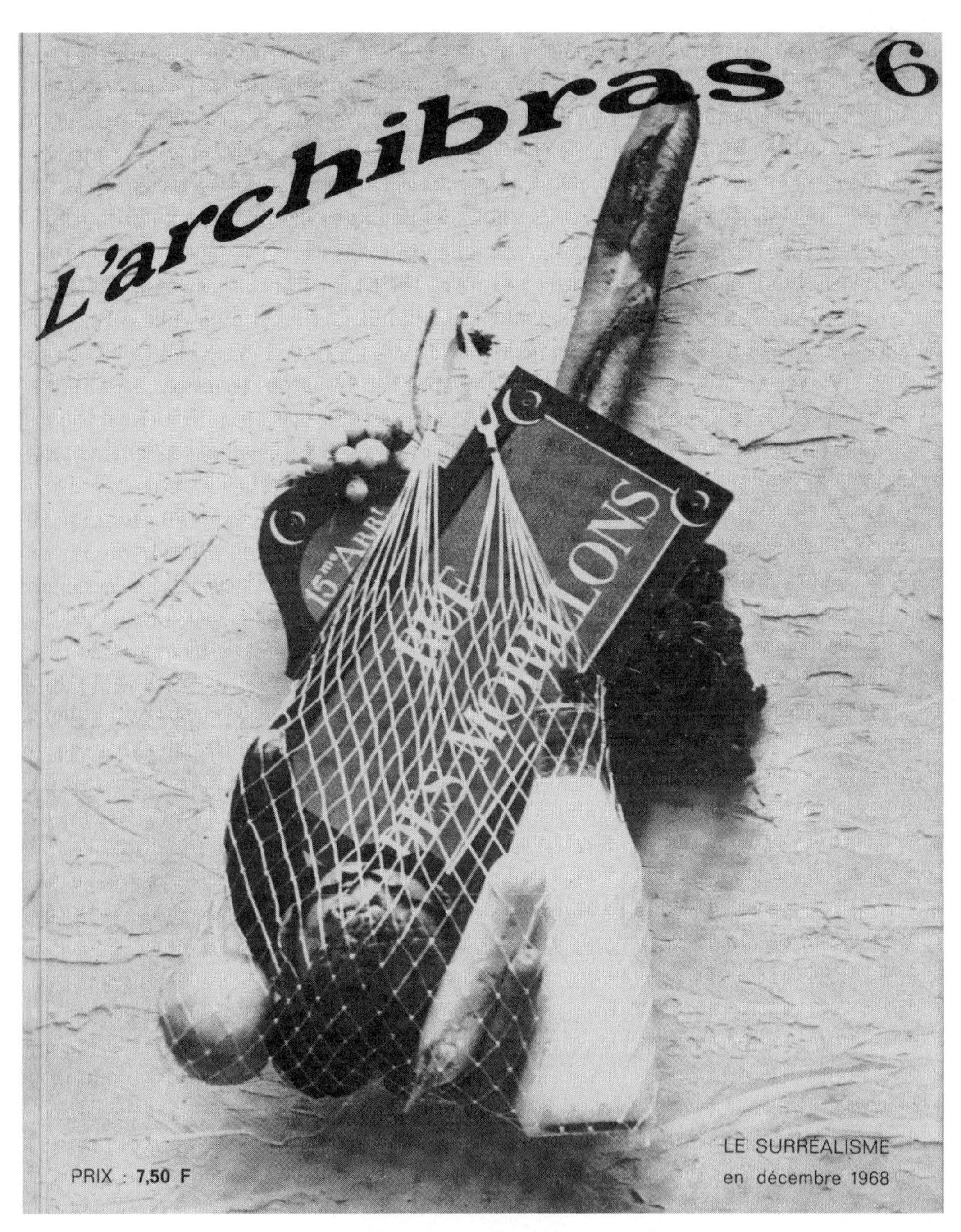

L'avant-dernière livraison de *L'Archibras* fait sa couverture en mettant dans le même filet lourdement chargé du quotidien de banales victuailles et la plaque indiquant l'adresse parisienne des objets trouvés. Même si la dure loi de la réalité revient en force après l'embellie des mois de mai et juin, la rencontre extraordinaire reste toujours possible…

« CE QUI EST »

Avant dernière livraison de *L'Archibras*, ce numéro 6 s'ouvre sur un texte de Jean Schuster consacré à la mort récente de Duchamp. Il écrit notamment : « Marcel Duchamp a ruiné le rapport d'effort à effet. » (Blainville Neuilly). Dans un tout autre ordre, une même conclusion s'impose après les événements de mai/juin : 10 millions de grévistes et si peu d'effets...

La plaque de la rue des Morillons dans le filet de la ménagère qui apparaît sur la couverture renvoie à l'adresse parisienne des Objets trouvés, dont Jean-Claude Silbermann interroge le chef de service dans les premières pages de la revue.

Ce qui est

Important : Le sabotage réussi d'un meeting nazi, à Bonn, le 2 octobre, par le SDS. C'est bien plus qu'une victoire sur le terrain ; le NPD a été contraint de renoncer à toute manifestation publique. Ce qui balaie l'argument des « vieilles filles de la social-démocratie », représentées aujourd'hui par les partis communistes, et notamment le PCF, selon lequel toute action révolutionnaire ouvre la voie au fascisme.

Bouleversant : « ISHI, testament du dernier indien sauvage de l'Amérique du Nord. » (Theodora Kroeber, Plon 1968.)

Gai : Buenos-Aires, 8 janvier (AFP). M. Carlos Guillermo Burocco, agent de la police fédérale de Buenos-Aires, s'est donné la mort vendredi soir. C'est le treizième suicide d'agent de police au cours de ces derniers mois, le sixième depuis Noël, le troisième depuis le Jour de l'an. « Nous assistons à une vague d'auto-élimination policière », écrivent les journaux. M. Guillermo Burocco a tué sa femme avant de commettre le suicide. On ignore les motifs de son geste, mais on estime que les causes de cette hécatombe doivent être recherchées dans l'extrême modicité des traitements des policiers et dans leurs difficultés financières. Le lieutenant-colonel Juan José Claisse, sous-chef de la police provinciale, a tenu une conférence de presse afin de faire remarquer que « d'autres gens moins bien payés que les agents de police n'en sont pas pour autant désespérés ». Le lieutenant-colonel a néanmoins annoncé la constitution d'une commission d'enquête comprenant quelques hauts fonctionnaires de la police, un médecin, un psychiâtre et un psychologue.

Civilisé : La guerre du Biafra.

Immonde : L'article d'André Chastel : « Surréalisme partout. » (*Le Monde*, 5/9/1968)

Con : Ces affirmations d'Alexandre Sanguinetti, député UDR de Paris : « J'ai toujours eu l'habitude de monter à l'assaut le ventre vide. » « Le seul avenir de la jeunesse, c'est l'âge mûr. »

Diagonal : En examinant de plus près une momie de princesse égyptienne, deux archéologues de l'Université de Princeton (USA) découvrent qu'elle n'était pas la fille du Pharaon aux côtés duquel elle reposait (avec « état-civil » et repères chronologiques « déchiffrés » sur le cercueil), mais un jeune singe femelle. (*La nouvelle République*, juillet 1968)

Crétinisant : On annonce d'Italie la confection prochaine d'un film comique inspiré par l'œuvre de Marcuse : titre, *La Marcusienne ou la Femme unidimensionnelle*, interprétée (on hésite...) par Sophia Loren ou Gina Lollobrigida. (*Le Monde*, août 1968)

Dialectique : « Serveuse dans un café de Sierck-les-Bains (Moselle), Mlle Henriette Kaiser regagnait mardi après-midi son domicile à Contz-les-Bains. Sur le pont qui franchit la Moselle, elle fut accostée par un Nord-Africain, Boucherid Bousemaha, vingt-six ans. Comme la jeune femme refusait ses avances, Bousemaha la prit à bras le corps et la précipita dans la rivière. Puis, après avoir retiré sa veste et ses souliers, il plongea pour secourir sa victime.
Une vieille dame qui assistait à la scène donna l'alerte. Des recherches furent entreprises mais on ne retrouva pas les deux corps. » (*Le Monde*, 3/10/1968)

Surréaliste : La disparition de 500.000 Français lors du dernier recensement.

Dérisoire : « Louis Pauwels fonde le *mouvement* Planète. » (Bande du numéro de septembre de la revue *Planète*)

Louche : Le Parti Communiste autorisé en Allemagne de l'Ouest.

Clair : A l'issue d'un meeting des étudiants communistes, à Paris, alors que les responsables annonçaient une quête destinée à couvrir les frais engagés, un officier parachutiste en uniforme, dont la présence avait d'abord quelque peu surpris l'assistance, fut vivement applaudi lorsqu'il offrit de payer la location de la salle. (*Le Monde*, 7 octobre 1968)

Gâteux : « ... Si Napoléon eût pu parler assez facilement avec Ramsès des moyens de gouvernement, il aurait grand mal à en parler avec le président Johnson, Staline, le Général de Gaulle ou Mao-Tsé-Toung. » (Malraux. Discours à l'Assemblée des parlementaires francophones)

43

La rubrique “Ce qui est” de *L'Archibras* n° 6 offre une sorte d'instantané de la fin de l'année 1968 du point de vue du groupe surréaliste.

Flic : Le Centre des Jeunes Dirigeants d'Entreprises (ex-Jeunes-Patrons) se prononce pour un syndicalisme ouvrier fort et informé.

Bien français : « Romans (Drôme) possède maintenant un musée international de la chaussure. » (*Combat*, 4-10-1968)

Mathématique : La société d'économie et de mathématiques appliquées ne pourra intéresser son personnel aux bénéfices ; nombre d'entreprises relèvent depuis quelque temps leur capital pour éviter une répartition de bénéfice à leurs salariés. Le fait intéressant est que cela se produise aussi à la SEMA dont le fondateur et gérant est M. Marcel Loichot, l'un des inspirateurs du fameux « amendement Vallon » (qui a donné naissance à l'ordonnance de 1967 sur l'intéressement des travailleurs aux accroissements d'actif). (*Le Monde*, 3 octobre 1968)

Agricole : « Passé-présent, Présent-passé », suite des « mémoires » de Ionesco.

Umoreux :

PEINTRE DE L'ANTI-PEINTURE

Marcel Duchamp est mort

Le peintre Marcel Duchamp est décédé subitement, la nuit dernière, à son domicile de Neuilly, à l'âge de quatre-vingt-un ans.

dérision l'art et les artistes. Il avait d'ailleurs cessé très vite de peindre malgré la muturité précoce dont il avait fait preuve. A 26 ans un scandale le rendit célèbre à New-York où il présentait le désormais légendaire « Nu descendant l'escalier », la police dut protéger le tableau dans lequel l'image était décomposée selon le mouvement de la chute. Une [illegible] de ses œuvres qu[illegible] date d[illegible] années 20 garde aujourd[illegible] une œuvre similaire : « La mariée mise à nu par des célibataires mi-nus », *étrange table[illegible] de [illegible] d'étain sur une da[illegible] de ver[illegible]*

Marcel Duchamp, [illegible] apôtre

(Combat, 3 octobre)

d'œuvre d'art le produit lui-même de l'industrie. Il faut dire que son acte participait au mouvement de subversion artistique Dada, *qui avait influencé les capitales européennes de Zurich à Hanovre, de New-York à Paris, où il devait engendrer le mouvement surréaliste.*

L'importance de Duchamp se situe surtout dans son attitude qui a largement influencé l'école new-yorkaise du pop'art, *l'une des plus vigoureuses de ces dernières années et qualifiée d'ailleurs de* « néodada ».

Entre 1915-1923, il exécute un tableau composé de fragments d'étain découpés, peints et fixés sur une dalle de [illegible]sparent qui [illegible] à son terme [illegible] mu[illegible]que mécanique : « La ma[illegible]e mise à nu par des célib[illegible]taires mi-nus. » « La peinture est morte [illegible] Marcel Duchamp, logique avec lui-même avait depuis cessé de « peindre ».

(Le Monde, 3 octobre)

Crapuleux : La participation.

Efféminé : (et plutôt tapetto-gaulliste) : Jean Cau : Pompidou exerce un charme sensuel. (*France-Soir*, 23/10)

Bien : Octavio Paz démissionne de son poste d'ambassadeur aux Indes, à la suite du massacre du 2 octobre à Mexico.

Vrai : Jeannette Vermersch, veuve Thorez, épouse l'armateur grec Onassis ; Jacqueline, veuve Kennedy, démissionne du Bureau Politique et du Comité Central du Parti Communiste Français.

Moderne : Le drapeau transparent arboré par les étudiants le 24 avril 1967 à Bruxelles au cours d'une marche anti-atomique, (cf. *Cours, camarade, le vieux monde est derrière toi !* de J.L. Brau).

44

Ce recueil (1984) comprend notamment le texte "Opéra 68". Les éditions Ellébore étaient dirigées par le poète Jean-Marc Debenedetti. L'artiste Giovanna, active dans le groupe surréaliste en même temps que Claude Courtot, est l'auteur du dessin qui orne la couverture de l'ouvrage.

« OPÉRA 68 »

Pendant presque dix ans, entre 1970 et 1980, Claude Courtot n'a pas écrit. L'échec de 1968 et la dissolution du groupe surréaliste en 1969 ne sont pas étrangers à ce long silence. « Opéra 68 », paru dans un recueil en 1984 aux éditions Ellébore, a sans doute été rédigé cinq ans plus tôt. En 1975, à la question « Où en sommes-nous avec le surréalisme ? » posée par la revue italienne *Si e No*, Claude Courtot répondait :

« Le surréalisme aujourd'hui n'est surtout ni dans l'art ni dans la littérature, domaines où il n'a jamais voulu être mais où il a fini par entrer – porte piétonne ou porte cavalière ? – il est, plus que jamais, dans la rue.

Le surréalisme aujourd'hui n'est plus dans le cri de révolte désespérée que poussent quelques héros mais dans tout ce qui peut révolter les cons et les divers salauds. Nuance.

Aujourd'hui comme en 1930, "l'acte surréaliste le plus simple consiste, revolvers aux poings, à descendre dans la rue et à tirer au hasard, tant qu'on peut, dans la foule". À cette différence près qu'il ne faut plus désormais se contenter d'écrire ou de citer, mais agir. »

« **Évoquant la Révolution de 1848,** une dizaine d'années plus tard, dans une note de "Mon cœur mis à nu", Baudelaire écrit :

Mon ivresse en 1848.
De quelle nature était cette ivresse ?
Goût de la vengeance. Plaisir naturel
de la démolition.
Ivresse littéraire ; souvenir des lectures.

Je suis fort tenté de modifier la date, je viens même de le faire tout naturellement en parcourant ce texte : 1968, dont maintenant onze ans déjà nous séparent, au lieu de 1848. Et je signe la note. Car chacun de ces mots, appliqués aujourd'hui à mon expérience personnelle d'alors, sonne juste.
Certes, j'ai déjà écrit, comme tant d'autres, dans un livre, ce que je pensais de Mai 1968, j'ai dit comment je "jouais", comment je refusais avant et après, comment je refuserai toujours de tirer des leçons politiques pratiques et utiles de cette "fête". Mais à relire ces propos anciens, je m'aperçois qu'ils étaient encore trop dictés par la volonté de convaincre : une forme paradoxale de discours politique, capable d'entraîner l'adhésion sans intention de la donner ! Il demeure clair qu'en racontant comment j'avais vécu les événements, j'entendais signifier plus ou moins comment il fallait les vivre. Je n'échappais pas à la tentation didactique. Aujourd'hui, c'est différent. Il m'importe davantage de comprendre une attitude passée, pour analyser plus lucidement la seule situation qui me préoccupe : l'actualité de mes désirs.

Deux souvenirs d'enfance résument pour moi toute l'injustice sociale. Je devais avoir huit ou neuf ans. Ma mère, couturière à domicile pour le compte d'un employeur qui fabriquait des vêtements en série, avait besoin d'adapter un petit moteur électrique sur sa vieille machine à coudre ; cet achat lui permettrait de travailler plus vite, donc de produire et de gagner davantage, tout en peinant moins. Cela ne représentait pas une énorme somme, mais mes parents ne parvenaient pas à rassembler l'argent nécessaire. Après beaucoup d'hésitations, ma mère se décida à demander à son frère – un commerçant récemment enrichi par le marché noir pratiqué pendant la guerre – de lui prêter cette somme. J'assistais à la scène. Je revois encore le visage de ma mère, après qu'elle eut essuyé un refus : il exprimait une sorte d'indignation impossible, quelque chose comme de la résignation farouche, une haine impuissante dont le spectacle me parut insoutenable.
Vers la même époque, une période très noire dans l'économie familiale, mes parents renoncèrent à fêter Noël, car ils n'avaient pas de quoi m'offrir le moindre jouet. Je leur sus gré de s'abstenir du cadeau "utile" (le vêtement ou la trop fameuse orange qui pendant plus de 80 ans suffit à nourrir l'humaniste édenté Jean Guéhenno) qu'ils considéraient à juste titre comme une véritable insulte à l'enfance. Ce n'était toutefois pas si grave à mes yeux qu'aux leurs. Ils tinrent à s'excuser longuement auprès de moi, m'exposant leur situation dans ses moindres détails, mais surtout ils me firent comprendre que, devant les autres

– les "gens" et les petits camarades – je devais faire comme si j'avais normalement reçu des cadeaux. Il ne fallait pas avouer la misère de ma famille. J'ai alors partagé la peur de ce qu'on appelle l'humiliation. C'est probablement à des souvenirs de ce genre que je dois d'avoir gardé en moi, intact, ce "goût de la vengeance" dont parle Baudelaire.

Qui n'a pas vécu de semblables expériences n'aura jamais que des revendications d'ordre intellectuel ; je ne méprise pas ces exigences raisonnées de justice, elles me paraissent même plus nobles parce que généreuses et désintéressées, mais elles ne sauraient présenter ce degré d'âpreté, ce manque total de pitié pour l'ennemi de classe, ce goût de sang enfin. Je ne ferai jamais payer assez cher à la société de m'avoir très tôt montré la vie sous un jour lamentable : enfant, j'ai entendu mes parents, lors de scènes atroces, s'accuser mutuellement de la gêne dans laquelle ils se trouvaient. Quelles conclusions devais-je en tirer, moi, quant à ma propre responsabilité en ce gâchis ? Les problèmes matériels n'ont pas cessé d'empoisonner mon adolescence entière. Je considère tout individu qui se déclare satisfait de l'ordre social établi dans ce pays depuis quarante ans que j'y vis, comme coupable d'avoir saccagé ma jeunesse. Cela ne se pardonne pas plus que la jeunesse ne se retrouve. Au tribunal de mon histoire, ma vengeance n'a donc retenu que les circonstances aggravantes.

Un après-midi de mai 1968, au milieu d'un cortège de manifestants, boulevard Saint-Marcel. À la hauteur du 35, où se situe la Maison de santé des Gardiens de la paix, une consigne de silence se répandit dans les rangs, car il était d'usage, quand nous passions devant un hôpital, de respecter le repos des malades. Je me mis à hurler de plus belle. On m'enjoignit de me taire, en me montrant la clinique. "Mais c'est une clinique de flics !" m'écriai-je. Quelqu'un fit remarquer que "c'était tout de même des hommes". "Non ! Non et non !" gueulai-je d'une voix étranglée par la rage. J'avais les larmes aux yeux.

"Le plaisir *naturel* de la démolition", selon l'expression de Baudelaire – je conserve volontairement toute son ambiguïté au mot *naturel* –, était la conséquence logique de cette soif de vengeance. Lors des affrontements physiques très violents avec les forces de l'ordre, la haine et l'agressivité depuis si longtemps refoulées, pouvaient enfin se libérer, avec toute l'animalité désirable. J'ai de même éprouvé des peurs véritablement paniques. La menace de crises d'hystérie collective exerçait une terreur constante, diffuse et exquise. Brûler des automobiles, briser des vitrines insolentes, propager le désordre et le pillage, tout cela était excitant comme un irrésistible rut ; "jouir dans les pavés" pour certains ne fut pas qu'une métaphore.

Mais s'agissait-il vraiment de reconquérir la belle santé, la brutale innocence des origines derrière les ruines de la société urbaine, comme de multiples graffiti voulaient le laisser croire – "dessous les pavés, c'est la plage..." ? Je ne le crois pas. Jamais révolution ne fut plus intellectuelle, plus cérébrale, plus raffinée. Du moins c'est ainsi que je l'ai perçue et goûtée.

L'Université, l'Odéon théâtre ouvert à tous : n'est-ce pas la culture à la portée de chacun ? Pour ma part, dans la Sorbonne occupée, que je fréquentais comme étudiant quelques années seulement auparavant, j'avais l'impression de "recevoir" des hôtes de passage. J'étais chez moi, je faisais visiter. On n'a pas assez remarqué que pour l'étudiant ou l'ancien étudiant qui, en 1968, parcourait la Sorbonne et tous ceux – ouvriers, employés, artistes et autres – qui mettaient pour la première fois les pieds dans ce sanctuaire, les sentiments et la signification générale de Mai 1968 ne pouvaient nécessairement être de même nature. Comme s'il suffisait d'avoir travaillé deux mois dans une usine – je l'ai fait jadis, à la fois par besoin et par curiosité – pour pouvoir se dire ouvrier. En 1968, je guidais n'importe qui vers le moindre amphithéâtre de la Faculté et ce geste ne ressemblait nullement à celui qui introduit l'ennemi dans la place. En aucun cas la nature ne reprenait ses droits sur la culture. Il n'y avait là nulle sauvagerie, bien au contraire. De même, mon lycée, occupé lui aussi, ne compta jamais en ses murs autant de lycéens assidus ! Jamais, à ma connaissance, on ne parla de raser les édifices culturels : l'Institut, l'Opéra, le Louvre, etc.

Un paradoxe assez savoureux me frappa dès les premières échauffourées : dans tout le Quartier latin, on savait que les policiers embarquaient systématiquement les personnes qu'ils interpellaient, si elles montraient des mains sales. Car elles étaient alors soupçonnées d'avoir touché des pavés ou les grilles de protection des arbres, qui jouèrent un grand rôle dans les combats de rue, ou tout autre objet ramassé au sol pour servir de projectile. Ainsi on reconnaissait les étudiants, les intellectuels, qui constituaient la grosse majorité des émeutiers, à leurs mains noircies. Tandis que les mêmes étudiants ne cessaient d'appeler les ouvriers à se rendre à la Sorbonne où ils pourraient désormais entrer sans montrer "patte blanche" ! J'ai tout naturellement pensé aux "Mains de Jeanne-Marie" de Rimbaud. De fait, l'allusion à 1871 était constante. Jamais comme durant ce mois de mai on ne pratiqua tant la citation historique. Le gouvernement lui-même baignait dans la référence au passé : le seul bâtiment vraiment bien protégé le soir du 24 mai était l'Hôtel de Ville, tant la police demeurait persuadée que les manifestants voudraient s'emparer de cet édifice et créer une nouvelle "Commune de Paris". Tous nageaient en pleine "ivresse littéraire" mais, par rapport à Baudelaire en 1848, les lectures dont chacun pouvait se souvenir étaient plus abondantes ! Ainsi la dénonciation même de l'"ivresse", du romantisme révolutionnaire, de l'utopie généreuse faisait partie intégrante du rêve héroïque. D'où des "savoirs" révolutionnaires tout à fait hétéroclites et une pratique presque toujours improvisée.

La magie des barricades l'emportait de très loin sur toutes les techniques modernes. Leur nom suffisait à mobiliser : je n'étais pas le seul à croire que sur les barricades on rencontrait de grandes ombres soudain ressuscitées de l'Histoire, au bruit des fusils lance-grenades. La plus forte séduction de Mai 1968 fut d'être délibérément anachronique, d'offrir une sorte d'anthologie de toutes les insurrections du

XIXe siècle et de refuser du même coup la militarisation et l'organisation indispensables, aux dires des spécialistes, à la "réussite" des révolutions contemporaines. Avec nos mains nues, de l'imagination et la belle mythologie de la Révolte, nous avions tout ce qu'il nous fallait. Véritable acteur dans ce grand opéra historique, étourdi par mon succès de choriste, je ne me lassais pas de reprendre des airs connus. Parfois de brusques accès de lucidité me dégrisaient, m'invitaient à retourner dans les coulisses du théâtre, mais c'était pour mieux me préparer à paraître en scène. Ainsi, le 24 mai, dans une manifestation, je marche derrière un type étrange. J'ai le temps de l'observer, car je le suis depuis la place de Clichy jusqu'à la gare de Lyon. Il est assez mal habillé : veste et pantalon très négligés, espadrilles déchirées. Il a la tête entourée d'une bande Velpeau d'une propreté plus que douteuse. Je regarde mieux : il a été blessé depuis peu, le sang a légèrement transpercé la bande ; il devait porter la même veste le jour où il a reçu un coup, car on perçoit nettement de larges traces de sang séché sur tout le dos ; il a certainement perdu son sang en abondance. Le gars pousse devant lui, imperturbable, une brouette qui contient une pelle, un pic, une scie, deux haches, une grosse masse de terrassier, bref tout l'outillage nécessaire pour détruire ou édifier méthodiquement. Ce matériel froidement rassemblé me fit frémir, ces préparatifs, cette détermination heurtaient ma conception de la lutte spontanée. Mais je me ressaisis bientôt et serrai dans ma poche les lunettes et le foulard destinés à me protéger des gaz lacrymogènes, mes accessoires de scène !

Il arriva que l'itinéraire des manifestants passait devant une armurerie. D'abord de l'hésitation, de la confusion dans les rangs, puis quelques individus plus résolus se lancèrent à l'assaut de la boutique. J'exultais. Le "peuple" qui occupait la rue allait s'armer lui-même, selon la meilleure tradition ; nous étions las de nous laisser matraquer par la police dont l'équipement était chaque jour plus perfectionné ; il fallait nous donner les moyens de conserver nos conquêtes, etc. L'armurerie se révéla fort bien protégée. On ne parvint qu'à briser l'enseigne ; la porte ne céda pas. À vrai dire, personne n'insista beaucoup. J'acquis soudain la certitude qu'aucun des assaillants ne souhaitait vraiment s'emparer des armes. Nous avions fait semblant. C'était une répétition. Nous raconterions plus tard que la situation n'était pas mûre pour la lutte armée. Ou plutôt nous ne dirions rien, sinon que la devanture du magasin était blindée donc impossible à forcer, ce que nous savions avant même de l'approcher ! Je fus beaucoup plus inquiet lorsqu'un soir de juin, on sonna à ma porte : Michel, le cousin anarchiste, avec une caisse de grenades défensives volées à l'armée. Il arrivait de sa Provence d'où il avait suivi les événements de Mai, furieux de ne pouvoir monter à Paris pour participer directement à l'action. Une occasion s'était enfin présentée (on trouvait alors de l'essence à nouveau) et il venait proposer ses services et son matériel. Il entreprit de me démontrer que, puisque le mouvement semblait sur son déclin, il fallait se montrer plus dur que jamais dans le combat. J'argumentai maladroitement. Il finit par comprendre.

"Je vois, dit-il avec un sourire désabusé. De loin, tout ça paraissait plus sérieux. En fait, ce n'est qu'une grande récréation. Des pétards de 14 juillet vous suffisent. J'aurais bien dû m'en douter !" Je n'ai pas osé lui dire qu'il n'avait pas tort. J'ai gardé le silence, comme un homme brutalement dessoûlé, qui se demande, avec un épouvantable mal de tête, ce qu'il a bien pu faire ou dire pendant qu'il était ivre.
Le lendemain, le 17 juin 1968, le journal *Le Monde* publiait une déclaration du Comité d'action étudiants-écrivains, qui se forma dès le début des événements et auquel j'appartenais. Cette déclaration constituait le texte d'affiches que le Comité colla dans Paris. J'ai conservé l'une d'entre elles dans mes archives :

"*LES ORGANISATIONS DISSOUTES,*
180 artistes et écrivains se tiennent
pour responsables des actions incriminées.
Par le pouvoir de refus qu'il détient et par un mouvement incessant de lutte en rapport d'étroite solidarité avec l'ensemble des travailleurs, le soulèvement des étudiants a frappé d'une façon décisive le système d'exploitation et d'oppression qui régit le pays. Par ce même mouvement, il a contribué, d'une façon décisive, à nous retirer de la mort politique, allant jusqu'à ébranler les appareils des formations et des partis traditionnels.
Tout doit donc être fait pour préserver le sens de ce soulèvement, l'originalité de l'action qui s'y désigne, la liberté nouvelle qu'il a d'ores et déjà conquise pour tous.
Aucune organisation ne saurait aujourd'hui prétendre représenter seule l'exigence révolutionnaire.
C'est pourquoi, au moment où le pouvoir gouvernemental, par des mesures au reste sans justification légale, fondées sur des arguments diffamatoires et telles qu'elles pourraient aussi bien frapper d'interdit toute formation d'opposition, cherche à rendre plus difficile le combat des étudiants aux côtés des travailleurs, les signataires de ce texte déclarent que toute poursuite engagée contre les membres des organisations visées par le décret de dissolution devrait être également engagée contre eux, qui se tiennent pour responsables des *agissements* incriminés. Ils soutiendront par tous les moyens en leur pouvoir les personnes poursuivies."
Suivent les signatures parmi lesquelles la mienne.

Je n'ai pas le cœur à me livrer aujourd'hui à un commentaire de ce texte... Mais je pense que ce sont des signatures en bas de proclamations semblables qui constitueront finalement les seules preuves de ma participation aux événements de 1968. N'est-ce pas assez dérisoire ? Le souvenir de l'ivresse éprouvée peut disparaître avec moi-même, "les écrits restent", comme on dit. Seules demeurent ces lettres mortes. Comme dans une chambre fermée, depuis longtemps condamnée, une persistante odeur de tabac refroidi.
Le 1er juillet 1968, on pouvait lire l'article suivant, dans *Action*, sous le titre "Écrivains : pas d'autopsie" :

“Le mercredi soir 26 juin, les étudiants de la fac de Médecine avaient invité dans l’amphi Che Guevara quelques écrivains (Clara Malraux, d’Astier de la Vigerie, Armand Lanoux, Clavel – Maurice et Bernard –) à débattre devant eux sur le thème *Littérature et Révolution*. Débat morose. Discours successifs et contradictoires. Dans le fond de la salle, soudain, des insultes bruyantes : le Comité d’action étudiants-écrivains s’exprimait (Maurice Blanchot, Marguerite Duras, Dionys Mascolo, Jacques Bellefroid, Michel Thurlotte). Le porte-parole du Comité accède à la tribune. Il dénonce le thème du débat, sa teneur et ses participants. Le moment n’est pas à faire l’autopsie de la Révolution, ni à disserter sur la littérature : le moment est à s’engager concrètement dans l’action révolutionnaire au même titre que tout travailleur. Le Comité d’action annonce qu’il quitte la salle. Celle-ci se vide, mais les étudiants exigent aussitôt que les écrivains du comité d’Action s’expliquent – dans l’amphi Boris Vian – sur leur attitude. La discussion reprend sans tribune, mais les écrivains comme les étudiants éprouvent de grandes difficultés à sortir du domaine littéraire, auquel les étudiants surtout semblent très attachés. Le Comité d’action étudiants-écrivains explique sa position : la seule manière de changer vraiment les rapports écrivains-lecteurs passe par le changement radical des structures sociales, et donc par la Révolution.” »

PARIS, SEPTEMBRE 2007

entretien avec Claude Courtot

« Jérôme Duwa – En mai-juin 1968, les surréalistes interviennent essentiellement par un tract et un numéro spécial de la revue *L'Archibras*, mais ce n'est pas vraiment à titre de groupe que la participation aux événements va être possible. Est-ce que, en tant que surréaliste, vous vous reconnaissez alors immédiatement dans le désordre de cette période, qui correspond finalement aussi avec une première et décisive interruption de la vie normale du groupe se réunissant au café *La promenade de Vénus* ? En quoi, à votre sens, Mai 68 peut-il être lu dans la perspective de l'histoire du mouvement surréaliste ?

Claude Courtot – Le 5 mai 1968, dès les premiers affrontements entre les étudiants et la police, le groupe surréaliste réuni chez moi 28 rue de Douai, rédige le tract "Pas de pasteurs pour cette rage" (le titre et une large partie du texte sont dus à Jean Schuster), dans lequel il salue "la jeunesse qui détient aujourd'hui la conscience et l'énergie révolutionnaires", appelle à "la destruction simultanée des structures bourgeoises et pseudo-communistes parfaitement imbriquées" et se met "à la disposition des étudiants pour toute action pratique destinée à créer une situation révolutionnaire dans ce pays." C'est clairement signifier qu'en aucun cas les surréalistes ne joueront le rôle des Pasteur qui guérissent la rage, ni des pasteurs conducteurs de troupeaux.

Depuis longtemps nous étions attentifs aux divers mouvements qui agitaient la jeunesse allemande et nous apprîmes avec consternation l'attentat dont Rudi Dutschke fut victime le 11 avril 1968, alors que nous animions avec nos amis tchécoslovaques à Prague l'exposition "Le principe de plaisir". Certains d'entre nous avaient des contacts étroits avec le mouvement du 22 Mars à Paris et j'ai souvenir que lors d'une émission de radio à Prague, j'avais évoqué les revendications de ce mouvement parmi les facteurs d'espoir politique. Nous n'avons donc pas été vraiment surpris par les premières manifestations.

Mais tout à fait inattendues étaient leur ampleur et la détermination de la jeunesse (jamais depuis fort longtemps Paris n'avait connu pareille résistance physique à la brutalité de la police – qui n'était pas la moins étonnée !).

On conçoit, comme Breton l'écrit dans le *Second Manifeste*, "que le surréalisme n'ait pas craint de se faire un dogme de la révolte absolue, de l'insoumission totale, du sabotage en règle et qu'il n'attende encore rien que de la violence." L'acte surréaliste le plus simple consiste dès lors à descendre dans la rue pour nous fondre dans la masse rebelle. C'est tout naturellement que nous suspendîmes les réunions quotidiennes de café à *La promenade de Vénus.* Nous nous retrouvions désormais à quelques-uns au hasard des actions de rue, chez tel ou tel, comme lors de la grande manifestation du 13 mai d'où nous partîmes de la place Franz-Liszt où habitait Silbermann, avec la fameuse potence de Jean Benoît à laquelle était accroché le mannequin d'un CRS. D'autres agirent sur leur lieu de travail, d'autres enfin donnèrent beaucoup de leur temps au Comité écrivains-étudiants.

Tous nous considérions qu'en mai 1968 nous n'avions jamais été aussi proches de ce point sublime auquel le surréalisme avait aspiré depuis sa naissance. Un seul regret : que Breton n'ait pu assister à ce triomphe de la poésie qui s'écrivait sur les murs, de la liberté qui s'exprimait dans chaque geste ou chaque propos et de l'amour – ô les jeunes couples dans les divers lieux symboliques conquis de haute lutte ! On comprend mieux ainsi que le mouvement surréaliste se soit dissous l'année suivante. Il était impossible de se maintenir à ce niveau d'incandescence. Les événements de Mai 1968 sont un de ces moments privilégiés de l'Histoire comme il n'en existe qu'un par siècle dans un pays. Je ne vois guère en France que la Commune de Paris au XIXe siècle à laquelle je puisse les comparer. Qui n'a pas connu Mai 1968 ignorera toujours une forme irremplaçable d'exaltation collective. Que tel foutriquet briguant récemment des suffrages serviles crache sur cette époque devrait suffire à en entretenir durablement la nostalgie.

J. D. – Quelle a été la nature de votre participation au Comité d'action étudiants-écrivains ? Quel regard avez-vous porté sur la revue *Comité*, largement constituée par les textes non signés de Blanchot et Mascolo ?

C. C. – J'ai pour ma part fort peu participé au Comité d'action étudiants-écrivains. Je me sentais si peu "écrivain" et, en tout cas, j'avais pour lors suspendu toute activité littéraire. Mon véritable métier était celui de professeur. Or j'étais en grève, comme les étudiants. À l'heure de l'action révolutionnaire on cesse d'être étudiant ou écrivain ou professeur, on est révolutionnaire, une occupation à plein temps. C'est d'ailleurs ce message que paradoxalement Blanchot et Mascolo entendaient faire passer. L'entreprise me paraissait donc assez vaine.

Je me souviens surtout d'une réunion à laquelle assistaient beaucoup d'écrivains et peu d'étudiants. Le grand débat était de savoir à quel moment et comment se rendre à l'Hôtel de Massa où siégeait la Société des gens de lettres, pour s'en emparer et l'occuper. Je trouvais cela parfaitement ridicule. Ce petit combat corporatiste ne me concernait pas le moins du monde. Je crois qu'ensuite je n'ai plus remis les pieds au Comité, mais j'avais chargé certains de mes amis de m'associer moralement à toutes les initiatives et d'utiliser mon nom si on avait besoin de signatures. J'étais franchement *ailleurs*, là où j'estimais qu'était la vraie vie.

J. D. – Les notions de « génération » et de « révolte de la jeunesse » sont souvent alléguées pour qualifier ce qui s'est passé en Mai 68. Ces notions ont aussi une fonction idéologique qui conduit à atténuer la gravité de la révolte et à passer sous silence la grève générale, ainsi que la dureté de la répression policière. L'image d'un Mai purement festif, marquant le sacre de l'individualisme, fait presque l'unanimité aujourd'hui. Pourtant, les étudiants, donc la jeunesse, se définissaient davantage à partir du lexique marxiste et insistaient sur la lutte des classes et la nécessaire jonction avec le prolétariat. Comment les surréalistes se trouvant impliqués dans les événements envisageaient la situation : pur moment festif ou bien autre chose encore ?

C. C. – Il est incontestable que Mai 1968 fut d'abord et avant tout une insurrection de la jeunesse lasse d'une société bourgeoise qui ne laissait aucune place à ses plus légitimes exigences de liberté. C'est bien comme telle que le mouvement surréaliste la salua à ses débuts. Les syndicats, les organisations politiques de gauche reprirent ensuite certaines revendications à leur compte, canalisèrent la protestation et avec la complicité des jeunes têtes pensantes qui tentaient en toute bonne foi d'expérimenter une lecture neuve des textes anciens, réussirent à les réinscrire dans des lexiques et des analyses – notamment marxistes – connus et éprouvés. Les drapeaux rouges sont peu à peu devenus plus nombreux que les drapeaux noirs. C'est, selon moi, ce qui a mis fin à la belle fête libératrice. 1968 a démontré qu'une révolte désormais serait plus redoutable qu'une révolution qui, elle, est contrôlable, car on en connaît les méthodes et les discours. On percevait fort bien à la mi-juin 1968, au moment où nous avons publié le numéro 4 de *L'Archibras*, que la plupart des "adultes responsables" – bourgeois et ouvriers – souhaitaient la fin de la récréation. La société française, toutes classes confondues, voulait en revenir aux bonnes vieilles habitudes : une démocratie parlementaire, avec de périodiques élections pièges à cons et des fromages politiques à se partager, de quoi replonger le pays dans la confortable léthargie d'antan.

En 1968 les surréalistes n'ont soutenu que les actions et les comportements qui leur semblaient absolument irrécupérables.

J. D. – Quel sens y avait-t-il à revendiquer le statut de la pègre ?

C. C. – Revendiquer le statut de la pègre, c'était d'emblée se situer hors du jeu social convenu, hors de l'unanimité parlementaire, c'était préparer aux bourgeoisies bleues et roses de nouveaux soucis, comme on le verra lors de la décennie suivante en Allemagne (groupe Baader-Meinhof), en Italie (les Brigades rouges) et même en France (Action directe), comme on le voit aujourd'hui avec la "racaille" des banlieues… On a la pègre qu'on mérite.

J. D. – Vous avez à deux reprises évoqué votre expérience de Mai dans "L'attentat" (1970), puis dans "Opéra 68" (1984). Dans le premier de ces textes, vous écrivez : "En Mai 68, je jouais." On sait quelle importance a le jeu pour les surréalistes, mais comment entendez-vous en l'occurrence votre attitude ludique pendant les événements ? Est-ce que ce jeu signifie que vous n'y avez jamais vraiment cru ou qu'il y avait une limite tacite à ne pas dépasser dans l'usage de la violence ?

C. C. – Si j'ai pu soutenir qu'en Mai 1968 “je jouais”, c'est surtout pour m'opposer à l'esprit de sérieux des exégètes de ces événements. On ne doit jamais oublier l'aspect fondamental de Mai 1968 : celui de vastes Saturnales. De même que les jeux surréalistes conduisaient aux territoires de la poésie, la fête de 1968 a ouvert devant chacun de ceux qui y participèrent des contrées enchantées. Mais – et là je me permets de renvoyer à mon texte “Opéra 68” – je jouais parce que je n'avais pas d'arme entre les mains. En dépit de la répression policière, malgré la violence des affrontements, les combats de 1968 n'ont rien de comparable à ceux d'une vraie guerre civile – qu'on songe à la semaine sanglante de la Commune – opposant des manifestants armés à des forces militaires. Ce qui permit à certains de juger ces événements avec condescendance, comme un soulèvement d'amateurs ! Oui nous étions des *amateurs*, avec tout ce que ce mot implique de vivifiant, heureux et conscients de nous abandonner à l'illusion lyrique. Je persiste à croire que ce fut là notre gloire. »

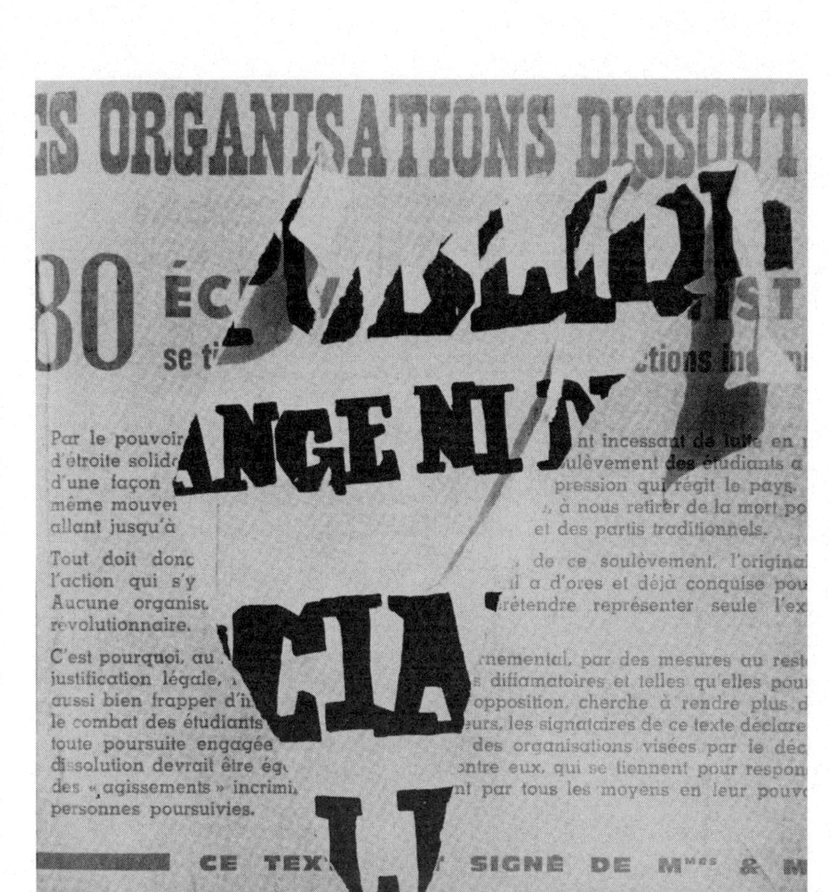

Affiche d'une déclaration du Comité d'action étudiants-écrivains du 18 juin 1968. Elle est présentée déchirée dans la revue *Opus international* n° 8 (octobre 1968) avec ce commentaire sur l'arracheur : « Hasard objectif : celui qui a déchiré l'affiche des 80 écrivains et artistes qui se sont solidarisés avec les organisations dissoutes – donc leur ennemi –, a fait apparaître les lettres CIA dans la déchirure. Ce *décollage* politique est aussi un décodage. »

PARTIR DE LA FIN

En 1969, le petit mot « fin » appliqué au mouvement surréaliste parisien après un long périple historique de plus de quarante ans ne pouvait pas l'être sans fracas. Compte tenu des passions engagées dans l'aventure, il n'est pas même imaginable que la dissolution d'un tel mouvement se déroule sans heurts et déchirements. Puisqu'il en est à l'origine, par sa décision de se retirer des activités collectives du groupe à partir de janvier 1969, Jean Schuster sera aussi pour beaucoup de ses anciens camarades une cible privilégiée. Cet aspect pauvrement anecdotique n'étant intéressant que pour les spécialistes du ressentiment, ceux qui « perdent leur sang par des cicatrices depuis longtemps fermées[1] », autrement dit ceux que Nietzsche appelle « les prêtres » dans *La Généalogie de la morale*, il paraît judicieux de s'en détourner au plus vite pour se concentrer sur le seul problème qui compte : non pas seulement quel sens attribuer à une telle fin, mais que faire maintenant que la fin est certaine ? Pour les surréalistes, en 1969, une seule certitude demeure, mais qui ne constitue en rien un sauf-conduit pour un monde transformé : « Nous savons, au moins, d'où nous venons[2]. »

Contemplant la majesté des Alpes, Hegel aurait dit simplement : « C'est ainsi », un mot que Jean Schuster aimait à citer. Il en est à peu près du spectacle des Alpes comme de celui de l'histoire du surréalisme parvenue à son terme : ils méritent tous deux un profond salut.

Précisément, les amis surréalistes de Jean Schuster ont pris la juste mesure de son retrait en signant un tract sous le titre d'abord énigmatique de « Aux grands oublieurs, salut ! » Ce texte haut en couleur a conservé sa vertu décapante. Daté du 13 février 1969, il est sorti de la plume à la virtuosité assassine de Jean-Claude Silbermann et il recueille, en plus de celle du rédacteur, les signatures de Philippe Audoin, Claude Courtot, Gérard Legrand et José Pierre :

1. Friedrich Nietzsche, *La Généalogie de la morale*, III, 15, traduction par Henri Albert, Mercure de France, 1948.

2. Jean Schuster, « Le quatrième chant » (texte intégral), dans José Pierre, *Tracts surréalistes et déclarations collectives*, Paris, Éric Losfeld, 1982, t. II, p. 295.

« Nous qui ne retenons pas la vie par cœur, avons préféré oublier de nous rendre au mariage de M. Le-Souci-de-Durer, homme très en vue, militant professionnel et de Mlle De-La-Bonne-Volonté, vous savez, cette personne qui tient un petit commerce.

Nous avons un principe de salubrité :

DÉFENSE DE DÉPOSER LES MERVEILLES

Nous préférons à peu près tout au bavardage et, s'il le faut, le silence. À certains qui attendent miracle du bonheur d'être ensemble, nous recommandons vivement la pratique du cadavre exquis[3]. »

Il est pour le moins troublant de constater que dans l'ordre des déclarations collectives produites par les surréalistes ce tract vient au jour seulement quelques mois après « La plate-forme de Prague » aux ambitions reconstructrices et unificatrices… Signé par plusieurs autres membres du mouvement, un second tract daté du 23 mars prend acte, sous le nom de « SAS », de la cessation de toutes les activités surréalistes depuis le 8 février 1969. Ces circonstances justifient assez notre désir de focaliser notre attention sur l'année 68 et tout ce qu'elle a d'abord pu avoir d'exaltant pour un ensemble d'individus visant à vivre *au-dessus* de la réalité sirupeuse, plutôt que de s'appesantir sur les décombres d'un désastre obscur. Pour maintenir cet esprit ascendant jusque dans la conclusion de cet ouvrage, on partira sereinement de la fin du surréalisme, car pour les cinq signataires du tract « Aux grands oublieurs, salut ! », ainsi que pour Jean Schuster, finir ne veut pas dire autre chose que recommencer, mais au prix d'une large et profonde *coupure*. Pour éclairer cette manière de penser la fin du surréalisme dans l'après 68, il est nécessaire de présenter même sommairement le texte qui va la rendre publique. Signé du seul Jean Schuster (mais largement discuté et approuvé par les signataires d'« Aux grands oublieurs, salut ! »), il s'intitule « Le quatrième chant » et paraît presque intégralement dans *Le Monde* du 4 octobre 1969. Par ce titre, emprunté aux *Chants de Maldoror*, Jean Schuster renoue de manière apparemment paradoxale avec une des sources lyriques primordiales du surréalisme, alors même qu'il est censé y mettre un terme. Au « quatrième chant », Maldoror évoque cette terrible « chose sanglante[4] » et blonde que constitue la « chevelure de Falmer » arrachée au crâne de son ami. Il est difficile de percer à jour les mobiles exacts qui ont pu guider Jean Schuster vers ce chant en particulier, mais cette histoire d'arrachement qui laisse entre les mains de Maldoror un vestige précieux n'est peut-être pas totalement étrangère à ce qui se joue en 1969 parmi les surréalistes acculés à se séparer de leur identité apparente.

3. José Pierre, *Tracts surréalistes et déclarations communes, ibid.*, p. 285.

4. Lautréamont, *Les Chants de Maldoror*, Paris, Garnier-Flammarion, 1969, p. 191.

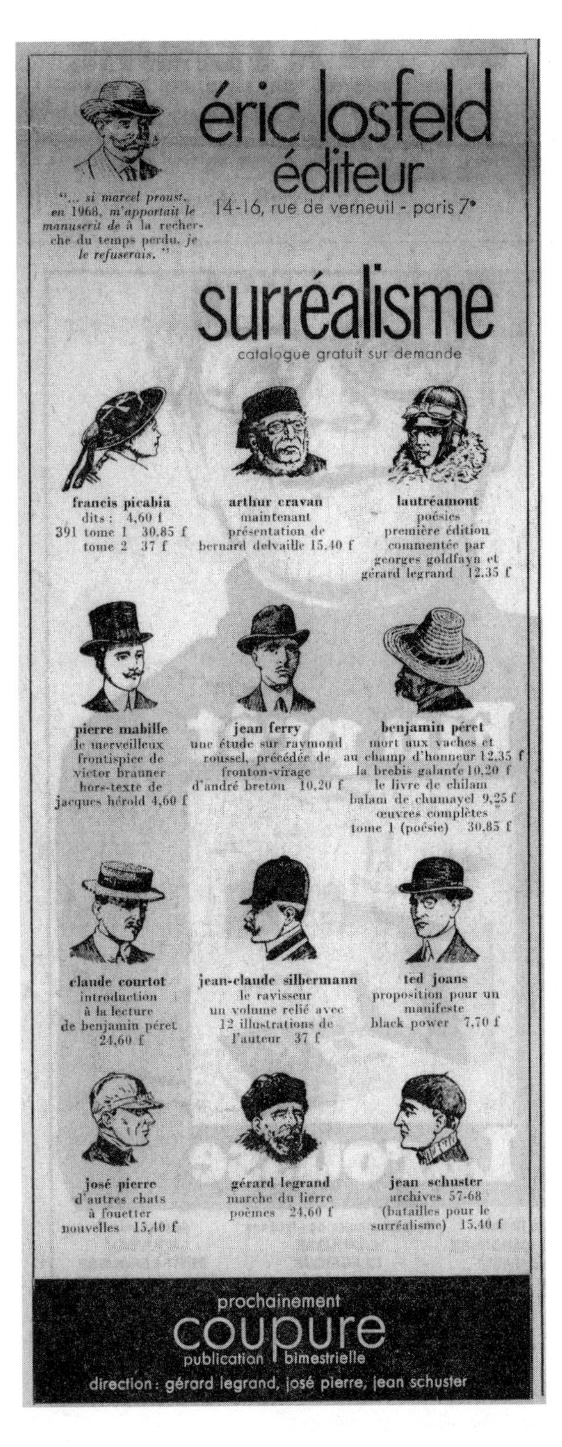

Publicité des éditions Losfeld sur plusieurs protagonistes du groupe surréaliste publiée dans le journal *Le Monde* du 4 octobre 1969 (n°7690).

« Le quatrième chant » de Jean Schuster n'entend en aucun cas être la formulation sermonneuse et désolée d'un éternel regret : celui d'avoir été contraint à abandonner la mise en commun de la pensée réalisée par le collectif surréaliste. « L'exposé de nos querelles, s'il n'est pas accompagné d'un projet *théorique* ayant valeur de manifeste, n'intéresse personne », précisait à juste titre Jean Schuster dans une lettre circulaire du 16 mars 1969 où il commentait l'intention de Philippe Audoin de faire un numéro de *L'Archibras* sur la crise du groupe. Ce projet théorique, il va justement l'esquisser dans le manifeste publié dans *Le Monde* du 4 octobre et on n'en retiendra ici que ce qui touche à la prise en compte des événements de l'année 68[5].

Parcourons une dernière fois le labyrinthe des documents du présent livre ; Jean Schuster nous y aide en tirant le fil qui nous a du reste guidé dès le début :

« Cuba, Prague, Mai 68, c'est l'histoire elle-même qui trace une voie que le surréalisme reconnaît sienne et où il s'engage au présent. La grande fête collective (qui commence en 1967 à La Havane, se prolonge en avril à Prague, pour connaître son paroxysme, quinze jours plus tard dans les rues de Paris) révèle qu'une exigence supérieure de l'esprit, l'exigence poétique, conditionne désormais la réalité politique. »

Si la fête est finie en 1969, elle n'en demeure pas moins inoubliable ; mais elle n'a pas seulement laissé de forts souvenirs, elle a aussi imprimé dans la réalité une exigence qui était jusqu'alors séparée, séparée comme la communauté surréaliste pouvait l'être de la société ordinaire fondée sur la recherche de l'intérêt et de la gloire. Cette exigence que Jean Schuster nomme poétique, il aurait pu aussi bien l'appeler surréaliste, puisque à ses yeux comme pour tous ses compagnons du groupe parisien, une convergence inédite a eu lieu entre la fin de l'année 1967 et le printemps 68 : noces brèves mais somptueuses de la vie poétique et politique, fin de la séparation. Que les protagonistes payent ensuite le prix fort au moment de la rupture du charme, cela va de soi. Maintenir envers et contre tout l'étiquette surréaliste, ainsi qu'un semblant d'activité commune, est cependant l'option choisie par le groupe de Prague et les quelques surréalistes français qui collaboreront au *B.L.S.*[6] sans pour autant parvenir à relancer une véritable dynamique collective. Comment en effet envisager sérieusement de revenir de manière durable au point de départ, celui de la séparation vécue comme un pis-aller ? Le retour ténébreux de l'ordre ne pouvait que condamner la communauté des hommes et des femmes qui s'était vouée au désordre du jour. Mais « Le quatrième chant » ne s'en tient pas à ce constat amer.

« À quelques-uns, nous entreprenons d'inventer la variable qui succédera au surréalisme "historique". Nul d'entre nous ne pense que les mesures formelles prises à ce jour – et

5. Pour une analyse plus complète du « quatrième chant », le lecteur pourra se reporter à l'article paru dans *La Revue des revues* n°34, 2003 : « Du surréalisme historique au surréalisme éternel : *L'Archibras* et *Coupure*, 1967-1972 ».

6. *Le Bulletin de liaison surréaliste* comptera dix numéros entre 1970 et 1976.

SUPPLEMENT AU NUMERO 7690

LE SURRÉALISME

Au cours d'un mois de mai fertile en surprises, on vit avec stupeur le surréalisme descendre dans la rue, fleurir sur les murs. Cela parut d'autant plus étrange qu'on le croyait mort — certains disaient depuis la guerre, — si bien que les manuels scolaires n'hésitaient pas à le rouler dans son linceul et à en faire un mouvement littéraire dépassé.

Il suffit de regarder autour de soi pour mesurer le chemin parcouru depuis le manifeste de 1924. Le rêve, l'insolite, l'humour, l'irrespect, sont parmi nous. Bunuel fait des films sans provoquer d'émeute. Au moment où Aragon raconte comment Breton et lui découvrirent un inconnu nommé Lautréamont, « Maldoror » fait son apparition dans la collection Garnier-Flammarion. Que les forces intellectuellement libératrices, ce « plus de conscience » que nous renvoient tous les échos, naissent au sein de l'aliénation la plus totale, dans une société dévorée par l'objet, n'est pas en soi très rassurant. Il faudrait être bien optimiste pour croire à une victoire rapide de l'esprit, bien inconscient pour estimer la société de consommation incapable de remettre le surréalisme à sa place, entre deux autres mots en -isme. Trop de gens ont intérêt à nous faire prendre les magiciens de « Planète » pour des lanternes.

Que le groupe surréaliste ait choisi pour

EN FORME DE MANIFESTE

Le quatrième chant

I. — André Breton ou l'autorité vraie

II. — La dernière manifestation d'un groupe organisé

III. — Surréalisme « historique » et surréalisme « éternel »

IV. — Coupure ?

JEAN SCHUSTER

— Quelques titres —

Une lettre de Jean Schuster adressée de Tunisie à Claude Courtot précise l'origine du « quatrième chant » finalement publié le 4 octobre 1969 : « Alquié [...] prépare la double page du supplément littéraire du *Monde* du 5 septembre, consacrée au... surréalisme. Il fera le chapeau habituel et m'a demandé un texte sur le surréalisme aujourd'hui ! Nous voilà beaux. J'ai accepté et depuis trois semaines je noircis des feuilles et des feuilles pour les foutre à la corbeille 10 minutes après. » (Hammamet, le 28 juillet 1969). S'il est alors on ne peut plus délicat de s'exprimer au sujet du surréalisme, puisque le groupe s'est récemment auto-dissous, Jean Schuster mesure fort bien que le hasard lui offre également « l'occasion stratégique à ne pas négliger » : il s'agit de conclure le « surréalisme historique » par un texte marquant et, en même temps, de relancer les dès d'une entreprise collective fidèle à l'esprit du mouvement né en 1924.

Ci-contre, n° 4 hors-série de la revue *Coupure* offrant une tribune à *La Cause du peuple*, journal maoïste qui venait d'être interdit. Cette publication a donné lieu à un procès, dont les minutes ont été recueillies dans *Procès à Coupure* (Éric Losfeld, coll. « Le désordre », 1972).

4 - (hors-série) - juin 1970 - 1 f direction : gérard legrand - josé pierre - jean schuster

Le Canard Sauvage, 23-29 mai 1903

la parole est à "La Cause du Peuple"

LE SANG DE NOS FRÈRES RÉCLAME VENGEANCE

Pour les salopards du Capital, l'augmentation des prix n'est jamais suffisante et l'exploitation des travailleurs jusqu'à la limite des forces humaines dans de nombreuses usines-bagne n'est pas encore assez poussée. Les hystériques du bénéfice capitaliste emploient la shlague moderne avec son cortège de malheurs : rationalisation, cadences...

Dans ce monde pourri de l'Impérialisme, les bourgeois, les gavés, les collabos de tout poil ont pour mot d'ordre à l'égard des petites gens : « Marche ou crève ».

Qu'importe pour eux si chaque jour des forçats du travail entassés dans des baraquements putrides et boueux (Buchenwald humanisé, sans doute !) meurent d'avoir respiré de l'oxyde de carbone, comme à Aubervilliers.

Qu'importe pour eux si chaque jour des hommes sont asphyxiés dans les fonderies, crachent de silicose dans les mines, sont écrasés par cent tonnes de béton sur des chantiers, sont transformés en torche vivante avec leur camion d'avoir trop longtemps conduit...

Qu'importe pour eux si chaque jour en France même, des braves gens ayant souvent passé toute une vie de labeur et de sueur meurent encore de faim, de froid, de misère.

Seuls comptent, pour les patrons assassins, les gros sous ; et pour leur fric, ces criminels dangereux qui se prennent pour des êtres supérieurs, parfois même pour les envoyés de leur dieu, détiennent tous les pouvoirs. Rien d'étonnant si, à l'heure actuelle, les gangsters « arrivés » deviennent des idoles et occupent les grosses manchettes des rubriques littéraires ou juridiques dans les journaux collabos. Qui s'assemble se ressemble. Mais que des travailleurs protestent contre les conditions de vie qui leur sont faites, qu'ils contestent la société infecte dans laquelle la camarilla capitaliste les force à vivre, alors là se déchaîne la répression avec ses matraques et sa justice à sens unique.

Que chaque prolétaire ouvre les yeux, qu'il approfondisse les raisons pour lesquelles il est encore un damné. Qu'il rejoigne les rangs de la nouvelle résistance.

Comme le disait le colonel Fabien, héros de la Résistance, des assassinats nazis :

« Nous devons avoir pour règle de riposter à chaque coup de l'ennemi. Pour un œil, les deux yeux. Je considérerai comme lâches ceux qui ne sauraient pas organiser la riposte à de tels assassinats. »

Frères, camarades de la nuit, vous êtes grands, vous êtes dignes, et vous devez le savoir : plus nous serons nombreux, plus nous serons soudés, plus notre poing se gonflera démesurément pour écraser la vermine capitaliste.

Contre les assassins, nous ferons nous-mêmes justice !

« La Cause du Peuple », janvier 1970

COMMUNIQUE DE LA NOUVELLE RESISTANCE

Vendredi 23 janvier, à 4 h 45, un groupe de partisans ouvriers de la Nouvelle Résistance a attaqué le commissariat de Mantes-la-Jolie ; 6 cocktails Molotov explosaient sur les cars et dans la cour, détruisant un des véhicules de police.

Les flics, pourtant en alerte, ont été complètement déconcertés par cette attaque surprise. La défaite fut particulièrement humiliante pour eux : ils en furent réduits à secouer les grilles de leur commissariat transformé en prison ; à l'exemple des paysans de l'Est, les camarades avaient cadenassé les grilles avec un antivol de bicyclette ; ils se croyaient en sûreté dans leur commissariat, ils ont eu en fait un avant-goût de ce que leur réserve la révolte du peuple. Marcelin avait promis la veille que l'ordre règnerait, mais que valent les fanfaronades d'un flic face à la détermination des opprimés qui luttent pour la liberté ? L'ordre qui se prépare, nous l'imposerons aux bourgeois les armes à la main.

Quand les flics entendent parler de liberté, ils chargent, comme l'a déclaré l'un d'eux au procès des vendeurs de la Cause du Peuple à Versailles ; eh bien, même si ça leur est pénible, nous les forcerons désormais à réfléchir un peu plus ; chaque exaction contre le peuple sera vengée par le peuple.

« La Cause du Peuple », 5 février 1970

notamment le refus d'utiliser le surréalisme comme une étiquette sécurisante – seront suffisantes pour que le feu s'avive. Si j'ai dû insister sur ce point, qu'on se persuade que le cœur n'y était pas – ou qu'il n'y était qu'à proportion de l'explication minimum à laquelle nous sommes tenus pour délivrer l'avenir de nos actes publics d'une première hypothèque. Fin septembre, paraîtra le numéro 1 de *Coupure*[7], publication fondée sur un traitement particulier, légèrement pervers, de l'information. Dans ce cadre et hors de ce cadre, nous entendons contribuer à résoudre une crise autrement grave que celle dont nous sortons, celle de l'imagination. À cet effet, il nous faudra procéder, d'une part, à l'analyse critique de la situation qui résulte des événements de Mai 68, d'autre part, à la recherche systématique de nouveaux moyens de communication entre les hommes. »

Il est pour le moins osé, de prime abord, de considérer que le mouvement émancipateur de Mai 68 qui a revendiqué le pouvoir de l'imagination et même l'imagination au pouvoir ait de quelque manière suscité une crise de l'imagination. Par crise, il faut bien entendre ici appauvrissement par abus du politique à tous les étages de la vie au détriment de l'art, qu'une critique radicale, superficiellement situationniste, a contribué à dévaluer. À Cuba comme à Prague, l'art n'était pas exclu de la fête, tout au contraire ; mais il n'était ni une simple marchandise, ni l'expression plastique d'un engagement politique. C'est en vertu de cette double négation que l'art a une valeur irremplaçable et qu'il s'oppose même à ce que Jean Schuster ne craint pas d'appeler le « crétinisme révolutionnaire » : « Pour chaque exemplaire de Kafka brûlé, il faut fusiller dix gardes rouges. »

La revue *Coupure* va précisément tenter de promouvoir une idée de la révolution qui ne soit pas à la mesure de l'imagination d'un garde rouge, mais à celle d'individus sachant d'où ils viennent – du surréalisme – et sachant aussi qu'ils cherchent autre chose. *Coupure* offre toutes les garanties de liberté en commençant par la liberté de fragmenter. La revue se compose en grande partie de coupures de presse, de revues, d'extraits de livres, parce qu'un tout ne peut sans doute plus se constituer en raison du haut degré de mutilation de la vie et du sens. Les voix authentiquement contestataires de l'ordre sont plus diffuses après Mai 68 : *Coupure* entend être l'humble organe de leur rassemblement. Si on ne peut plus maintenir l'idée surréaliste dans l'histoire sous sa forme antérieure, on peut cependant encore revendiquer un programme minimum de mise en commun de toutes les tentatives de résistance dont la cohérence fait problème. Après sept livraisons entre octobre 1969 et janvier 1972, Jean Schuster ouvre en confiance le dernier numéro par ces mots : « À mesure que les maîtres de l'humanité accumulent leurs forces, les foyers d'insoumission s'allument et s'avivent[8]. » L'espoir né en 1968 reste solide quatre ans plus tard.

7. Le numéro annoncé a effectivement paru à la fin du mois d'octobre 1969.

8. Jean Schuster, « Demain, l'hétérodoxie », *Coupure* n° 7, janvier 1972.

Sur la première page de ce dernier *Coupure*, une tortue juchée sur ses pattes arrières semble esquisser un élégant pas de danse et, l'espace d'un instant, médusé par la photographie, l'impossible redevient la réalité. L'impossible peut du reste toujours survenir, parce que l'esprit du surréalisme ne s'est pas épuisé, contrairement à la forme historique qu'il a prise entre 1924 et 1969. À concevoir le surréalisme comme le « contre-courant » de l'esprit, on comprend qu'il est toujours permis d'en espérer de nouvelles péripéties, que ce soit par des œuvres ou des manières de vivre. Ce n'est donc pas un point final qu'il convient d'apposer après le titre « 1968, année surréaliste », mais seulement des points de suspension…

Illustration à la « une » de la dernière livraison de *Coupure* (n°7, janvier 1972).

ANNEXES

LES AUTEURS

Philippe Audoin (Paris, 1924 – Paris, 1985)
Collaborateur des revues surréalistes *La Brèche* et *L'Archibras* à partir de 1962, Philippe Audoin est l'auteur d'essais, tels : *Breton* (1970) et *Les Surréalistes* (1973). Son intérêt pour l'alchimie se manifeste dans le livre qu'il consacre à *Bourges, cité première* en 1971. Après une étude consacrée à *Maurice Fourré, rêveur définitif* (1978), il a tout juste le temps d'achever un livre sur *Huysmans* (1985). Ses amis publieront à titre posthume un recueil de textes intitulé *Raconteries* (1985), ainsi que des réflexions : *Sur Georges Bataille* (1989).

Claude Courtot (né à Paris en 1939)
Entré en contact avec le groupe surréaliste à partir de 1964 à la faveur d'une étude consacrée à Benjamin Péret, Claude Courtot participe ensuite à toutes ses manifestations jusqu'à l'auto-dissolution en 1969. Cette même année, il publie un essai sur Crevel, dont la révolte lui paraît plus que jamais d'actualité après Mai 68. Deux ans plus tôt, du vivant de Breton et avec son appui, il avait déjà réédité *Le Clavecin de Diderot. Carrefour des errances* rassemble en 1971 un ensemble de récits auxquels va succéder un silence de presque dix ans, rompu par *La Voix pronominale* en 1980 et *Bonjour Monsieur Courtot !* en 1984. Les récits qui suivent, *Une épopée sournoise* (1987), *Le Journal imaginaire de mes prisons en ruines* (1988), *L'Obélisque élégiaque* (1991), *Les Pélicans de Valparaiso* (1995) et *Les Ménines* (2000) reconstruisent la partition exaltante d'un vaste rêve éveillé. Claude Courtot a également publié des essais, sur Victor Segalen (1984) et sur Paul Léautaud (1986). Il se consacre actuellement à l'écriture d'un journal, intitulé *Laisses*, qui s'efforce de ne retenir de l'existence que son aspect poétique et ascendant.

Stanislav Dvorský (né à Prague en 1940)
À la fois poète et théoricien, il rejoint le groupe surréaliste pragois au tout début des années 1960. Avec Petr Král et Vratislav Effenberger, il compose le recueil *Point de départ surréaliste* (1969) qui fait le bilan des apports du surréalisme en Tchécoslovaquie depuis la fin des années 1930. Des extraits significatifs de son œuvre poétique ont été traduits dans *Le Surréalisme en Tchécoslovaquie 1934-1968* (1983) et dans *L'Anthologie de la poésie tchèque contemporaine*, 1945-2000 (2002), deux ouvrages dirigés par son ami Petr Král.

Vratislav Effenberger (Nymburk, 1923 – Prague, 1986)
Il est le personnage clé de la vie du groupe surréaliste pragois après la mort de Karel Teige en 1951. Vratislav Effenberger incarne aussi dans l'après 1968 la volonté de permanence des activités surréalistes. En fraternité avec Vincent Bounoure, il contribue largement à l'ouvrage *La Civilisation surréaliste* (1976). Des extraits de sa poésie et de

ses pièces de théâtre ont été partiellement traduits en français dans les ouvrages de Petr Král : *Le Surréalisme en Tchécoslovaquie 1934-1968* (1983) et *L'Anthologie de la poésie tchèque contemporaine, 1945-2000* (2002). Le fil conducteur de la poésie de Vratislav Effenberger est un humour noir porté à son comble.

| *Robert Guyon* (né à Lyon en 1941)
Entré en relation avec André Breton en 1964, Robert Guyon fonde à Lyon en 1966 le groupe L'Ekart avec Bernard Caburet, qui s'illustre notamment par le placardage de l'affiche *Décamérêve* en 1967. Porté sur la déambulation urbaine dans un esprit ludique, il est aussi l'un des organisateurs de l'exposition « Armes et bagages » (Lyon, 1975). Proche un temps du groupe du *BLS* de Vincent Bounoure, il collabore à l'ouvrage collectif *La Civilisation surréaliste* (1976). Son activité de peintre qui le rapprocha du collectif Phases d'Édouard Jaguer l'a conduit à la réalisation de tableaux et d'objets fluorescents.

| *Alain Jouffroy* (né à Paris en 1928)
Après la rencontre fortuite d'André Breton en 1946 qu'il a plus tard raconté dans *La Fin des alternances* (1967), Alain Jouffroy participe de 1947 à 1948 aux activités du groupe surréaliste et s'en éloigne en même temps que Victor Brauner. Si son existence de poète reste parallèle à celle du collectif animé par André Breton, les points d'intersection et parfois de conflits ne vont pas manquer tout au long d'une vie marquée par la création sous toutes ses formes, de la poésie au roman en passant par l'essai et la fabrication d'objets. Membre du comité de direction de la revue *Opus international* (1967-1995), il coordonne notamment un numéro intitulé « André Breton et le surréalisme international » (1970 et 1991). Alain Jouffroy a commencé à faire le récit de son existence dans *Le Roman vécu* (1978), où il évoque largement les années 1960 et Mai 68.

| *Petr Král* (né à Prague en 1941)
Entré en relation avec le groupe surréaliste pragois à partir de 1959, Petr Král collabore avec Prokop Voskovec à une mise en scène d'*Ubu roi*. Ensemble, ils vont ensuite créer la pièce de théâtre *Compter les poètes* (1960-1963), sous-titrée « Malentendu scénique ». Exilé en France à partir de 1968, son rôle de traducteur va être déterminant pour faire lire les poètes surréalistes tchécoslovaques à travers plusieurs anthologies parues entre 1983 et 2002. Poète, il s'est aussi intéressé de très prêt au cinéma burlesque dans deux ouvrages : *Le Burlesque ou Morale de la tarte à la crème* (1984) et *Les Burlesques ou Parade des somnambules* (1986). En 2007, il a publié un dernier livre en France intitulé *Enquête sur des lieux.*

| *Gérard Legrand* (Paris, 1927 – Blois, 1999)
Poète et philosophe, Gérard Legrand se lia au groupe surréaliste en 1948 et participa à toutes ses manifestations jusqu'à l'auto-dissolution de 1969. Signant avec André Breton *L'Art magique* (1957) il se vit confier la direction de la revue *Bief* de 1958 à 1960. Auteur d'ouvrages consacrés à de grands artistes comme *Gauguin* (1966) et *Giorgio de Chirico* (1975), il écrivit également, riche de son expérience au sein du surréalisme, deux livres importants sur l'histoire du groupe : *André Breton en son temps* (1974) et *Dossier André Breton* (1977).

Cinéphile averti, Gérard Legrand collabora à la revue *Positif* et publia, entre autres, *Cinémanie* (1979). Son œuvre de poète débuta par un premier recueil en 1953 aux Éditions surréalistes, *Des Pierres de mouvance*, puis se poursuivit avec *Le Retour du printemps* (1974), *L'Âge de varech* (1994) et *Lungarno* (1999). À titre posthume, un long poème intitulé *L'Embellie* est paru en 2003.

Dionys Mascolo (Saint-Gratien, 1916 – Paris, 1997)
Lecteur chez Gallimard dès 1942, Dionys Mascolo y fréquenta Albert Camus, Maurice Blanchot, Marguerite Duras. Avec cette dernière et Robert Antelme, il créa le Groupe de la rue Saint-Benoît et se lia d'amitié avec Georges Bataille et Edgar Morin. Après avoir rejoint les rangs de la Résistance, il adhéra, en 1946, au Parti communiste, duquel il fut exclu en 1949. Il fut avec les surréalistes, et notamment avec Jean Schuster, de tous les combats antigaullistes (*Le 14 juillet*) et anticolonialistes : en 1955, il devint l'un des principaux animateurs du Comité des intellectuels français contre la poursuite de la guerre en Afrique du Nord. En 1960, il rédigea et diffusa avec Jean Schuster et Maurice Blanchot, la Déclaration sur le droit à l'insoumission dans la guerre d'Algérie, dite aussi « Manifeste des 121 ». Grand lecteur de Saint-Just et de Nietzsche, il s'intéressa toute sa vie à l'idée communiste, depuis son important ouvrage de 1953, *Le Communisme*, jusqu'à ses textes recueillis dans *À la recherche d'un communisme de pensée* (1993). C'est en ami des surréalistes et en observateur du monde communiste qu'il les accompagna à Prague en 1968.

José Pierre (Bénesse-Maremme, 1927 – Paris, 1999)
La rencontre d'André Breton en 1952 lie José Pierre au mouvement surréaliste jusqu'en 1969. Après cette date, il sera présent aux côtés de Jean Schuster et Gérard Legrand pour diriger la revue *Coupure*. Durant la période proprement surréaliste, il assiste notamment André Breton pour deux des expositions internationales du mouvement en 1959 et 1965, et prend une part très active aux revues auxquelles il contribue en manifestant notamment une grande curiosité à l'égard des nouveautés artistiques comme le Pop'art. Ses nombreuses études sur les courants artistiques et les grands peintres témoignent de l'ouverture de ses intérêts et de l'ardeur de son travail. Concernant le surréalisme, il a signé plusieurs livres capitaux permettant de mieux comprendre son histoire à commencer par *L'Univers surréaliste* (1983), *André Breton et la peinture* (1987) ou l'indispensable édition en deux volumes des *Tracts surréalistes et déclarations collectives* (1980-1982). Un large versant de son œuvre est occupé par l'écriture de contes et de romans érotiques, qui rejoint incidemment la peinture, comme dans *Gauguin aux Marquises* (1982) ou dans *Le Dernier Tableau* (1996).

Jean Schuster (Paris, 1929 – Paris, 1995)
Jean Schuster rejoint le groupe surréaliste en 1947. À partir de 1952, André Breton lui confie la direction de la revue *Médium*. Il animera à compter de cette date une grande partie des revues du groupe jusqu'à la dernière, *L'Archibras*. Trois ans après la mort d'André Breton, le 4 octobre 1969, son article intitulé « Le quatrième chant » rendit publique la dissolution du mouvement surréaliste parisien. Directeur de la collection

« Le désordre » chez son ami l'éditeur Éric Losfeld, il y publia *Développements sur l'infra-réalisme de Matta* (1970). Il est en outre l'auteur de plusieurs recueils de textes dont *Archives 57 / 68* (1969), *Les Fruits de la passion* (1988), *T'as vu ça d'ta f'nêtre* (1990) et *Le Ramasse-miettes* (1991). Son œuvre poétique a été réunie en 2007 sous le titre *Une île à trois coups d'aile.* Entre 1982 et 1993, Jean Schuster dirigea l'association ACTUAL qui avait pour vocation de réunir les archives dispersées du surréalisme.

| *Jean-Claude Silbermann* (né à Boulogne-Billancourt en 1935)
Entré dans le groupe surréaliste en 1956, Jean-Claude Silbermann est conduit en poète vers la création picturale à partir de 1962. Ses enseignes en bois découpé seront saluées en 1964 par André Breton dans un des derniers articles du recueil *Le Surréalisme et la peinture* (1965). Le monde fantasmatique de Jean-Claude Silbermann s'est mis depuis quelques années à proliférer sous la forme de vastes installations placées sous le titre générique de *Babil-Babylone.* Outre l'illustration de textes avec lesquels il entretient d'évidentes affinités, Jean-Claude Silbermann poursuit une œuvre poétique et de réflexion sur l'art.

| *Ludvík Šváb* (Prague, 1924 – Prague, 1997)
Psychiatre de profession, Ludvík Šváb a réalisé quelques films de court-métrage. Il est par ailleurs l'auteur de scénarios et de pièces de théâtre.

| *Prokop Voskovec* (né à Prague en 1942)
Prokop Voskovec prend contact en 1960 avec le groupe surréaliste de Prague à l'occasion d'une mise en scène d'*Ubu roi* d'Alfred Jarry dans un théâtre d'amateurs. Avec Petr Král, il écrit une pièce de théâtre, où l'humour tient une place majeure : *Compter les poètes* (1960-1963). Sa réflexion sur le théâtre constitue un de ses apports essentiels aux activités du groupe surréaliste de Prague jusqu'en 1968. Après un premier séjour à Paris en 1968 à la suite de l'invasion de Prague par les chars russes, il choisit de s'y exiler définitivement quelques années plus tard, alors qu'il est déchu de sa nationalité tchèque comme signataire de la Charte 77. Il poursuit actuellement son œuvre poétique, publiée en République tchèque.

BIBLIOGRAPHIE SÉLECTIVE

Philippe Audoin, *Les Surréalistes*, Seuil, coll. « Écrivains de toujours », 1973.

Vincent Bounoure, *Moments du surréalisme*, L'Harmattan, 1999.

Vincent Bounoure, *L'Événement surréaliste*, L'Harmattan, 2004.

André Breton, *Le Surréalisme et la peinture.* Nouvelle édition revue et corrigée, 1928-1965, Gallimard, coll. « Folio essais », 2002.

Claude Courtot, *Carrefour des errances*, Éric Losfeld, coll. « Le désordre », 1971.

Claude Courtot, *Les Ménines*, Le Cherche Midi éditeur, 2000.

Régis Debray, *Révolution dans la révolution ? Lutte armée et lutte politique en Amérique latine*, François Maspero, coll. « Les cahiers libres », 1967.

Régis Debray, *Loués soient nos seigneurs. Une éducation politique*, Gallimard, 1996.

Marguerite Duras, *Les Yeux verts*, Éditions de l'Étoile, coll. « Petite bibliothèque des Cahiers du cinéma », 1996.

Gérard Durozoi, *Histoire du mouvement surréaliste*, Hazan, 1997.

Rudi Dutschke, *Écrits politiques (1967-1968)*, Christian Bourgois éditeur, 1968.

Charles Fourier, *Vers la liberté en amour*, Gallimard, coll. « Folio essais », 1993.

Alain Joubert, *Le Mouvement des surréalistes ou le fin mot de l'histoire*, Maurice Nadeau, 2001.

Alain Jouffroy, *Trajectoire. Récit récitatif*, Gallimard, 1968.

Alain Jouffroy, *Le Roman vécu*, Robert Laffont, 1978.

Petr Král, *Le Surréalisme en Tchécoslovaquie. Choix de textes. 1934-1968*, Gallimard, 1983.

Dionys Mascolo, *À la recherche d'un communisme de pensée*, Fourbis, 1993.

José Pierre, *L'Abécédaire*, Le Terrain vague, 1971.

José Pierre, *Tracts surréalistes et déclarations collectives. 1940-1969*, vol. II, Éric Losfeld, 1982.

Kristin Ross, *Mai 68 et ses vies ultérieures*, Éditions Complexe, 2005.

Jean Schuster, *Archives 57 / 68. Batailles pour le surréalisme*, Éric Losfeld, 1969.

Jean Schuster, *Développements sur l'infra-réalisme de Matta*, Éric Losfeld, coll. « Le désordre », 1970.

Du surréalisme et du plaisir, (dir. Jacqueline-Chénieux-Gendron), José Corti, 1987.

Mai/Juin 68, sous la direction de Domique Damamme, Boris Gobille, Frédérique Matonti, Bernard Pudal, Les Éditions de l'atelier/Éditions ouvrières, 2008.

DANS LES REVUES

« André Breton et le surréalisme international », *Opus international* n° 123-124, avril-mai 1991.

« Avec Dionys Mascolo du manifeste des 121 à Mai 68 », *Lignes* n° 33, Hazan, 1998.

RÉCEMMENT PUBLIÉS À PRAGUE

Stanislav Dvorský
Zborcené plochy, Torst,1996.
Dobyvatelé a pafiezy, Soucasná ceská poesie, 2004.
Hra na ohradu, Torst, 2005.
Oblast ticha, Soucasná ceská poesie, 2006.

Vratislav Effenberger
Karel Hynek, Vratislav Effenberger,
S vyloucením verejnosti, Torst, 1999.
Básne1, Torst, 2004.

Zbynek Havlícek
Otevrít po mé smrti, Torst, 1994.
Lístky do památníku, Torst, 2000.
Dopisy Eve, dopisy Zbynkovi, Torst, 2003.
Skutecnost snu, Torst, 2003.

Petr Král
Úniky a návraty (rozhovory s Radimem Kopácem), Akropolis, 2006.

Prokop Voskovec
Hfibet knihy, Soucasná ceská poesie, 2006.

INDEX DES NOMS CITÉS

REMERCIEMENTS

L'expression de ma gratitude va d'abord à Claude Courtot et à Lise Duwa, qui par leur aide et leurs relectures, ont accompagné toute la gestation de cet ouvrage.
Sans les autorisations des éditeurs, des auteurs ou de leurs ayants droit qui ont bien voulu permettre la reproduction de textes et de documents, un tel livre n'aurait pu voir le jour. Que soient donc chaleureusement remerciés pour l'attention qu'ils ont bien voulu apporter à ce projet : Mesdames Michèle Audoin, Josette Hébert Schuster, Nicole José Pierre, Michèle Kastner, Sylvette Legrand, Solange Mascolo et Messieurs Jean-Marc Debenedetti, Stanislav Dvorský, Robert Guyon, Alain Jouffroy, Petr Král, Ekil Lam, Jean Mascolo, Jean-Claude Silbermann, Prokop Voskovec.

Je tiens à saluer en outre le travail éditorial de Muriel Vandeventer et à remercier Nathalie Léger et Olivier Corpet d'avoir accueilli ce livre aux éditions de l'Imec.
À divers égards, cet ouvrage a aussi bénéficié de l'aide de l'équipe de l'Imec, et en particulier de Pierre Clouet, Isabelle Pacaud, José Ruiz-Funes et Laure Papin.

J. D.

L'Imec souhaite remercier tous les auteurs des textes cités d'avoir généreusement offert leurs autorisations de publication et d'avoir ainsi permis la parution de cet ouvrage.

CRÉDITS PHOTOGRAPHIQUES

P. 13, © René Pari – P. 35, Archives Philippe Audoin – P. 35, Archives Jean Mascolo – P. 46-49-51, © *Opus international* – P. 59-75-76-93, Archives André Gorz / IMEC – P. 69, © *L'Archibras* – P. 74-82, © SDO Wifredo Lam – P. 99, © catalogue *Princip slasti* – P. 100, © *Cinéma 67* – P. 101, © Cinémas associés – P. 103-126, Archives Claude Courtot – P. 123, © *L'Avant-scène cinéma* – P. 158, © *Analogon* – P. 168, © Petr Král – P. 194-195, © *L'Archibras.*

ISBN : 2-9082-95-92-X

Imprimerie France Quercy – Mercues
N° d'imprimeur : 80372
Dépôt légal : Mars 2008
Imprimé en France